Verzoeking

Van Harlan Coben zijn verschenen bij Boekerij:

Schijnbeweging
Schaduwleven
Laatste kans
Niemand vertellen
Spoorloos
Geen tweede kans
Momentopname
De onschuldigen
Eens beloofd
Geleende tijd
Houvast
Verloren
Verzoeking

www.boekerij.nl

Harlan Coben

Verzoeking

ISBN 978-90-225-4996-4
NUR 305

Oorspronkelijke titel: *Caught* (Dutton)
Vertaling: Martin Jansen in de Wal
Omslagontwerp: Wil Immink Design
Omslagbeeld: © Lee Avison / Trevillion Images
Zetwerk: Mat-Zet BV, Soest

Published by arrangement with Lennart Sane Agency AB

Voor Ann
Van de gelukkigste man op de hele wereld

Proloog

Ik wist dat mijn leven voorbij zou zijn als ik die rode deur opendeed.

Ja, dat klinkt heel melodramatisch en onheilspellend, en normaliter ben ik daar veel te nuchter voor. Bovendien had de deur niets bedreigends. Het was een doodgewone houten deur met sierlijsten zoals je die aantreft bij drie van de vier huizen in de buitenwijken, met dof geworden verf, op borsthoogte een klopper die niemand ooit gebruikt, en een nepkoperen deurknop.

Maar toen ik ernaartoe liep in het weinige licht van de straatlantaarn verderop, gaapte de donkere rechthoek me aan als een muil die me wilde verslinden en was mijn gevoel van naderend onheil onmiskenbaar. Elke stap die ik deed kostte me inspanning, alsof ik niet over een tuinpad maar door vers, nat cement liep. Mijn lichaam vertoonde alle klassieke symptomen van dreigend gevaar. Koude rilling over mijn rug? Check. Haartjes op mijn onderarmen rechtop? Yep. Kriebelend gevoel onder aan de nek? Aanwezig. Lichte tinteling boven in de schedel? Absoluut.

Het was donker in het huis; er brandde geen enkel licht. Chynna had me er al voor gewaarschuwd. Die mededeling had ik nogal vaag gevonden, een beetje te gemakkelijk. Om de een of andere reden zat dat me dwars. Het huis stond ook net iets te afgelegen, aan het eind van een doodlopende straat, in duister gehuld alsof het zich op die manier tegen indringers wilde beschermen.

Het beviel me niet.

De hele situatie beviel me niet, maar het hoort bij het werk dat ik doe. Toen Chynna me belde, had ik net de trainingswedstrijd van het jeugdbasketbalteam van groep vier in Newark gecoacht. Mijn team, allemaal kinderen die net als ik uit pleeggezinnen afkomstig waren – we noemen onszelf de Olo's, wat de afkorting is van 'ouderlozen', onze galgenhumor – was erin geslaagd een voorsprong van zes punten uit handen te geven, met nog twee minuten op de klok. Net als in het echte leven presteerden de Olo's in het veld niet al te best onder druk.

Chynna belde toen ik mijn spelertjes bijeen had geroepen voor de gebruikelijke peptalk na de wedstrijd, die van mijn kant meestal bestond uit opbeurende, levensbeschouwende opmerkingen als 'goed geprobeerd', of 'de volgende keer pakken we ze', of 'vergeet de wedstrijd van aanstaande donderdag niet', waarna we altijd besloten met '*high five*', en onze strijdkreet 'dekken!', die we hadden gekozen omdat we daar in het veld nooit aan toekwamen.

'Dan?'

'Met wie spreek ik?'

'Met Chynna. Kom hiernaartoe, alsjeblieft.'

Haar stem trilde, dus ik had mijn team naar de kleedkamer gestuurd, was in mijn auto gesprongen en nu stond ik hier. Ik had niet eens de tijd genomen om te douchen. De geur van sportzweet vermengde zich met die van mijn angst. Ik ging nog langzamer lopen.

Wat mankeerde me?

Om te beginnen had ik beter eerst kunnen douchen. Ik functioneer niet zonder douche. Heb ik nooit gedaan. Maar Chynna had aangedrongen. Nu meteen, had ze me gesmeekt. Voordat er iemand thuiskomt. Dus hier was ik, in mijn grijze T-shirt vol donkere transpiratieplekken, dat aan mijn bovenlijf plakte, op weg naar die deur.

Net als de meeste jongeren met wie ik werk had Chynna serieuze mentale problemen, en misschien was het dát waardoor mijn alarmbellen waren gaan rinkelen. De klank van haar stem over de telefoon had me helemaal niet aangestaan, net zoals het feit dat ik hier was me niet aanstond. Ik haalde een keer diep adem en keek achter me. In de verte zag ik een paar tekenen van leven in de stille woonwijk bij avond – een huis waar licht brandde, het bewegende licht van een tv, of misschien een computerbeeldscherm, een open garagedeur – maar hier, in dit doodlopende straatje, helemaal niks, geen geluid, geen beweging, alleen contouren in het duister.

Mijn mobiele telefoon in mijn broekzak trilde en ik sprong bijna in de lucht van de schrik. Ik nam aan dat het Chynna was, maar nee, het was Jenna, mijn ex-vrouw. Ik drukte op het knopje en zei: 'Hoi.'

'Zou je iets voor me willen doen?' vroeg ze.

'Ik ben nu even bezig.'

'Ik heb een oppas nodig voor morgenavond. Je mag Shelly meebrengen als je wilt.'

'Shelly en ik zijn, eh... we hebben wat problemen,' zei ik.

'Alweer? Maar ze paste zo goed bij je.'

'Misschien heb ik wel moeite met vrouwen die goed bij me passen.'

'Vertel mij wat.'

Jenna, mijn liefhebbende ex, is acht jaar geleden hertrouwd. Haar nieuwe echtgenoot is een gerespecteerd chirurg die Noel Wheeler heet. Noel doet in het opvanghuis vrijwilligerswerk voor me. Ik mag Noel graag en hij mij ook. Hij heeft een dochter uit een eerder huwelijk en Jenna en hij hebben een dochtertje van zes, dat Kari heet. Ik ben Kari's peetvader en beide kinderen noemen me oom Dan. Ik ben de stand-by oppas van de familie.

Ik weet dat dit allemaal heel braaf en burgerlijk klinkt, en misschien is het dat ook wel. Van mij uit gezien is het gewoon een kwestie van noodzaak. Ik heb verder niemand, geen ouders, geen broers of zussen, kortom, wat voor mij het dichtst in de buurt van familie komt, is mijn ex-vrouw. De kinderen met wie ik werk, degenen die ik bijsta, probeer te helpen en te beschermen, zij zijn mijn leven, hoewel ik me wel eens afvraag of ik ze ook maar een centimeter vooruit help.

Jenna zei: 'Hallo? Aarde aan Dan?'

'Ik zal er zijn,' zei ik tegen haar.

'Half zeven. Je bent geweldig.'

Jenna maakte een vaag liefkozend geluid in de hoorn en hing op. Ik bleef even naar mijn telefoon kijken en dacht aan onze trouwdag.

Het was een vergissing van me geweest om te trouwen. Het is voor mij niet goed om te close met andere mensen te zijn, maar toch doe ik het. Mag ik wat violen op de achtergrond terwijl ik filosofeer over de stelling dat het beter is om van iemand te houden en die persoon kwijt te raken dan helemaal niet van iemand te houden? Mooie stelling, maar toch gaat die niet voor mij op. Het zit in het menselijk DNA om alsmaar dezelfde fouten te blijven maken, zelfs als we beter weten. Dus hier ben ik dan, de arme wees die zich naar de top van zijn klas op een dure Ivy League-school heeft geknokt, maar die nooit vrede heeft gehad met wie hij is. Het klinkt misschien klef, maar ik wil iemand in mijn leven. Helaas is dat niet voor mij weggelegd. Ik ben een eenling die niet alleen wil zijn.

'*We zijn het afval van de evolutie, Dan...*'

Dat had mijn favoriete pleegvader me geleerd. Hij was docent aan de universiteit en verloor zichzelf graag in filosofische discussies.

'*Denk erover na, Dan. Wat hebben de sterkste en slimste mensen door de eeuwen heen gedaan? Die hebben in oorlogen gevochten. Dat is pas in de vorige eeuw min of meer opgehouden. Daarvóór hebben we onze allerbeste mensen altijd naar de frontlinies gestuurd om voor ons te strijden. Dus wie bleven er thuis en vermenigvuldigden zich terwijl onze elite de dood vond op het slagveld? De kreupelen, de zieken en de zwakken, de gestoorden en de lafaards... kortom, de minsten van ons. En daar zijn wij het genetische bijproduct van, Dan, van duizenden jaren verspilling van het beste wat we hadden en het in stand houden van de tweede keus. Daarom zijn we allemaal afval... het resultaat van eeuwenlang fokken met tweederangs genen.*'

Ik negeerde de klopper en klopte zachtjes met mijn knokkels op de deur. Die ging een paar centimeter open. Ik had niet gemerkt dat hij niet op slot was.

Ook dit beviel me niet. Er was hier heel veel wat me niet beviel.

Toen ik jong was had ik veel naar griezelfilms gekeken, wat vreemd was omdat ik de pest had aan griezelfilms. Ik verafschuwde dingen die uit het niets tevoorschijn sprongen. En van al die nagemaakte viezigheid moest ik helemaal niets hebben. Maar toch keek ik ernaar en had ik me overgegeven aan het voorspelbare stompzinnige gedrag van de heldinnen, en het waren juist die scènes die ik op dit moment voor me zag, die waarin de genoemde stompzinnige heldin op een deur klopt, die krakend een paar centimeter opengaat en jij schreeuwt: 'Ren weg, schaars geklede idioot!' Maar dat doet ze niet en jij begrijpt niet waarom niet, en twee minuten later zit de moordenaar met smaak haar hersens uit haar schedel te lepelen.

Ik zou nu naar huis moeten gaan.

En dat ga ik ook doen, zei ik tegen mezelf. Maar op dat moment dacht ik weer aan Chynna's telefoontje, aan wat ze had gezegd en aan de trilling in haar stem. Ik zuchtte, boog me naar voren en keek door de kier de gang in.

Duisternis.

Dit geheimzinnige gedoe had lang genoeg geduurd.

'Chynna?'

Mijn stem echode door het huis. Ik had stilte verwacht. Dat zou de volgende stap zijn, nietwaar? Geen reactie. Ik duwde de deur iets verder open en deed behoedzaam een stapje vooruit...

'Dan? Ik ben achter. Kom binnen.'

De stem klonk gedempt en ver weg. Ook dat beviel me niet, maar ik kon nu niet meer terug. Weglopen voor dingen had me in mijn leven al te veel gekost. Mijn aarzeling verdween. Ik wist wat me te doen stond.

Ik duwde de deur verder open, ging naar binnen en deed de deur achter me dicht.

Andere mensen in mijn positie zouden een pistool of een ander wapen hebben meegebracht. Ik had eraan gedacht. Maar zo werk ik nu eenmaal niet. Trouwens, daar hoefde ik me nu geen zorgen om te maken. Er was niemand thuis. Dat had Chynna tegen me gezegd. En als ze er wel waren, nou, dan zou ik me daarmee bezighouden als het zover was.

'Chynna?'

'Ga maar naar de woonkamer, ik kom er zo aan.'

Haar stem klonk... vreemd. Ik zag licht aan het eind van de gang en liep ernaartoe. Ik hoorde nu ook een geluid. Ik bleef staan en luisterde. Het klonk als stromend water. Misschien was het de douche.

'Chynna?'

'Ik trek even iets anders aan. Ik kom zo.'

Ik ging de flauw verlichte woonkamer binnen. De lichtknop had een dimmer en even overwoog ik het licht wat op te draaien, maar ik liet het toch zoals het was. Mijn ogen wenden snel aan het duister. De wanden van de kamer waren betimmerd met schrootjes van een materiaal dat dichter in de buurt van plastic kwam dan dat het van bomen afkomstig was. Er hingen twee schilderijen van bedroefd kijkende clowns met heel grote bloemen op hun revers, de soort kunst die je kunt kopen wanneer een louche motel zijn inboedel wegdoet. Op de bar stond een heel grote fles merkloze wodka.

Ik dacht dat ik iemand hoorde fluisteren.

'Chynna?' riep ik weer.

Geen antwoord. Ik bleef staan en luisterde of ik meer gefluister hoorde. Maar ik hoorde niets.

Ik liep weer naar achteren, waar ik het geruis van de douche had gehoord.

'Ik kom zo,' hoorde ik de stem zeggen. Ik bleef abrupt staan en voelde een rilling over mijn rug lopen. Want ik was nu dichter bij de stem. Ik kon hem beter horen. En ik wist nu ook wat ik er zo raar aan vond klinken.

Het was Chynna's stem helemaal niet.

Drie opeenvolgende reacties schoten door me heen. Eén: paniek. Dit was Chynna niet. Maak dat je wegkomt. Twee: nieuwsgierigheid. Als dit Chynna niet was, wie was het verdomme dan wel en wat was er hier gaande? Drie: opnieuw paniek. Het was wel Chynna geweest die me had gebeld, dus wat was er met haar gebeurd?

Ik kon er nu niet meer voor weglopen.

Ik liep terug naar waar ik vandaan was gekomen en op dat moment gebeurde het. Een schijnwerper ging aan, werd op mijn gezicht gericht en verblindde me. Ik wankelde achteruit, bracht mijn hand naar mijn gezicht.

'Dan Mercer?'

Ik knipperde met mijn ogen. Een vrouwenstem. Zakelijk. Donker van toon. Een stem die me vaag bekend voorkwam.

'Wie is daar?'

Opeens waren er meer mensen in de kamer. Een man met een camera. Iemand met een microfoon aan een soort hengel. En de vrouw met de vaag bekende stem, een heel aantrekkelijke vrouw met kastanjebruin haar en een mantelpakje.

'Wendy Tynes, *NTC News*. Wat kom je hier doen, Dan?'

Ik opende mijn mond, maar er kwam geen geluid uit. Ik herkende de vrouw van dat tv-magazine...

'Waarom heb je op internet seksueel getinte e-mails uitgewisseld met een meisje van dertien, Dan? We hebben jouw e-mails aan haar onderschept.'

... dat programma waarin pedofielen in de val worden gelokt, met een cameraploeg worden overvallen en voor de hele wereld te kijk worden gezet.

'Ben je hier om gemeenschap te hebben met een meisje van dertien?'

De waarheid van wat hier gaande was trof me als een mokerslag en verkilde me tot op het bot. Er kwamen meer mensen de kamer in. Producers misschien? Nog een cameraman. Twee politieagenten. De camera's kwamen dichterbij. De schijnwerpers werden feller. Het zweet brak me uit. Ik begon te stamelen, probeerde te ontkennen.

Maar het was al te laat.

Twee dagen later werd het programma uitgezonden. De wereld zag het.

En het leven van Dan Mercer, zoals ik op de een of andere manier al had geweten toen ik die rode deur naderde, was voorbij.

Toen Marcia McWaid aanvankelijk het onbeslapen bed van haar dochter zag, raakte ze niet in paniek. Dat gebeurde pas later.

Ze was om zes uur wakker geworden, nogal vroeg voor de zaterdag, maar ze voelde zich goed en vol energie. Ted, al twintig jaar haar man, lag naast haar in bed te slapen. Hij lag op zijn buik, met zijn arm om haar middel. Ted sliep altijd met alleen een T-shirt aan en verder niets. Geen onderbroek. Naakt vanaf zijn middel. 'Om mijn vriend daarbeneden wat ruimte te geven,' zei hij altijd met een vette grijns. Waarop Marcia dan antwoordde, op de nuffige toon van haar tienerdochter: 'Doe me een lol. Ik hoef het niet te weten.'

Marcia schoof onder zijn arm vandaan, stond op en slofte naar de keuken. Ze maakte een kop koffie met hun nieuwe Keurig-koffiezetapparaat. Ted was gek op nieuwe snufjes – mannen en hun speelgoed – maar dit apparaat had werkelijk een functie. Je pakte een pad, deed het erin, en hup, je had een kop koffie. Geen lcd-schermpjes, geen moeilijke knoppen, geen draadloze verbindingen. Marcia vond het een geweldig ding.

Ze hadden onlangs de verbouwing van het huis voltooid: een extra slaapkamer, met badkamer, en een uitbouw aan de keuken met een groot dakraam. Als 's morgens vroeg de zon scheen, viel die door het dakraam in de keuken, en dit was algauw Marcia's meest geliefde plekje in huis geworden. Ze ging met haar koffie en de krant in de brede vensterbank zitten en trok haar benen onder zich.

Een stukje hemel op aarde.

Ze nam de tijd om de krant te lezen en haar koffie op te drinken. Daarna zou het dagrooster in werking treden. Ryan, die in groep drie zat, had om acht uur al een basketbalwedstrijd met het juniorenteam. Ted was hun coach. Ze hadden voor het tweede achtereenvolgende seizoen nog geen enkele wedstrijd gewonnen.

'Waarom winnen jullie nooit?' had Marcia hem een keer gevraagd.

'Omdat ik mijn spelertjes selecteer op twee criteria.'

'En die zijn?'

'Hoe sympathiek de vader is… en hoe lekker de moeder eruitziet.'

Marcia had hem een speelse klap gegeven en misschien zou ze zich zelfs een beetje zorgen hebben gemaakt, ware het niet dat ze de moeders langs de zijlijn had zien staan en het duidelijk was dat hij een grapje had gemaakt. Ted was in werkelijkheid een geweldige coach, niet zozeer wat betreft strategie en winnen, maar wel in de manier waarop hij met de jongens omging. Ze waren allemaal dol op hem en op zijn gebrek aan competitiviteit, waardoor zelfs de meest talentloze spelertjes, degenen die gedurende het seizoen meestal ontmoedigd raken en afhaken, elke week bleven komen. Ted had zelfs de titel van een Bon Jovi-song voor hen uitgekozen en er een variatie op bedacht: 'You Give Losing a Good Name'. De jongens hadden plezier en juichten bij elke bal die in de basket verdween, en zo hoort het ook te zijn als je nog zo jong bent.

Marcia's dochter van veertien, Patricia, had repetitie voor het toneelstuk van de eerstejaars, een bewerking van de musical *Les Misérables*. Ze speelde diverse kleinere rollen, maar dat kon ze best aan. En haar oudste dochter, Haley, die in het laatste jaar van de middelbare school zat, trainde het lacrosseteam voor meisjes. Dat waren geen officiële trainingen maar een manier om buiten de schooluren extra met hun sport bezig te zijn. Kortom, geen coach, niks officieel, ze kwamen gewoon bij elkaar en speelden hun veredelde 'pak af die bal' om er beter in te worden.

Zoals de meeste moeders had Marcia een haat-liefdeverhouding met sport. Ze was zich ervan bewust dat je er op de lange termijn relatief weinig aan had, maar tegelijkertijd kon ze ook razend enthousiast raken.

Een half uurtje rust voordat de dag begon. Dat was het enige wat ze wilde.

Ze dronk haar koffie op, deed nog een pad in het apparaat voor een tweede kopje en bladerde de lifestylebijlage van de krant door. Het bleef stil in huis. Ze liep de trap op en ging bij de kinderen kijken. Ryan sliep op zijn zij, met zijn gezicht naar de deur, en het viel haar weer op hoeveel hij op zijn vader leek.

De volgende kamer was die van Patricia. Ook zij sliep nog.

'Schat?'

Patricia verroerde zich en maakte een nauwelijks hoorbaar geluidje. Net als Ryans kamer zag de hare eruit alsof iemand op strategische plekken in de laden en kasten dynamietstaven had geplaatst en tot ontploffing had gebracht, waardoor ze open waren gevlogen, een deel van de kleding morsdood op de kamervloer lag en de rest zich als gevallen strijders vastklampte aan de meubels alsof het de barricaden tijdens de Franse Revolutie waren.

'Patricia? Over een uur begint je repetitie.'

'Ik ben wakker,' kreunde ze met een stem die verried dat ze het allesbehalve was. Marcia liep door naar de volgende kamer, die van Haley, en wierp een blik naar binnen.

Het bed was leeg. En het was opgemaakt, hoewel dat geen verrassing was. In tegenstelling tot haar jongere zusje en broertje was Haley schoon en heel erg ordelijk. Je waande je in de showroom van een meubelzaak. Hier lagen geen kleren op de vloer en waren alle laden dicht. Haar kampioensbekers – en dat waren er veel – stonden in volmaakt rechte rijen op de vier planken. Ted had de vierde plank nog niet zo lang geleden aan de muur bevestigd, nadat Haleys team het vakantietoernooi in Franklin Lakes had gewonnen. Haley had de bekers opnieuw over de vier planken verdeeld, want ze wilde geen plank waar maar één beker op stond. Marcia wist niet precies waarom. Misschien wilde ze niet de verwachting wekken dat er nog meer bij zouden komen, maar Marcia achtte het waarschijnlijker dat ze het op deze manier had gedaan omdat ze wanorde verafschuwde. Dus stonden de bekers op exact dezelfde afstand van elkaar en schoof ze ze dichter naar elkaar toe wanneer er één bij kwam, van acht centimeter naar zes, naar vier en ten slotte naar twee centimeter. Bij Haley draaide alles om evenwicht. Zij was het brave, nette meisje, en hoewel dat natuurlijk prachtig was – iemand die ambitieus was, die uit zichzelf haar huiswerk deed, die nooit wilde dat anderen slecht over haar dachten en die buitengewoon competitief was – had het ook iets krampachtigs, een bijna obsessieve kant, en daar maakte Marcia zich soms zorgen over.

Marcia vroeg zich af hoe laat Haley was thuisgekomen. Haley had geen uren waaraan ze zich hoefde te houden, omdat daar simpelweg nooit een reden voor was geweest. Ze had verantwoordelijkheidsgevoel, was laatstejaars en maakte nooit misbruik van haar vrijheid. Marcia was moe geweest en al om tien uur naar bed gegaan. Ted, zoals altijd ten prooi aan seksuele opwinding, was haar al snel achternagekomen.

Marcia stond op het punt naar beneden te gaan en het voorlopig te laten rusten, toen iets – ze kon niet zeggen wat – haar deed besluiten een lading was in de machine te doen. Ze liep door naar Haleys badkamer. De jongere kinderen, Ryan en Patricia, geloofden dat 'wasmand' het synoniem was voor 'vloer', of voor 'overal behalve in de wasmand', maar de plichtsgetrouwe Haley deed de kleren die ze die dag aan had gehad natuurlijk elke avond braaf in de wasmand. Het was op dat moment dat Marcia voelde dat er een steen in haar borst ontstond.

Er zaten geen kleren in de wasmand.

De steen in haar borst werd groter toen ze aan Haleys tandenborstel en het afvoerputje van de wastafel en de douche voelde.

Alles was kurkdroog.

De steen bleef groeien toen ze Ted riep, waarbij ze de paniek in haar stem probeerde te onderdrukken. Hij groeide door toen ze naar de lacrossetraining reden en te horen kregen dat Haley daar niet was geweest. Groeide toen zij Haleys vriendinnen belde terwijl Ted een massamailing naar iedereen in haar adreslijst stuurde en niemand wist waar Haley was. Groeide toen ze de plaatselijke politie belden, die ondanks alle tegenwerpingen van Marcia en Ted geloofde dat Haley gewoon van huis was weggelopen om een beetje stoom af te blazen. De steen groeide door toen na achtenveertig uur de FBI werd ingeschakeld. En groeide door toen Haley na een week nog steeds spoorloos was.

Het was alsof de aarde haar had opgeslokt.

Er ging een maand voorbij. Niets. Toen twee maanden. Nog steeds geen woord. En toen, eindelijk, in de derde maand, kwam het nieuws en stopte de steen, inmiddels zo groot dat Marcia nauwelijks nog kon ademhalen en nachtenlang wakker lag, met groeien.

Deel een

1

Drie maanden later

'Zweert u de waarheid en niets dan de waarheid te zullen spreken, zo waarlijk helpe u God?'

Wendy Tynes zwoer het, nam plaats in de getuigenbank en keek recht voor zich uit. Ze had het gevoel dat ze op het podium stond, iets waaraan ze als tv-reporter toch gewend moest zijn, maar deze keer bezorgde het haar de kriebels. Ze keek de rechtszaal in en zag de ouders van Dan Mercers slachtoffers. Vier echtparen. Ze waren er elke dag. Eerst hadden ze foto's van hun kinderen meegebracht, heel onschuldige foto's uiteraard, en hadden die boven hun hoofd gehouden, maar dat had de rechter verboden. Nu keken ze roerloos en zwijgend voor zich uit, en op de een of andere manier was dat nog intimiderender.

De zitting van de getuigenbank was hard. Wendy ging verzitten, sloeg haar benen over elkaar, zette haar voeten weer naast elkaar en wachtte.

Flair Hickory, befaamd strafpleiter voor de verdediging, stond op en niet voor de eerste keer vroeg Wendy zich af waar Dan Mercer het geld vandaan haalde om hem te bekostigen. Flair was gekleed in zijn gebruikelijke grijze pak met brede roze strepen en een roze overhemd met een roze das. Hij bewoog zich door de rechtszaal op een manier die op z'n zachtst gezegd als theatraal kon worden omschreven, of als iets wat Liberace zou hebben gedaan als Liberace het lef had gehad om écht flamboyant te zijn.

'Mevrouw Tynes,' begon hij met een vriendelijke glimlach. Het hoorde bij Flairs aanpak. Hij was gay, ja, maar hij speelde het uit in de rechtszaal alsof hij Edna Turnblad in de musical *Hairspray* was. ‘Mijn naam is Flair Hickory. Ik wens u een goedemorgen.’

‘Goedemorgen,’ zei ze.

‘U werkt voor een ranzig sensatieprogramma dat *Op heterdaad* heet, is dat juist?’

De raadsman van de beschuldigende partij, een man die Lee Portnoi heette, zei: ‘Ik maak bezwaar, edelachtbare. Het is een tv-programma. Het gaat te ver om het ranzig of sensatiebelust te noemen.’

Flair glimlachte. ‘Wilt u dat ik bewijzen overleg, meneer Portnoi?’

‘Dat is niet nodig,’ zei rechter Lori Howard, met een stem die al licht bezorgd klonk. Ze keerde zich naar Wendy. ‘Beantwoordt u de vraag, alstublieft.’

‘Ik werk niet meer voor het programma,’ zei Wendy.

Flair deed alsof dit hem verbaasde. ‘O nee? Maar u hebt er wel voor gewerkt?’

‘Ja.’

‘Wat is er dan gebeurd?’

‘Het programma is uit de lucht gehaald.’

‘Vanwege lage kijkcijfers?’

‘Nee.’

‘Echt niet? Waarom dan wel?’

Portnoi zei: ‘Edelachtbare, we weten allemaal waarom.’

Lori Howard knikte. ‘Gaat u door, meneer Hickory.’

‘U kent mijn cliënt, Dan Mercer?’

‘Ja.’

‘En u hebt ingebroken in zijn huis, nietwaar?’

Wendy probeerde hem recht te blijven aankijken en er niet schuldig uit te zien, hoe je dat laatste ook deed. ‘Nee, dat is niet helemaal waar.’

‘O nee? Goed dan, lieve mevrouw, ik ben er een groot voorstander van dat we hier zo accuraat zijn als menselijk maar mogelijk is, dus laten we even teruggaan, zullen we?’ Hij schreed door de rechtszaal alsof hij in Milaan op de catwalk liep. Hij was zelfs zo brutaal dat hij glimlachte naar de ouders van de slachtoffers. Die weigerden Flair aan te kijken, afgezien van een van de vaders, Ed Grayson, die hem een dodelijke blik toewierp. Het scheen Flair niet te deren.

'Hoe hebt u mijn cliënt leren kennen?'

'Hij benaderde me in een chatroom.'

Flairs wenkbrauwen gingen centimeters omhoog. 'O ja?' Alsof dit het meest fascinerende was wat iemand ooit tegen hem had gezegd. 'Wat voor chatroom was dat?'

'Een chatroom die wordt bezocht door kinderen.'

'En u was daar, in die chatroom?'

'Ja.'

'Maar u bent geen kind, mevrouw Tynes. Ik bedoel, u bent misschien niet helemaal mijn smaak, maar zelfs ik kan zien dat u een welgevormde volwassen vrouw bent.'

'Bezwaar!'

Rechter Howard zuchtte. 'Meneer Hickory?'

Flair glimlachte en wuifde verontschuldigend met zijn hand. Dit was een van de dingen die alleen Flair zich in de rechtszaal kon veroorloven. 'Goed dan, mevrouw Tynes, toen u in die chatroom was, deed u zich voor als een minderjarig meisje, is dat juist?'

'Ja.'

'En u ging gesprekken aan met mannen om ze te verleiden seksuele gemeenschap met u te hebben, is dat ook juist?'

'Nee.'

'O nee?'

'Ik laat hen altijd de eerste stap doen.'

Flair schudde zijn hoofd en maakte bedroefde *tsk-tsk*-geluidjes. 'Als ik een dollar had gekregen voor elke keer dat ik dat heb gezegd...'

Een zacht gelach ging door de rechtszaal.

De rechter zei: 'We hebben de prints van de gesprekken, meneer Hickory. We kunnen ze doornemen en aan de hand daarvan besluiten wat voor gesprekken het waren.'

'U hebt helemaal gelijk, edelachtbare. Dank u.'

Wendy vroeg zich af waarom Dan Mercer er niet was, hoewel dat eigenlijk duidelijk was. Het ging hier om een voorbereidende zitting, kortom, hij hoefde er niet bij te zijn. Flair Hickory hoopte de rechter zover te krijgen dat ze al het afschuwelijke, misselijkmakende materiaal dat de politie op Mercers laptop en verstopt in zijn huis had aangetroffen als bewijs van tafel veegde. Als hij dat voor elkaar kreeg – en dat was inderdaad de grote vraag; daar was iedereen het over eens – dan zou de zaak waarschijnlijk niet-ontvankelijk worden verklaard en zou een gestoorde smeerlap op vrije voeten blijven.

'Trouwens...' Flair draaide zich met een ruk om naar Wendy. '... hoe wist u dat het mijn cliënt was met wie u in die chatroom contact had?'

'Dat wist ik eerst niet.'

'Nee? Met wie dácht u dan dat u contact had?'

'Ik had geen naam. Zo werkt het in chatboxen. Maar ik wist op een zeker moment wel dat ik contact had met iemand die uit was op seks met minderjarige meisjes.'

'Hoe wist u dat?'

'Pardon?'

Flair stak zijn handen op en vormde aanhalingstekens met zijn vingers. 'Uit op seks met minderjarige meisjes, zoals u het stelt. Hoe wist u dat de persoon met wie u contact had daarop uit was?'

'Lees de transcripties van het gesprek, meneer Hickory, zoals de rechter zonet al zei.'

'Ah, maar dat heb ik gedaan. En weet u tot welke conclusie ik ben gekomen?'

Nu greep Lee Portnoi in. 'Bezwaar, edelachtbare. We zijn niet geïnteresseerd in de conclusies van meneer Hickory. Hij legt hier geen getuigenis af.'

'Toegewezen.'

Flair liep terug naar zijn tafel en begon zijn aantekeningen door te nemen. Wendy keek naar de ouders op de eerste rij. Dat gaf haar kracht. Deze mensen hadden veel leed te verduren gehad. Wendy wilde hen helpen en ervoor zorgen dat er recht geschiedde. Want wat je ook van haar werk kon zeggen – met een minachtende grijns of niet – het betekende veel voor haar... de goede dingen die ze had gedaan. Maar toen haar blik die van Ed Grayson kruiste, zag ze iets wat haar niet beviel. De woede in zijn ogen. Een bijna uitdagende blik?

Flair legde zijn papieren neer. 'Nou, laat ik het dan anders stellen, mevrouw Tynes. Als een weldenkend persoon deze transcripties zou lezen, zou hij dan niet onmiddellijk en zonder enige twijfel tot de conclusie komen dat een van de deelnemers van deze chats een welgevormde, zesendertigjarige vrouwelijke nieuwsreporter was...'

'Bezwaar!'

'... of dat ze waren geschreven door een meisje van dertien?'

Wendy deed haar mond open, sloot hem weer en wachtte. Rechter Howard zei: 'U mag de vraag beantwoorden.'

'Ik deed alsof ik een meisje van dertien was.'

'Ah,' zei Flair. 'Hebben we dat niet allemaal gedaan?'

'Meneer Hickory,' waarschuwde de rechter.

'Sorry, edelachtbare, ik kon het niet laten. Maar goed, mevrouw Tynes, als ik zo'n bericht las, zou ik niet weten dat u doet alsof, is het wel? Ik zou denken dat u inderdaad een meisje van dertien was.'

Lee Portnoi wierp zijn handen in de lucht. 'Wat is de vraag?'

'Die komt nu, schat, dus luister goed. Waren die berichten geschreven door een meisje van dertien?'

'Vraag is gesteld en beantwoord, edelachtbare.'

Flair zei: 'Een simpel ja of nee is voldoende. Was de auteur van die berichten een meisje van dertien?'

Rechter Howard gaf met een hoofdknik aan dat ze mocht antwoorden.

'Nee,' zei Wendy.

'U deed, zoals u net zei, alsof u een meisje van dertien was, correct?'

'Correct.'

'En voor zover u wist, kon degene met wie u contact had wel

doen alsof hij een volwassen man was die uit was op seks met een minderjarige. Voor zover u wist kon u wel in gesprek zijn met een albino non met herpes, correct?'

'Bezwaar.'

Wendy keek Flair recht aan. 'Het was geen albino non met herpes die met seksuele bedoelingen naar het huis van het meisje kwam.'

Maar Flair liet zich niet uit het veld slaan. 'Welk huis was dat, mevrouw Tynes? Het huis waar u uw camera's had opgesteld? Vertelt u me eens, woonde het minderjarige meisje daar?'

Wendy zei niets.

'Geeft u antwoord op de vraag, alstublieft,' zei de rechter.

'Nee.'

'Maar u was daar wel, nietwaar? Misschien had degene met wie u in gesprek was geweest, wie het ook was, want dat kunnen we tot dit moment nog niet weten, maar misschien had die persoon uw "nieuwsprogramma"' – Flair sprak het uit alsof hij een vieze smaak in zijn mond had – 'wel eens gezien en had hij besloten mee te spelen, zodat hij kon kennismaken met een welgevormde, zesendertigjarige tv-ster. Is dat niet mogelijk?'

Portnoi was opgestaan. 'Bezwaar, edelachtbare. Het is aan de jury om dat uit te maken.'

'Akkoord,' zei Flair. 'We kunnen ons dan bezighouden met dit evidente geval van uitlokking.' Hij draaide zich weer naar Wendy. 'Laten we ons even beperken tot de avond van 17 januari, zullen we? Wat gebeurde er na het treffen met mijn cliënt in uw fophuis?'

Wendy wachtte tot haar raadsman bezwaar zou maken tegen de term 'fophuis', maar blijkbaar was hij van mening dat hij al vaak genoeg bezwaar had gemaakt. 'Uw cliënt ging ervandoor.'

'Nadat u hem op zijn nek was gesprongen met al uw camera's, schijnwerpers en microfoons, correct?'

Ze wachtte weer op een bezwaar voordat ze antwoord gaf. 'Ja.'

'Vertelt u me eens, mevrouw Tynes, reageren de meeste mannen die u naar uw fophuis lokt op die manier?'

'Nee. De meesten blijven en proberen uit te leggen wat ze daar kwamen doen.'

'En die mannen zijn meestal schuldig?'

'Ja.'

'Maar mijn cliënt reageerde anders. Interessant.'

Portnoi was weer gaan staan. 'Voor meneer Hickory is dit misschien interessant. Voor de overige aanwezigen zijn deze trucjes...'

'Goed dan, prima, ik trek de opmerking in,' zei Flair alsof het hem weinig kon schelen. 'Relax, raadsman, we staan hier niet voor een jury. Denkt u niet dat de edelachtbare zelf in staat is mijn "trucjes" te doorzien zonder dat u haar daarop attendeert?' Hij draaide zijn manchetknoop recht. 'Dus, mevrouw Tynes, u kwam tevoorschijn springen met uw camera's en schijnwerpers en microfoons, en Dan Mercer ging ervandoor, dat is uw verklaring?'

'Ja, dat is juist.'

'Wat hebt u toen gedaan?'

'Ik heb mijn productiemedewerkers opdracht gegeven achter hem aan te gaan.'

Flair deed weer alsof hij diep geschokt was. 'Zijn uw productiemedewerkers politiebeambten, mevrouw Tynes?'

'Nee.'

'Bent u van mening dat burgers – zónder de aanwezigheid van de politie – ingeschakeld mogen worden om vermeende verdachten te achtervolgen?'

'Er was een politieagent bij ons.'

'Ah, toe nou, mevrouw Tynes.' Hickory was vol ongeloof. 'Uw programma is pure sensatiezucht. Ranzige riooljournalistiek in de ergst mogelijke vorm...'

Wendy onderbrak hem. 'U en ik hebben elkaar eerder ontmoet, meneer Hickory.'

Dat snoerde hem even de mond. 'O ja?'

'Toen ik assistent-producer van *Het Recht Vandaag* was. Ik heb u toen ingehuurd als getuige-deskundige in de Robert Blake-moordzaak.'

Flair keerde zich naar het publiek en maakte een diepe buiging. 'Waarmee, dames en heren, is vastgesteld dat ik een mediahoer ben.' Opnieuw zacht gelach in de zaal. 'Maar toch, mevrouw Tynes, probeert u het hof duidelijk te maken dat het openbare gezag aan uw kant stond en met u samenwerkte in dit journalistieke gedrocht?'

'Bezwaar.'

'Ik sta de vraag toe.'

'Maar edelachtbare...'

'Bezwaar afgewezen. Gaat u zitten, meneer Portnoi.'

Wendy zei: 'We hadden connecties bij de politie en het OM. Het was belangrijk voor ons om aan de goede kant van de wet te blijven.'

'Ik begrijp het. Dus u werkte samen met het openbare gezag, is dat juist?'

'Nee, dat niet.'

'Wat dan wel, mevrouw Tynes? Hebt u deze hele fopoperatie opgezet zonder medeweten en de medewerking van het openbare gezag?'

'Nee.'

'Oké, goed dan. Hebt u vóór 17 januari contact gehad met de politie en het OM over mijn cliënt?'

'Met iemand van het OM, ja.'

'Geweldig, dank u. Welnu, u zei dat u uw productiemedewerkers opdracht had gegeven de jacht op mijn cliënt te openen, is dat juist?'

'Zo heeft ze het niet verwoord,' zei Portnoi. 'Ze heeft gezegd "achter hem aan te gaan".'

Flair keek Portnoi aan alsof hij nog nooit zo'n hinderlijk insect had gezien. 'Goed dan, wat je wilt. Jagen, achternagaan... we kunnen de nuances wel een andere keer bespreken. Toen mijn cliënt ervandoor ging, mevrouw Tynes, wat hebt u toen gedaan?'

'Ik ben naar zijn huis gegaan.'

'Waarom?'

'Omdat ik dacht dat Dan Mercer daar vroeg of laat zou opduiken.'

'Dus u hebt bij zijn huis op hem gewacht?'

'Ja.'

'Bent u buiten de woning blijven wachten?'

Wendy rilde inwendig. Nu kwam het. Ze keek naar de gezichten in de rechtszaal en kwam weer uit bij de ogen van Ed Grayson, wiens zoon van negen een van de eerste slachtoffers van Dan Mercer was geweest. Ze voelde zijn starende blik op zich gericht toen ze zei: 'Ik zag licht branden.'

'In Dan Mercers huis?'

'Ja.'

'Merkwaardig,' zei Flair, en het sarcasme droop van zijn stem. 'Dat heb ik nu nog nooit gehoord, dat iemand het licht laat branden als hij niet thuis is.'

'Bezwaar!'

Rechter Howard zuchtte. 'Meneer Hickory?'

Flair bleef Wendy aankijken. 'Wat hebt u toen gedaan, mevrouw Tynes?'

'Ik heb op de deur geklopt.'

'Deed mijn cliënt open?'

'Nee.'

'Deed er iemand anders open?'

'Nee.'

'Wat hebt u toen gedaan, mevrouw Tynes?'

Wendy probeerde heel kalm te blijven toen ze antwoord gaf. 'Ik keek door het raam en dacht dat ik binnen misschien iets zag bewegen.'

'U dácht dat u misschíén iets zag bewegen,' herhaalde Flair. 'Hemeltje, kan het nóg vager?'

'Bezwaar!'

'Ik trek de laatste opmerking terug. En wat hebt u toen gedaan?'

'Ik heb aan de deurknop gevoeld. De deur was niet op slot. Ik heb hem opengedaan.'

'O ja? Waarom?'

'Ik maakte me zorgen.'

'Waarover maakte u zich zorgen?'

'Er zijn gevallen geweest waarin pedofielen zichzelf iets aandeden nadat ze waren betrapt.'

'Is dat zo? Dus u was bang dat mijn cliënt misschien zelfmoord zou plegen nadat u hem in de val had gelokt?'

'Zoiets, ja.'

Flair legde zijn hand op zijn hart. 'Ik ben geroerd.'

'Edelachtbare!' riep Portnoi.

Flair wuifde de interruptie weer weg. 'Dus u wilde mijn cliënt het leven redden?'

'Als het inderdaad zo was dat hij zichzelf iets wilde aandoen, dan wilde ik hem daarvan weerhouden, ja.'

'Tijdens de opnames van uw programma gebruikt u termen als "pervers tuig", "abjecte smeerlap", "ziekelijke gestoorde" en "gevaar voor de samenleving" om degenen te beschrijven die u betrapt, is dat juist?'

'Ja.'

'En toch verklaart u hier vandaag dat u bereid was in te breken in het huis – zelfs de wet te overtreden – om mijn cliënt het leven te redden?'

'Zo zou je het kunnen zeggen, ja.'

Het sarcasme droop nu niet alleen van Flairs stem, maar het leek zelfs alsof die er een paar dagen in had gemarineerd. 'Wat edelmoedig van u.'

'Bezwaar!'

'Ik deed het niet uit edelmoedigheid,' zei Wendy. 'Ik wil dat deze mensen voor de rechter worden gebracht, zodat de familie de zaak kan afsluiten als ze zijn veroordeeld. Zelfmoord is een te gemakkelijke uitweg.'

'Ik begrijp het. Wat gebeurde er nadat u had ingebroken in het huis van mijn cliënt?'

'Bezwaar,' zei Portnoi. 'Mevrouw Tynes zei dat de deur niet op slot was...'

'Goed dan, inbreken, binnengaan, hoe meneer daar het maar wil noemen,' zei Flair met zijn handen in zijn zij. 'Maar hou op me steeds te interrumperen. Wat gebeurde er, mevrouw Tynes, nadat u het huis van mijn cliënt was...' hij rekte het laatste woord zo lang mogelijk uit, '... binnengegaan?'

'Niks.'

'Mijn cliënt was niet bezig zichzelf iets aan te doen?'

'Nee.'

'Wat deed hij dan wel?'

'Hij was er niet.'

'Was er iemand anders in huis?'

'Nee.'

'En die "beweging", die u misschien gezien dacht te hebben?'

'Ik weet niet wat dat was.'

Flair knikte en liep een paar passen van haar weg. 'U hebt verklaard dat u vrijwel onmiddellijk naar het huis van mijn cliënt bent gereden nadat hij opgejaagd door uw productiemedewerkers was weggerend. Geloofde u echt dat hij tijd genoeg had om naar huis te gaan en zich aan zichzelf te vergrijpen?'

'Misschien kende hij de kortste route, en hij had een voorsprong. Dus ja, ik denk dat hij er de tijd voor had.'

'Ik begrijp het. Maar u had het mis, nietwaar?'

'Wat had ik mis?'

'Mijn cliënt was niet rechtstreeks naar huis gegaan.'

'Nee, dat klopt.'

'Maar u bent meneer Mercers huis binnengegaan voordat hij of de politie was gearriveerd, is dat juist?'

'Heel even maar.'

'Hoe lang is heel even?'

'Dat weet ik niet precies.'

'Maar u moest in alle kamers kijken, toch? Om er zeker van te zijn dat hij niet aan zijn broekriem aan een of andere balk hing?'

'Ik heb alleen gekeken waar het licht brandde. In de keuken.'

'Wat inhield dat u ten minste de woonkamer door moest lopen. Vertelt u me eens, mevrouw Tynes, wat hebt u gedaan nadat u had vastgesteld dat mijn cliënt niet thuis was?'

'Ik ben naar buiten gegaan en heb gewacht.'

'Waarop?'

'Tot de politie kwam.'

'En kwamen ze?'

'Ja.'

'En ze hadden een huiszoekingsbevel voor het huis van mijn cliënt bij zich, correct?'

'Ja.'

'Hoewel ik me bewust ben van uw nobele bedoelingen toen u inbrak in het huis van mijn cliënt, vraag ik me toch af of u zich niet een heel klein beetje zorgen maakte over de val die u voor mijn cliënt had gezet, of die voor de rechter wel zou standhouden. Was dat zo?'

'Nee.'

'Na de confrontatie van 17 januari hebt u uitgebreide research naar het verleden van mijn cliënt gedaan. Hebt u, afgezien van wat de politie die avond in zijn huis aantrof, nog ander concreet bewijs van onoorbare praktijken gevonden?'

'Nog niet.'

'Ik beschouw dat als een nee,' zei Flair. 'Kortom, zonder het bewijs dat door de politie tijdens de huiszoeking is gevonden, hebt u niets om mijn cliënt van te betichten, is dat niet zo?'

'Hij is die avond naar dat huis toe gekomen.'

'Dat fophuis waar helemaal geen minderjarig meisje woonde. Dus in feite, mevrouw Tynes, staat of valt de zaak – en uw, eh... reputatie – met het materiaal dat in de woning van mijn cliënt is aangetroffen. Zonder dat materiaal hebt u niets. Kortom, u had de gelegenheid en een goede reden om dat bewijs daar zelf neer te leggen, waar of niet?'

Lee Portnoi stond alweer. 'Edelachtbare, dit is bespottelijk. Het is aan de jury om over een argument als dit te beslissen.'

'Mevrouw Tynes heeft toegegeven dat ze de woning zonder toestemming en zonder huiszoekingsbevel is binnengegaan,' zei Flair.

'Goed dan,' zei Portnoi. 'Klaag haar dan aan voor inbraak of insluiping, als u denkt dat u dat kunt bewijzen. En als meneer Hickory zich wil beroepen op absurde theorieën over albino nonnen en geplant bewijs, is dat ook zijn goed recht... maar wel tijdens het proces. Tegenover een door het hof gekozen jury. Dan kan ik het bewijs voorleggen dat aantoont hoe absurd zijn theorieën zijn. Daar bestaan gerechtshoven en processen voor. Mevrouw Tynes is een burger, en als burger is ze niet gebonden aan dezelfde regels als iemand van het openbare gezag. U kunt de laptop en de foto's niet uitsluiten als bewijs, edelachtbare. Die zijn gevonden tijdens een officiële huiszoeking met een ondertekend gerechtelijk bevel. Een deel van die misselijkmakende foto's is gevonden in de garage en achter de boeken op de plank, en het is uitgesloten dat mevrouw Tynes die daar heeft kunnen verstoppen in de korte tijd, die paar minuten dat ze in het huis is geweest.'

Flair schudde zijn hoofd. 'Wendy Tynes is om – op z'n zachtst gezegd – ongeloofwaardige redenen dat huis binnengegaan. Omdat er licht brandde? Omdat ze iets zag bewegen? Kom nou. Bovendien had ze een motief en de gelegenheid om het bewijs neer te leggen, plús de wetenschap dat Dan Mercers huis kort daarna door de politie zou worden doorzocht. Dit bewijs is zo besmet als wat. Alles wat in dat huis is gevonden, moet als bewijs worden uitgesloten.'

'Wendy Tynes is Amerikaans staatsburger.'

'Dat geeft haar in deze zaak geen carte blanche. Het is heel goed mogelijk dat zij die laptop en die foto's daar heeft verstopt.'

'Het is aan de jury om dat uit te maken.'

'Edelachtbare, het gevonden materiaal is ronduit prejudicieel. Volgens haar eigen getuigenis is mevrouw Tynes in deze context duidelijk meer dan alleen een burger. Ik heb haar diverse keren gevraagd naar haar relatie met het OM. Ze heeft zelf toegegeven dat ze als hun vertegenwoordiger optrad.'

Lee Portnoi kreeg een rood hoofd toen hij dat hoorde. 'Dat is belachelijk, edelachtbare. Wordt iedere misdaadverslaggever nu gezien als vertegenwoordiger van het OM?'

'Wendy Tynes heeft zelf toegegeven dat ze nauwe banden met uw ministerie onderhield, meneer Portnoi. Ik kan het door de stenograaf laten teruglezen, het deel over de aanwezigheid van een politiebeambte in het huis en dat ze contact had gehad met het OM.'

'Dat maakt haar nog niet tot een overheidsfunctionaris.'

'Dat zijn twee handen op één buik, en meneer Portnoi weet dat heel goed. Want het OM zou zonder Wendy Tynes geen zaak tegen mijn cliënt hebben. Hun hele zaak – alle misdaden waarvan mijn cliënt wordt beschuldigd – berust op mevrouw Tynes' poging tot uitlokking. Zonder haar betrokkenheid zou er nooit een huiszoekingsbevel zijn aangevraagd.'

Portnoi liep een stukje door de rechtszaal. 'Edelachtbare, misschien is het waar dat mevrouw Tynes de zaak aanvankelijk bij ons heeft gemeld, maar zelfs als dat zo is, zou iedere getuige of eisende partij worden gezien als vertegenwoordiger van...'

'Ik heb genoeg gehoord,' zei rechter Howard. Ze gaf een tik met haar hamer op het blok en stond op. 'Jullie horen morgenochtend wat ik heb besloten.'

2

'Nou,' zei Wendy in de gang tegen Portnoi, 'dat ging knap klote.'

'De rechter zal het bewijs niet uitsluiten.'

Wendy was daar niet zo zeker van.

'In zekere zin is het best goed gegaan,' vervolgde hij.

'Hoe dat zo?'

'Met al die aandacht van pers en publiek is het uitgesloten dat het bewijs van tafel wordt geveegd,' zei Portnoi, en hij gebaarde naar de advocaat van de tegenpartij. 'Het enige wat Flair heeft gedaan, is ons een voorproefje geven van de strategie die hij tijdens het proces zal volgen.'

Verderop in de gang werd Jenna Wheeler, Dan Mercers exvrouw, geïnterviewd door een concurrerende nieuwszender. Al was er nog zo veel bewijs tegen Dan, Jenna bleef haar ex door dik en dun steunen en ze hield vol dat alle aanklachten tegen hem lariekoek waren. Door die houding, in Wendy's ogen zowel bewonderenswaardig als naïef, had ze zichzelf in de stad tot een soort paria gemaakt.

Achter haar hield Flair Hickory audiëntie voor diverse verslaggevers. Ze waren dol op hem, uiteraard, net als Wendy dol op hem was geweest toen ze zijn processen versloeg. Flair had het begrip 'flamboyant' naar een nieuw, hoger plan gebracht. Hoewel ze zonet, toen hij haar zijn vragen stelde, had gemerkt dat flamboyant en volstrekt meedogenloos ook hand in hand kunnen gaan.

Wendy fronste haar wenkbrauwen. 'Flair Hickory komt niet op me over als iemand die zich laat beetnemen.'

Flair kreeg een lachsalvo van de gezamenlijke pers, gaf een paar verslaggevers een klap op de schouder en liep weg. Toen hij alleen was, zag Wendy tot haar verbazing Ed Grayson op hem af lopen.

'O jee,' zei ze.

'Wat is er?'

Wendy gebaarde met haar kin en Portnoi keek die kant op. Grayson, een grote man met heel kort grijs haar, ging vlak voor Flair Hickory staan. De twee mannen keken elkaar recht aan. Grayson deed nóg een stapje naar voren, drong zich aan Flair op. Maar Flair gaf geen krimp.

Portnoi liep een stukje hun kant op. 'Meneer Grayson?'

Hun neuzen raakten elkaar bijna. Grayson draaide zijn hoofd in de richting van de stem. Hij keek Portnoi aan.

'Alles oké hier?' vroeg Portnoi.

'Best,' zei Grayson.

'Meneer Hickory?'

'Niks aan de hand, raadsman. We maken gewoon een vriendschappelijk praatje.'

Graysons ogen richtten zich op Wendy en opnieuw beviel het haar helemaal niet wat ze zag. Hickory zei: 'Nou, als we klaar zijn, meneer Grayson...'

Grayson zei niets. Hickory draaide zich om en liep weg. Grayson kwam naar Portnoi en Wendy toe.

'Kan ik iets voor u doen?' vroeg Portnoi.

'Nee.'

'Mag ik u vragen waarover u met meneer Hickory hebt gepraat?'

'Dat mag u.' Grayson keek Wendy aan. 'Denkt u dat de rechter uw verhaal heeft geslikt, mevrouw Tynes?'

'Het was geen verhaal,' zei ze.

'Maar de waarheid was het ook niet, of wel soms?'

Ed Grayson draaide zich om en liep weg.

Wendy zei: 'Wat mag dat dan wel betekenen?'

'Geen idee,' zei Portnoi. 'Maar maak je geen zorgen om Grayson. Om Flair ook niet. Hij is goed, maar deze keer kan hij niet winnen. Ga naar huis, neem een borrel en alles komt dik in orde.'

Wendy ging niet naar huis. Ze ging naar de studio van de nieuwszender waar ze werkte, in Secausus, New Jersey, naast het Meadowlands Sports Complex. Van het uitzicht werd ze nooit vrolijk. Het was moerasland dat zuchtte onder de werkzaamheden die er voortdurend plaatsvonden. Ze checkte haar e-mail en zag een bericht van haar baas, producent Vic Garrett. Het bericht, misschien wel de langste tekst die Vic haar ooit had gestuurd, luidde: KOM HIER – NU.

Het was half vier 's middags. Haar zoon, Charlie, laatstejaars op Kasselton High School, zou nu thuis moeten zijn. Ze belde hem op zijn mobiel omdat hij de huistelefoon nooit opnam. Charlies toestel ging vier keer over en hij antwoordde met zijn gebruikelijke: 'Wat?'

'Ben je thuis?' vroeg ze haar zoon.

'Ja.'

'Wat ben je aan het doen?'

'Niks.'

'Heb je huiswerk?'

'Een beetje.'

'Heb je het al gedaan?'

'Straks.'

'Waarom doe je het nu niet?'

'Het is maar weinig. Ik heb het in tien minuten af.'

'Dat bedoel ik. Als het maar zo weinig is, doe het dan nu, dan ben je ervan af.'

'Zo meteen.'

'Wat ben je nu dan aan het doen?'

'Niks.'

'Waarom zou je het dan uitstellen? Waarom doe je het niet nu?'

Een nieuwe dag, het oude liedje. Ten slotte zei Charlie dat hij het 'zo' zou doen, met als achterliggende gedachte: als ik dat zeg, houdt ze misschien op met zeuren.

'Ik ben om een uur of zeven thuis,' zei Wendy. 'Zal ik onderweg chinees halen?'

'Bij Bamboo House,' zei hij.

'Oké. Geef Jersey om vier uur eten.'

Jersey was hun hond.

'Oké.'
'Niet vergeten.'
'Nee-hee.'
'En je huiswerk?'
'Doei.'
Klik.

Ze slaakte een diepe zucht. Charlie was zeventien en absoluut onhandelbaar. Ze hadden hun jacht op een plek op de universiteit – een bezigheid waaraan ouders zich overgaven met een fanatisme waarvoor menig derdewerelddespoot zich zou schamen – afgesloten met een toelating op Franklin & Marshall in Lancaster, Pennsylvania. Net als alle andere tieners was Charlie angstig en maakte hij zich grote zorgen over de enorme verandering die in zijn leven zou plaatsvinden, hoewel hij niet half zo bang was als zijn moeder. Want Charlie, haar beeldschone, aan stemmingen onderhevige, onhandelbare zoon, was alles wat ze had. Ze waren de afgelopen twaalf jaar op elkaar aangewezen geweest, de alleenstaande moeder en de enige zoon, in hun huis in de rustige, blanke buitenwijk. Maar de jaren waren voorbijgevlogen, natuurlijk, zoals dat met kinderen gaat. Wendy wilde Charlie niet loslaten. Elke avond keek ze naar hem, zag zijn onhandelbare volmaaktheid en wenste, zoals ze sinds zijn vierde jaar talloze keren had gedaan: alstublieft, laat hem altijd blijven zoals hij nu is, geen dag ouder of jonger, laat mijn beeldschone zoon bij me blijven.

Want binnenkort zou ze alleen zijn.

Er kwam een e-mail binnen op haar computer. Ook deze was van haar baas, Vic Garrett: WELK DEEL VAN 'KOM HIER – NU' HEB IK OPENGELATEN VOOR VRIJE INTERPRETATIE? Een nieuw woordaantalrecord

Ze klikte op 'antwoorden' en typte: IK KOM.

Vics kantoor was aan de overkant van de gang, dus deze manier van communiceren was zowel onnodig als irritant, maar in zo'n wereld leven we nu eenmaal. Zij en Charlie sms'ten ook met elkaar terwijl ze allebei thuis waren. Te moe om te roepen sms'te ze dan: BEDTIJD, of: LAAT JERSEY UIT, of het altijd populaire: ZET DIE COMPUTER UIT EN GA EEN BOEK LEZEN.

Toen Wendy negentien was zat ze in haar tweede jaar op Tufts University raakte in verwachting. Ze was naar een schoolfeest gegaan, had te veel gedronken en was beland in de armen van John Morrow, een *hunk* op alle fronten, een quarterback van het footballteam, maar als je hem opzocht in Wendy Tynes' woordenboek, las je de definitie: haar type niet. Wendy had zichzelf altijd gezien als campusliberaal, als undergroundjournalist, altijd in het zwart gekleed, zo strak dat het pijn deed, luisterde uitsluitend naar alternatieve rock, ging naar poëzieavonden en exposities van Cindy Sherman. Maar het hart heeft geen boodschap aan alternatieve rock, poëzie en kunst. Ze merkte dat ze die beeldschone jongen heel graag mocht. Ze was zelf ook verbaasd. In het begin stelde het allemaal niet zo veel voor. Goed, ze hadden een keer gevreeën en zochten elkaar steeds vaker op, en hoewel het geen echte relatie was, waren ze ook niet alleen maar vrienden. Dit was ongeveer een maand aan de gang toen Wendy ontdekte dat ze in verwachting was.

Als vrouw van deze tijd had Wendy zichzelf haar hele leven voorgehouden dat wat er nu gebeurde, alleen háár beslissing zou zijn. Met nog tweeënhalf jaar studie te gaan en een carrière in de journalistiek die net op de rails stond, had de timing natuurlijk niet slechter kunnen zijn, maar het maakte haar ook duidelijk welke beslissing ze moest nemen. Ze belde John en zei: 'We moeten praten.' Hij kwam naar haar volgestouwde studentenkamertje en ze vroeg hem te gaan zitten. John nam plaats op de zitzak, wat er komisch uitzag, die hunk van één meter drieënnegentig die zijn best moest doen om rechtop te blijven zitten. Aan haar stem had John gehoord dat het om een serieuze zaak ging, dus hield hij zijn gezicht in de plooi terwijl hij zijn evenwicht probeerde te bewaren, waardoor hij eruitzag als een jongetje dat een volwassene speelt.

'Ik ben in verwachting,' zei Wendy tegen hem, en ze begon aan de speech die ze de dagen daarvoor uit het hoofd had geleerd. 'Wat er nu gaat gebeuren, is míjn beslissing, en ik hoop dat je die respecteert.'

Ze vervolgde haar verhaal, ijsberend door het kamertje, zonder hem aan te kijken en op de meest zakelijke toon die ze kon opbrengen. Aan het eind van haar speech bedankte ze hem zelfs voor zijn komst en wenste hem het allerbeste. Toen pas durfde ze zijn kant op te kijken.

John Morrow keek naar haar op met tranen in de blauwste ogen die ze ooit had gezien en zei: 'Maar ik hou van je, Wendy.'

Ze had in lachen willen uitbarsten, maar in plaats daarvan begon ze ook te huilen, waarop John zich van die verdomde zitzak liet glijden, voor haar neerknielde en terwijl Wendy tegelijkertijd lachte en huilde, vroeg hij of ze met hem wilde trouwen. En tot grote verbazing van iedereen deden ze dat. Niemand gaf hun huwelijk een kans, maar de daaropvolgende vijf jaar waren een zegen geweest. John Morrow was lief en zorgzaam en beeldschoon en grappig en slim en attent. Hij was haar soulmate op alle fronten. Charlie werd geboren. Twee jaar later hadden John en Wendy genoeg geld bij elkaar geschraapt om de aanbetaling te doen voor een klein huis aan een drukke weg in Kasselton. Wendy kreeg een baan bij een plaatselijke tv-zender. John studeerde voor zijn doctoraal psychologie. Ze stonden op de rails.

En toen, zomaar, was John opeens dood. Het kleine huis in Kasselton bood alleen nog onderdak aan Wendy en Charlie, en aan de enorme leegte die Wendy in haar hart voelde.

Ze klopte op Vics deur en stak haar hoofd om de deurpost. 'Je wilde me spreken?'

'Ik hoorde dat je in de rechtszaal op je falie hebt gehad,' zei Vic.

'Steun,' zei Wendy. 'Daarom werk ik hier. Voor de steun die ik krijg.'

'Als je steun wilt,' zei Vic, 'koop je maar een beha.'

Wendy fronste haar wenkbrauwen. 'Je weet dat dat nergens op slaat.'

'Ja, dat weet ik. Ik heb je memo gekregen, of beter gezegd, je vele identieke memo's waarin je je beklaagt over je opdrachten.'

'Noem je dat opdrachten? In de afgelopen twee weken heb je me verslag laten doen van de opening van een kruidentheewinkeltje en een modeshow van mannensjaals. Geef me iets wat tenminste een béétje op het echte leven lijkt.'

'Wacht.' Vic hield zijn geopende hand bij zijn oor, alsof hij zich inspande om iets te horen. Hij was klein van stuk en had een groot formaat bowlingbal als buik. Zijn gelaatstrekken waren die van een knaagdier, een heel lelijk exemplaar van een knaagdier.

'Wat is er?' vroeg ze.

'Krijgen we nu het deel waarin jij zeurt over het onrecht dat een lekker ding in een door mannen gedomineerd beroep wordt aangedaan en dat ik je alleen om je uiterlijk heb aangenomen?'

'Krijg ik betere opdrachten als ik zeur?'

'Nee,' zei hij. 'Maar weet je wanneer misschien wel?'

'Als ik meer tiet op tv laat zien?'

'Je manier van denken staat me wel aan, maar nee, vandaag niet. Vandaag is het antwoord: de veroordeling van Dan Mercer. Ik wil jou als de grote held die deze smerige pedofiel achter de tralies heeft gekregen, in plaats van de humane tv-reporter die hem helpt op vrije voeten te blijven.'

'Hem helpt op vrije voeten te blijven?'

Vic haalde zijn schouders op.

'De politie zou niet eens van Dan Mercers bestaan weten als ik er niet was geweest.'

Vic legde een denkbeeldige viool op zijn schouder, deed zijn ogen dicht en begon te spelen.

'Doe niet zo kloterig,' zei ze.

'Moet ik een paar van je collega's binnenroepen voor een groepsknuffel? Of gaan we hand in hand rond de tafel dansen en "Koembaya koembaya" zingen?'

'Misschien later, als jij klaar bent met je kringruk.'

'Touché.'

'Weet iemand waar Dan Mercer is ondergedoken?' vroeg ze.

'Nee. Niemand heeft hem de afgelopen twee weken gezien.'

Wendy wist niet precies wat ze daarvan moest denken. Ze wist dat Dan de stad uit was gegaan omdat hij met de dood was bedreigd, maar het was iets anders dat hij vandaag niet op de zitting was verschenen. Ze wilde vragen of ze een vervolgonderzoek mocht doen toen Vics intercom zoemde.

Hij stak zijn wijsvinger op om haar de mond te snoeren en drukte op de knop. 'Ja?'
De receptioniste sprak zacht. 'Marcia McWaid is er voor je.'
Dat bracht hen allebei tot zwijgen. Marcia McWaid woonde bij Wendy in de stad, ongeveer een kilometer van haar vandaan. Drie maanden daarvoor was haar tienerdochter Haley – die bij Charlie op school zat – schijnbaar het raam van haar slaapkamer uit geglipt en niet meer teruggekomen.
'Nog nieuws in de zaak van haar dochter?' vroeg Wendy.
Vic schudde zijn hoofd. 'Nee, slecht nieuws voor ons dus,' zei hij, want geen nieuws was natuurlijk het ergste van alles. Twee, bijna drie weken lang was Haley McWaids verdwijning groot nieuws geweest – een tienermeisje vermist... ontvoerd? – compleet met programmaonderbrekingen, tekstbalken onder aan het scherm en opgetrommelde 'deskundigen' die hun visie gaven op wat er met haar gebeurd kon zijn. Maar geen enkel nieuwsitem, ook al is het nog zo sensationeel, overleeft het zonder vers voedsel. Niet dat nieuwszenders niet hun best hadden gedaan. Elk gerucht, van blanke slavernij tot duivelsaanbidding, was tot op de bodem uitgemolken, maar in deze business is geen nieuws letterlijk slecht nieuws. Het was om te huilen, die korte aandachtsboog van ons, en je kon de nieuwsmedia er de schuld van geven, maar het publiek bepaalde wat er in de lucht bleef. Als de mensen ernaar kijken, blijft het. Kijken ze er niet naar, dan gaan de nieuwszenders op zoek naar een nieuw item dat de aandacht trekt.
'Zal ik met haar praten?' vroeg Wendy.
'Nee, dat doe ik zelf. Daar krijg ik mijn vette salaris voor betaald.'
Vic stuurde haar zijn kantoor uit. Wendy liep naar het eind van de gang. Toen ze zich omdraaide, was ze net op tijd om Marcia McWaid naar de deur van Vics kantoor te zien lopen. Wendy kende Marcia niet persoonlijk, maar ze had haar een paar keer in de stad gezien, zoals dat gaat, in Starbucks, of wachtend in haar auto bij de school, of in de buurtvideotheek. Het zou een cliché zijn als je zei dat de energieke moeder, die altijd wel een van haar kinderen bij zich had, tien jaar ouder was geworden. Want dat was Marcia niet.

Ze was nog steeds een aantrekkelijke vrouw die er niet ouder uitzag dan ze was, maar het leek wel alsof al haar bewegingen trager waren geworden, alsof de spieren die haar gelaatsuitdrukkingen bestuurden vol dikke stroop zaten. Marcia McWaid draaide haar hoofd om en zag Wendy naar haar kijken. Wendy knikte en plooide haar lippen in een vage glimlach. Marcia reageerde niet en ging Vics kantoor binnen.

Wendy liep terug naar haar kantoor en pakte de telefoon. Ze dacht aan Marcia McWaid, de perfecte moeder met die aardige man en die leuke kinderen, en aan hoe snel en simpel daar een eind aan was gemaakt, aan hoe weinig er voor nodig was geweest óm er een eind aan te maken. Ze toetste Charlies nummer in.

'Wat is er?'

De ergernis in zijn stem stelde haar gerust. 'Heb je je huiswerk al gedaan?'

'Zo meteen.'

'Oké,' zei Wendy. 'Moet ik nog langs Bamboo House rijden?'

'Hadden we dit gesprek al niet gevoerd?'

Ze hingen op. Wendy leunde achterover en legde haar voeten op de rand van haar bureau. Ze strekte haar hals en keek naar het foeilelijke uitzicht vanuit haar raam. De telefoon ging weer.

'Hallo?'

'Wendy Tynes?'

Haar voeten ploften op de vloer toen ze de stem hoorde. 'Ja?'

'Met Dan Mercer. Ik moet je spreken.'

3

Even zei Wendy niets.

'Ik moet je spreken,' zei Dan Mercer weer.

'Ben ik niet een beetje te oud voor je, Dan? Ik bedoel, een volwassen vrouw die borsten heeft en die menstrueert?'

Ze meende dat ze hem een zucht hoorde slaken.

'Je bent erg cynisch, Wendy.'

'Wat wil je van me?'

'Er zijn dingen die je moet weten,' zei hij.

'Zoals?'

'Dat dit niet is wat het lijkt.'

'Je bent een misselijkmakende, verdorven viespeuk die een geniale advocaat heeft. Dáár lijkt het op.'

Maar al terwijl ze het zei, betrapte ze zichzelf op een heel lichte aarzeling. Was die genoeg om hem het voordeel van de twijfel te gunnen? Ze dacht het niet. Bewijzen liegen niet. Dat had ze al vaak genoeg ervaren, zowel privé als professioneel. De waarheid was dat haar zogenaamde vrouwelijke intuïtie meestal geen bal voorstelde.

'Wendy?'

Ze zei niets.

'Ik ben in de val gelokt.'

'Tjonge. Dat is een nieuwe, Dan. Wacht even, dan schrijf ik het op, grijp mijn producer in de kraag en laat hem alle programma's onderbreken voor een extra nieuwsflits. "Vieze kinderverkrachter zegt in de val gelokt te zijn."'

Stilte. Even was ze bang dat ze hem kwijt was, dat hij had opgehangen. Stom om zo emotioneel te reageren. Blijf rustig. Praat met hem. Sluit vriendschap met hem. Wees aardig. Zorg dat je informatie van hem loskrijgt. Eventueel kun je die later opnieuw tegen hem gebruiken.

'Dan?'

'Volgens mij was het geen goed idee je te bellen.'

'Ik ben een en al oor. Je zei dat je in de val was gelokt?'

'Ik kan beter ophangen.'

Ze wilde zeggen dat hij dat niet moest doen, dat ze te ver was gegaan met haar cynisme, maar tegelijkertijd had ze het gevoel dat ze werd gemanipuleerd. Ze had vaker met hem te maken gehad, al diverse keren zelfs, toen ze hem wilde interviewen over zijn werk in het opvanghuis, bijna een jaar voordat ze hem met haar cameraploeg had overvallen. Ze wilde hem vooral niet te veel tegemoetkomen, maar ze wilde hem ook niet laten lopen.

'Jij bent degene die mij heeft gebeld,' zei ze.

'Dat weet ik.'

'Dus zeg het maar.'

'Kom naar me toe. Alleen.'

'Dat lijkt me geen goed idee.'

'Vergeet het dan maar.'

'Prima, Dan, zoals je wilt. Ik zie je op het gerechtshof.'

Stilte.

'Dan?'

Zijn stem werd zo zacht dat ze het er koud van kreeg. 'Je hebt echt geen idee, hè Wendy?'

'Geen idee waarvan?'

Ze hoorde iets wat een snik zou kunnen zijn, of misschien een kort, verbitterd lachje. Moeilijk te horen door de telefoon. Ze drukte de hoorn harder tegen haar oor en wachtte.

'Als je me wilt spreken,' zei hij, 'zal ik je mailen waar je naartoe moet komen. Morgen om twee uur. Kom alleen. Als je ervoor kiest niet te komen, nou, dan wens ik je verder het beste.'

En toen hing hij op.

Vics deur stond open. Ze keek naar binnen en zag hem telefoneren. Hij stak zijn vinger op, gaf aan dat ze even moest wachten, nam kortaf afscheid van degene met wie hij had gebeld en hing op.

'Ik heb contact gehad met Dan Mercer,' zei ze.

'Heeft hij je gebeld?'

'Ja.'

'Wanneer?'

'Zonet.'

Vic leunde achterover en legde zijn handen op zijn buik. 'Dus hij heeft het je verteld?'

'Hij zei dat hij in de val is gelokt en dat hij een ontmoeting met me wil.' Ze zag de uitdrukking op Vics gezicht. 'Hoezo? Wat is er dan nog meer?'

Vic zuchtte. 'Ga zitten.'

'O jee,' zei Wendy.

'Precies. "O jee".'

Ze ging zitten.

'De rechter heeft al besloten. Al het bewijs dat in het huis is gevonden is niet-ontvankelijk verklaard en vanwege het prejudiciële karakter van onze verslaggeving en de tv-uitzending heeft ze alle beschuldigingen van tafel geveegd.'

Wendy voelde haar hoop vervliegen. 'Zeg me alsjeblieft dat je een grapje maakt.'

Vic zei niets. Wendy deed haar ogen dicht en voelde de muren op zich af komen. Ze begreep nu waarom Dan zo zeker had geweten dat ze op zijn uitnodiging zou ingaan.

'En nu?' vroeg ze.

Vic keek haar alleen maar aan.

'Ben ik ontslagen?'

'Yep.'

'Zomaar?'

'Daar komt het op neer, ja. De recessie. De grote jongens boven waren toch al van plan in te krimpen.' Hij haalde zijn schouders op. 'Wie kunnen ze beter opofferen dan jou?'

'Ik kan wel een paar namen bedenken.'

'Ik ook, maar die zijn geen aangeschoten wild. Sorry, schatje, het is niet anders. Personeelszaken handelt de rest af. Je moet vandaag je kantoor ontruimen. Ze willen je niet meer in het gebouw zien.'

Wendy voelde zich verdoofd. Ze ging staan. 'Heb je ten minste voor me geknokt?'

'Ik knok alleen als ik een kans heb om te winnen. Wat heeft het anders voor zin?'

Wendy wachtte. Vic keek naar zijn bureaublad en deed alsof hij ergens mee bezig was.

Zonder op te kijken vroeg hij: 'Verwacht je nu een emotioneel afscheid?'

'Nee,' zei Wendy. En daarna: 'Misschien.'

'Ga je met Mercer praten?' vroeg Vic.

Ze draaide zich naar hem om. 'Ja.'

'Neem je voorzorgsmaatregelen?'

Ze dwong haar mond in een glimlach. 'Man, ik moet er ineens aan denken dat mijn moeder dat ook zei toen ik naar de universiteit ging.'

'En voor zover ik weet heb je niet goed naar haar geluisterd.'

'Dat is waar.'

'Officieel werk je hier niet meer en handel je niet namens ons. Dus moet ik je adviseren een eind uit Dan Mercers buurt te blijven.'

'En officieus?'

'Als je een manier weet te bedenken om hem aan het kruis te nagelen... ik bedoel, helden zijn gemakkelijker opnieuw in dienst te nemen dan zondebokken.'

Het was stil in huis toen Wendy thuiskwam, maar dat had niets te betekenen. Toen zíj jong was, wisten haar ouders dat ze er was wanneer ze muziek uit de gettoblaster op haar kamer hoorden schallen. Tegenwoordig liepen jongeren vierentwintig uur per dag rond met koptelefoons of oordopjes of hoe die dingen ook heetten. Ze was er vrijwel zeker van dat Charlie gewoon thuis was en dat hij met zijn oordopjes in achter zijn computer zat. Als er in huis brand uitbrak, zouden alle alarmen hem ontgaan.

Desondanks riep Wendy, zo hard als ze kon: 'Charlie!'

Ze kreeg geen antwoord. Ze had al minstens drie jaar geen antwoord van hem gekregen.

Wendy schonk een borrel in – granaatappelwodka met een scheutje limoen – en plofte neer in de oude leesfauteuil. Het was Johns lievelingsstoel geweest, en ja, misschien was het wel raar dat ze de fauteuil had gehouden en dat ze zich er aan het eind van de dag met een drankje in liet ploffen, maar hij zat zo lekker en was haar zo vertrouwd.

Hoe moest ze, had Wendy tot vandaag gedacht, van haar huidige salaris in godsnaam Charlies opleiding betalen? Nu was dat probleem de wereld uit, want ze hád geen salaris meer. Ze nam een slokje, keek uit het raam en vroeg zich af hoe het verder moest. Er was al nauwelijks werk, en zoals Vic haar zo fijntjes had duidelijk gemaakt, was ze aangeschoten wild. Ze dacht na over ander werk dat ze zou kunnen doen, maar ze had verder geen talenten die ze te gelde kon maken. Ze was gemakzuchtig, ongeorganiseerd en eigenwijs... geen teamspeler. Als ze een rapport mee naar huis zou krijgen, zou erop staan: speelt niet goed samen met anderen. Voor een reporter die achter een verhaal aan ging was dat geen probleem. In alle andere werkkringen wel degelijk.

Ze bekeek de post, zag de derde brief van Ariana Nasbro en kreeg onmiddellijk pijn in haar buik. Haar handen begonnen te trillen. Ze was niet van plan de brief open te maken. Ze had de eerste brief twee maanden geleden gelezen en was bijna over haar nek gegaan. Ze nam de envelop aan een hoekje tussen haar duim en wijsvinger, hield hem een eindje van zich af alsof hij een smerige stank verspreidde, wat in zekere zin ook zo was wanneer je erover nadacht, liep ermee naar de keuken en deed hem helemaal onder in de vuilnisbak.

Goddank maakte Charlie de post nooit open. Hij wist natuurlijk wel wie Ariana Nasbro was. Ariana Nasbro had twaalf jaar geleden Charlies vader vermoord.

Ze liep de trap op en klopte op Charlies deur. Ze kreeg natuurlijk geen antwoord, dus deed ze hem zelf open.

Hij keek geërgerd op en zette zijn koptelefoon af. 'Wat is er?'
'Heb je je huiswerk al gedaan?'
'Ik wilde het net gaan doen.'
Hij zag blijkbaar dat ze van streek was en plooide zijn mond in een brede glimlach, waardoor hij sprekend op zijn vader leek en Wendy's hart zoals altijd brak van het gemis. Ze stond op het punt hem opnieuw onder vuur te nemen en te vragen waarom hij zijn huiswerk niet eerder had gedaan, maar wat maakte het eigenlijk uit? Het was zo zinloos om met hem te ruziën terwijl de tijd die ze samen nog hadden voorbijvloog en hij binnenkort het huis uit zou gaan.
'Heb je Jersey eten gegeven?' vroeg ze.
'Eh...'
Ze rolde met haar ogen. 'Laat maar, ik doe het wel.'
'Mam?'
'Ja?'
'Heb je eten van Bamboo House meegebracht?'
Hun avondeten. Ze was het vergeten.
Nu rolde Charlie met zijn ogen, deed hij haar na.
'Doe niet zo bijdehand.' Ze had zich voorgenomen hem het slechte nieuws nog niet te vertellen en te wachten op het juiste moment, maar toch hoorde ze zichzelf zeggen: 'Ik ben vandaag ontslagen.'
Charlie keek haar aan en zei niets.
'Heb je me gehoord?'
'Ja,' zei hij. 'Klote.'
'Yep.'
'Zal ik eten gaan halen?'
'Graag.'
'Eh... maar jij betaalt het, hè?'
'Ja. Dat zal nog wel lukken, denk ik.'

4

Marcia en Ted McWaid arriveerden om zes uur bij de aula van Kasselton High. Want het oude cliché 'het leven gaat door' was maar al te waar en vanavond, ondanks het feit dat Haley nu drieënnegentig dagen werd vermist, was het de première van *Les Misérables*, met hun tweede dochter Patricia in de rollen van toeschouwer 4, student 6 en de altijd zwaarbeladen rol van prostituee 2. Toen Ted het voor het eerst had gehoord, in het leven dat ze hadden gekend voordat Haley was verdwenen, had hij er grappen over gemaakt en vol trots aan al zijn vrienden verteld dat zijn dochter van veertien prostituee 2 speelde. Dat leek nu zo lang geleden, alsof ze in een andere tijd als andere mensen in een ander land hadden gewoond.

Er viel een stilte toen ze de aula binnenkwamen. Niemand wist hoe ze zich in hun bijzijn moesten gedragen. Marcia merkte het voortdurend, maar het kon haar allang niet meer schelen.

'Ik ga een slokje water drinken,' zei ze.

Ted knikte. 'Ik zoek onze stoelen alvast op.'

Ze liep de gang in, bleef even bij het fonteintje staan en liep toen door. Aan het eind van de gang sloeg ze links af. In de zijgang was een schoonmaker de vloer aan het moppen. Hij had oordopjes in en zijn hoofd wiegde mee met het liedje dat alleen hij kon horen. Als hij haar al zag, dan liet hij er niets van merken.

Marcia liep de trap naar de eerste verdieping op. De lichten waren er gedimd. Haar voetstappen klonken hol en ze echoden in de stilte van een gebouw dat overdag vol leven en energie was. Geen plek op aarde was zo surrealistisch en verlaten als een schoolgang in de avond.

Marcia keek achterom, maar ze was alleen. Ze versnelde haar pas, want ze wist waar ze naartoe wilde.

Kasselton High was een grote school, met bijna tweeduizend leerlingen op vier niveaus. Het gebouw telde vier verdiepingen en zoals de meeste middelbare scholen in stadjes met een groeiend aantal inwoners was het meer een verzameling bouwwerkjes dan een enkel, allesomvattend gebouw. De latere uitbreidingen van de ooit zo mooie bakstenen school toonden aan dat de bestuurders meer in ruimte dan in stijl geïnteresseerd waren geweest. Het geheel vormde een allegaartje, als iets wat een kind had gemaakt met behulp van een blokkendoos, legosteentjes en restjes timmerhout.

De vorige avond, in de angstige stilte van het huis van de McWaids, had Ted, Marcia's geweldige echtgenoot, gelachen, echt gelachen, voor het eerst in tweeënnegentig dagen. Het had bijna obsceen geklonken. Ted was er ook onmiddellijk weer mee opgehouden, alsof hij er zelf van schrok, en de lach was geëindigd in een schorre snik. Marcia had haar hand op de zijne willen leggen, iets willen doen om haar gekwelde echtgenoot, van wie ze zo veel hield, te troosten. Maar ze had het gewoonweg niet gekund.

Haar andere twee kinderen, Patricia en Ryan, gingen voor de buitenwereld redelijk goed om met de verdwijning van Haley, maar kinderen passen zich nu eenmaal gemakkelijker aan dan volwassenen. Marcia had geprobeerd zich op hen te concentreren en hen te bedelven onder aandacht en troost, maar ook dat had ze niet gekund. Sommige mensen meenden dat ze daar te gekwetst voor was. Dat was ze ook, maar het was meer dan dat. Ze verwaarloosde Patricia en Ryan omdat ze al haar aandacht en bezorgdheid had gericht op Haley. Eerst moest ze ervoor zorgen dat Haley thuiskwam en daarna zou ze het goedmaken met haar andere kinderen.

Marcia's eigen zus, Merilee, de zelfingenomen betweter uit Great Neck, had het lef gehad om tegen haar te zeggen: 'Je moet je concentreren op je man en je andere kinderen, en niet zwelgen in je verdriet,' en toen ze het woord 'zwelgen' had gebruikt, had Marcia haar op haar gezicht willen timmeren en tegen haar willen zeggen dat ze zich beter kon bemoeien met haar eigen gezin, want haar zoon Greg was aan de drugs en haar man Hal had vermoedelijk een verhouding, en dat ze verdomme haar kop dicht moest houden. Patricia en Ryan slaan zich hier hopelijk wel doorheen, Merilee, en zal ik je eens iets zeggen? Hun beste kans om daarin te slagen is niet een moeder die ervoor zorgt dat het netje van Ryans lacrossestick wordt gerepareerd of dat Patricia's toneelkostuum de juiste tint grijs heeft. Nee, waar zij behoefte aan hebben om zich weer goed en gelukkig te voelen, het enige wat daarvoor kan zorgen, is dat hun oudere zus weer thuiskomt.

Wanneer dat gebeurde, en alleen áls dat gebeurde, zou het met de rest van het gezin ook weer goed gaan.

Maar de droevige waarheid was dat Marcia niet de hele dag op zoek was naar Haley. Ze had het geprobeerd, maar ze was ten prooi gevallen aan een slopende vermoeidheid. Het liefst zou Marcia 's ochtends in bed blijven. Haar ledematen voelden loodzwaar aan. Zelfs het lopen door deze gang, op haar merkwaardige pelgrimstocht, kostte haar moeite.

Drieënnegentig dagen.

Een eindje verderop zag ze Haleys kastje. Een paar dagen na haar verdwijning hadden haar vriendinnen de plaatstalen deur versierd, hadden er een soort herdenkingsplek van gemaakt, zoals je wel langs de straat ziet wanneer iemand bij een auto-ongeluk is omgekomen. Ze hadden er foto's op geplakt, en bloemen en kruisjes en briefjes met HALEY, KOM TERUG! WE MISSEN JE! WE BLIJVEN OP JE WACHTEN! WE HOUDEN VAN JE!

Marcia bleef staan en keek ernaar. Ze stak haar hand uit, raakte het combinatieslot aan en dacht aan alle keren dat Haley hetzelfde moest hebben gedaan, toen ze haar schoolboeken eruit haalde, haar rugzak onderin zette en haar jas ophing terwijl ze met een vriendin praatte, over lacrosse, of misschien over een jongen die ze leuk vond.

Ze hoorde iets verderop in de gang. Ze draaide zich om en zag de deur van het kantoor van de schooldecaan opengaan. Pete Zecher, de decaan, kwam de gang in met een echtpaar waarvan Marcia aannam dat het de ouders van een leerling waren. Ze kende ze geen van beiden. Niemand zei iets. Pete Zecher wilde de ouders een hand geven. Ze reageerden er niet op. Ze keerden hem de rug toe en liepen met grote stappen naar de trap. Pete Zecher keek de twee na, schudde zijn hoofd en draaide zich om.

Hij zag haar bij de kastjes staan. 'Marcia?'

'Hallo, Pete.'

Pete Zecher was een geweldig schoolhoofd, heel toegankelijk en bereid van de regels af te wijken of een docent op zijn falie te geven als het om de bestwil van de leerling ging. Pete was hier in Kasselton geboren, had zelf op deze school gezeten, en hij had zijn levenslange droom verwezenlijkt toen hij hier decaan werd.

Hij kwam naar haar toe lopen. 'Stoor ik?'

'Nee, helemaal niet.' Marcia dwong haar mond in een glimlach. 'Ik wilde alleen even aan de starende blikken ontsnappen.'

'Ik heb de generale repetitie gezien,' zei Pete. 'Patricia doet het geweldig.'

'Fijn om te horen.'

Hij knikte. Ze keken allebei naar het kastje. Marcia zag een sticker met de woorden 'Kasselton Lacrosse' met twee gekruiste sticks. Ze had er zo een op de achterruit van haar auto.

'Wat was dat met die ouders?' vroeg ze.

Pete glimlachte. 'Dat is vertrouwelijk.'

'O.'

'Maar ik kan je de hypothetische versie vertellen.'

Ze wachtte.

'Toen jij op de middelbare school zat, heb jij toen wel eens alcohol gedronken?' vroeg hij.

'Ik was nogal een braaf meisje,' zei Marcia. Net als Haley, had ze er bijna aan toegevoegd. 'Maar, ja, we hebben wel eens stiekem biertjes gedronken.'

'En hoe kwam je daaraan?'

'Die biertjes? Het meisje dat naast me zat had een oom met een drankwinkel. En jij?'

'Ik had een vriend, ene Michael Wind, die er veel ouder uitzag dan hij was,' zei Pete. 'Je kent het type wel... hij moest zich in de zesde al scheren. Hij kocht de drank voor ons. Dat zou nu niet meer lukken. Iedereen moet zich legitimeren.'

'En wat heeft dit met ons hypothetische echtpaar te maken?'

'Iedereen denkt dat jongeren tegenwoordig aan drank komen door die te kopen met een vals legitimatiebewijs. Daar zijn inderdaad voorbeelden van, maar in al die jaren dat ik hier op school ben heb ik er niet meer dan vijf in beslag genomen. En toch is het alcoholprobleem groter dan ooit.'

'Hoe komen ze er dan aan?'

Pete keek naar de plek waar het echtpaar zonet had gestaan. 'Van de ouders.'

'Pikken ze het uit de drankkast?'

'Was het maar waar. Het echtpaar dat ik net op bezoek had – hypothetisch – is de familie Milner. Aardige mensen. Hij verkoopt verzekeringen in de stad. Zij heeft een boetiek in Glem Rock. Ze hebben vier kinderen, twee op de middelbare school. Hun oudste zoon zit in het honkbalteam.'

'Ja. En?'

'Afgelopen vrijdag hebben deze twee aardige, zorgzame ouders een vaatje bier met een pomp gekocht en hebben ze in de kelder een feestje voor het hele honkbalteam gegeven. Twee van de jongens zijn dronken geworden en hebben het huis van een derde jongen ondergekotst. Een andere jongen was zo laveloos dat ze bijna zijn maag hebben moeten laten leegpompen.'

'Wacht even. De ouders hadden het bier gekocht?'

Pete knikte.

'En daar ging jullie gesprek over?'

'Ja.'

'Wat hadden ze voor excuus?'

'Het excuus dat ik de laatste jaren meestal te horen krijg: ach, die jongens drinken toch wel… dan kunnen ze het maar beter in een veilige omgeving doen. De Milners willen niet dat hun kinderen naar New York of een andere onveilige omgeving gaan om te drinken, en misschien in de auto stappen nadat ze hebben gedronken. Dus hebben ze het honkbalteam zich laten volgieten in hun kelder, min of meer onder leiding, waar ze niet in de problemen konden raken.'

'Er zit wel iets in.'

'Zou jij het doen?' vroeg Pete.

Marcia dacht erover na. 'Nee. Maar vorig jaar zijn we met Haley en een vriendin van haar naar Toscane geweest. We hebben een wijngaard bezocht en daar mochten de meisjes een glaasje wijn drinken. Was dat verkeerd?'

'In Italië is dat niet verboden.'

'Dat is geen antwoord, Pete.'

'Dus jij vindt het niet verkeerd wat die ouders hebben gedaan?'

'Ik vind het hartstikke verkeerd,' zei Marcia. 'En hun excuus wil er bij mij ook niet in. Drank voor je kinderen kopen? Dat gaat een stap verder dan je kinderen willen beschermen. Dat lijkt meer op de hippe, ruimdenkende ouders willen uithangen. Eerst hun vriend zijn en daarna pas de ouder.'

'Dat ben ik met je eens.'

'Aan de andere kant,' zei Marcia, en ze keek weer naar het kastje, 'wie ben ik om opvoedkundig advies te geven?'

Stilte.

'Pete?'

'Ja?'

'Wat wordt er gezegd?'

'Ik geloof niet dat ik begrijp wat je bedoelt.'

'Ja, je begrijpt het wel. Als jullie er hier over praten – docenten, leerlingen, wie dan ook – denken ze dan dat Haley is gekidnapt, of dat ze van huis is weggelopen?'

Weer een stilte. Ze kon zien wat hij dacht.

'Geen diplomatiek antwoord, Pete, alsjeblieft. Je hoeft me niet te sparen.'

'Goed dan. Dat zal ik niet doen.'

'Nou?'

'Ik heb alleen mijn gevoel waar ik op af kan gaan.'

'Dat begrijp ik.'

Er hingen posters in de gangen. Binnenkort zou het grote

schoolfeest worden gehouden. Na de diploma-uitreiking. Pete Zechers blik ging weer naar Haleys kastje. Marcia volgde de blik en zag een foto die haar aandacht trok. Haar hele gezin, minus zijzelf – Ted, Haley, Patricia en Ryan – bij Mickey Mouse in Disney World. Marcia had de foto genomen met Haleys roze iPhone met de paarse bloemetjes. Ze waren op vakantie geweest, drie weken voordat Haley was verdwenen. De politie had er kort aandacht aan besteed, had zich afgevraagd of Haley tijdens de trip misschien iemand had ontmoet die haar naar huis was gevolgd, maar het had niets opgeleverd. Marcia herinnerde zich wel hoe gelukkig Haley toen was geweest, zo ontspannen, en dat ze zich allemaal een paar dagen lang als blije kinderen hadden gevoeld. Het maken van de foto was spontaan gebeurd. Meestal moest je een half uur wachten voordat je met Mickey op de foto kon, met al die kleinere kinderen die Mickeys stempel in hun handtekeningenboekje wilden, maar Haley had gezien dat er bij deze Mickey, in Epcot Center, geen rij stond. Met een stralende glimlach op haar gezicht had ze haar broertje en zusje bij de arm gepakt en gezegd: 'Kom mee! Laten we snel een foto maken.' Marcia had erop gestaan dat zij hem nam, en ze herinnerde zich de warme golf van emotie die door haar heen was gegaan toen ze haar hele gezin, haar hele leven, stralend aan weerskanten van Mickey had zien staan. Ze keek naar de foto, zag Haleys hartverscheurende glimlach en dacht terug aan dat volmaakte moment.

'Je denkt dat je je leerlingen kent,' zei Pete Zecher, 'maar ze hebben allemaal hun geheimpjes.'

'Zelfs Haley?'

Pete spreidde zijn armen. 'Moet je al die kastjes zien. Ik weet dat het als een cliché klinkt, maar elk kastje is van een leerling die dromen en verwachtingen heeft, en die een moeilijke, waanzinnige tijd meemaakt. Volwassen worden is een strijd, een periode vol druk, of die nu ingebeeld of echt is. Sociale, academische en sportieve druk... en dat allemaal terwijl je aan het veranderen bent en de hormonen door je lijf gieren. Al die kastjes, en al die gekwelde individuen die hier zeven uur per dag opgesloten zitten. Mijn achtergrond is een wetenschappelijke en elke keer als ik deze kastjes zie, denk ik aan een scheikundeproef waarbij vloeistof wordt verhit en de moleculen in het rond vliegen. Aan hoe ze uit het buisje proberen te springen.'

'Dus jij denkt dat Haley is weggelopen?' vroeg Marcia.

Pete Zecher bleef naar de foto van Disney World kijken. Ook hij leek gebiologeerd door die beeldschone glimlach. Toen maakte hij zijn blik ervan los en zag ze de tranen in zijn ogen.

'Nee, Marcia, ik denk niet dat ze van huis is weggelopen. Ik denk dat haar iets is overkomen. Iets ergs.'

5

Wendy werd 's ochtends wakker en zette de 'paninimaker' aan, wat een chique naam was voor het tostiapparaat. Het was al snel het belangrijkste apparaat in huis geworden, want Charlie en zij leefden praktisch op tosti's. Ze nam twee sneetjes volkorenbrood van Trader Joe's, deed er plakjes bacon en kaas tussen en liet het verwarmde deksel van het apparaat zakken.

Zoals elke ochtend kwam Charlie de trap af klossen als een oud renpaard met aambeelden als hoeven. In plaats van te gaan zitten stortte hij neer op de stoel aan de keukentafel en propte de tosti in zijn mond.

'Hoe laat ga je naar je werk?' vroeg Charlie.

'Ik ben gisteren ontslagen.'

'O ja. Vergeten.'

Het egocentrisme van tieners. Er waren momenten, zoals nu, dat ze er slecht tegen kon.

'Kun je me een lift naar school geven?' vroeg Charlie.

'Ja.'

Het verkeer bij Kasselton High zat muurvast van alle auto's van leerlingen die door hun ouders werden gebracht. Er waren dagen dat Wendy er gek van werd, maar heel soms was de ochtendspits het enige moment dat ze met haar zoon kon praten, dat hij iets van zijn gedachten prijsgaf, niet in een heel verhaal, maar als je goed luisterde, viel er iets uit te halen. Maar vandaag zat Charlie met gebogen hoofd te sms'en. Hij zei de hele rit geen woord en het enige wat er aan hem bewoog waren zijn vingertoppen op de toetsjes van zijn telefoon.

Toen ze stopte en Charlie zich half uit de auto liet vallen, was hij nog steeds aan het sms'en.

Wendy riep hem na: 'Bedankt, mam!'

'O, ja. Sorry.'

Toen Wendy haar straat weer in reed, zag ze een auto voor haar huis staan. Ze minderde vaart, draaide de oprit op en had haar telefoon al in de hand. Niet dat ze problemen verwachtte, maar je kon niet weten. Ze toetste het alarmnummer in, hield haar vinger bij het groene knopje en stapte uit de auto.

Hij ging op zijn hurken zitten bij haar achterbumper.

'Je bandenspanning is te laag,' zei hij.

'Kan ik iets voor u doen, meneer Grayson?'

Ed Grayson, de vader van een van de slachtoffers, richtte zich op, veegde zijn handen af aan zijn broek en knipperde met zijn ogen vanwege de felle zon. 'Ik ben vanochtend naar je tv-studio geweest. Ze zeiden dat je ontslagen was.'

Wendy zei niets.

'Dat komt door het besluit van de rechter, neem ik aan.'

'Wat komt u hier doen, meneer Grayson?'

'Ik kom mijn excuses aanbieden voor wat ik gisteren na de zitting tegen je zei.'

'Dat apprecieer ik,' zei ze.

'En als je tijd hebt,' vervolgde Ed Grayson, 'zouden we echt even moeten praten.'

Nadat ze naar binnen waren gegaan en Ed Grayson haar aanbod iets te drinken had afgeslagen, ging Wendy aan de keukentafel zitten en wachtte ze op wat komen ging. Grayson liep een rondje door de keuken, pakte toen opeens de andere stoel en kwam naast haar zitten, nog geen meter van haar vandaan.

'Ten eerste,' zei hij, 'wil ik me nogmaals verontschuldigen.'

'Niet nodig. Ik weet hoe u zich voelt.'

'O ja? Is dat zo?'

Ze zei niets.

'Mijn zoon heet E.J. Van Ed junior, uiteraard. Hij is altijd een opgewekte jongen geweest. Heel sportief. IJshockey was zijn sport. Ik wist geen fluit van ijshockey. Ik deed aan basketbal toen ik jong was. Maar mijn vrouw, Maggie, komt uit Québec. Haar hele familie speelt ijshockey. Het zit in hun bloed. Zo heb ik er ook van leren houden. Voor mijn jongen. Maar nu, wel, nu heeft E.J. geen enkele interesse meer in ijshockey. Als ik met hem in de buurt van een ijsbaan kom, begint hij te trillen van de zenuwen. Hij wil alleen nog maar thuisblijven.'

Hij stopte met praten, wendde zijn blik af. 'Wat erg voor hem,' zei Wendy.

Stilte.

Wendy probeerde ter zake te komen. 'Toen u Flair Hickory aansprak, waar ging dat over?'

'Zijn cliënt is al twee weken spoorloos,' zei hij.

'Dus?'

'Dus probeerde ik erachter te komen waar hij zou kunnen zijn. Maar meneer Hickory wilde het niet zeggen.'

'En dat verbaast u?'

'Nee, niet echt.'

Weer een stilte.

'En wat kan ík voor u doen, meneer Grayson?'

Grayson begon met zijn horloge te spelen, een Timex met zo'n rekbaar metalen bandje. Wendy's vader had er vroeger een gehad. Hij had altijd rode striemen om zijn pols als hij het afdeed. Vreemd, dat ze zich dat herinnerde, al die jaren na zijn dood.

'Dat tv-programma van je,' zei Grayson. 'Je hebt een jaar lang jacht gemaakt op pedofielen. Waarom?'

'Waarom wat?'

'Waarom pedofielen?'

'Wat maakt het waarom uit?'

Hij probeerde te glimlachen, maar het lukte niet echt. 'Leg het me uit,' zei hij.

'Goeie kijkcijfers, denk ik.'

'Oké, dat begrijp ik. Maar er zit meer achter, hè?'

'Meneer Grayson...'

'Ed,' zei hij.

'Ik hou het liever bij "meneer Grayson". En ik zou het prettig vinden wanneer u ter zake kwam.'

'Ik weet wat er met je man is gebeurd.'

Zomaar. Wendy voelde dat haar gezicht begon te gloeien. Ze zei niets.

'Ze is weer vrij, wist je dat? Die Ariana Nasbro.'

Alleen al het horen van de naam deed haar huiveren. 'Ja, dat weet ik.'

'Denk je dat ze nu helemaal genezen is?'

Wendy dacht aan de brieven, aan hoe haar maag zich had omgekeerd toen ze de eerste las.

'Het is mogelijk,' zei Grayson. 'Ik heb mensen gekend die het hebben gered na zo'n behandeling. Maar daar word jij niet veel wijzer van, of wel soms, Wendy?'

'Dat gaat u niks aan.'

'Dat is waar. Maar Dan Mercer gaat me wel aan. Je hebt een zoon, hè?'

'Ook dat gaat u niks aan.'

'Iemand als Dan...' vervolgde hij. 'Eén ding kunnen we met zekerheid vaststellen: ze genezen niet.' Hij schoof nog iets dichter naar haar toe en hield zijn hoofd schuin. 'Maakt dat er deel van uit, Wendy?'

'Deel waarvan?'

'Van de reden dat je jacht maakt op pedofielen. Kijk, alcoholisten kunnen stoppen met drinken. Maar met pedofielen is het heel simpel... het is uitgesloten dat ze ooit beter worden, dus op begrip en vergiffenis hoeven ze niet te rekenen.'

'Doe me een lol, meneer Grayson. Probeer geen psychoanalyse van me te maken. U weet helemaal niks van me.'

Hij knikte. 'Dat is waar.'

'Kom dan ter zake.'

'Nou, het is heel simpel. Als Dan Mercer niet wordt gestopt, zal hij zich aan nóg meer kinderen vergrijpen. Dat is een feit. En dat weten we allebei.'

'Dat kunt u beter aan de rechter voorleggen.'
'Die kan niks meer voor me doen.'
'En ik wel?'
'Jij bent tv-reporter. En een goeie.'
'Een ontslagen tv-reporter.'
'Reden te meer om het te doen.'
'Om wat te doen?'
Ed Grayson boog zich naar haar toe. 'Me te helpen hem te vinden, Wendy.'
'Zodat u hem kunt vermoorden?'
'Hij zal niet stoppen.'
'Dat zei u al.'
'Maar?'
'Maar ik weet niet of ik wel betrokken wil worden bij uw wraakactie.'
'Denk je dat het dat is?'
Wendy haalde haar schouders op.
'Het gaat niet om wraak,' zei Grayson zacht. 'Eerder om het tegenovergestelde.'
'Dat kan ik niet volgen.'
'Deze beslissing is weldoordacht. Een praktische daad. Het gaat over het uitsluiten van risico's. Ik wil er zeker van zijn dat Dan Mercer nooit meer iemand kwaad doet.'
'Door hem te vermoorden?'
'Weet jij een andere manier? Ik ben niet uit op bloedvergieten of op excessief geweld. We zijn allemaal mensen, maar als je zoals Dan Mercer iets als dit doet – als je door je genen of door je deerniswekkende leven zo in de war bent dat je behoefte hebt om kinderen kwaad te doen – nou, dan lijkt me het meest humane dat je zo iemand onschadelijk maakt.'
'Het moet leuk zijn om zowel voor rechter als voor jury te spelen.'
Ed Grayson keek haar aan alsof hij dit bijna grappig vond. 'Heeft rechter Howard de juiste beslissing genomen?'
'Nee.'

'Wie kunnen de zaak dan beter rechtzetten dan wij, degenen die weten hoe het écht in elkaar steekt?'

Ze dacht hierover na. 'Gisteren, na de zitting... waarom zei u dat ik had gelogen?'

'Omdat dat zo was. Het kon je geen barst schelen of Mercer een eind aan zijn leven zou maken. Jij bent naar binnen gegaan omdat je bang was dat hij misschien het bewijs zou wegwerken.'

Stilte.

Ed Grayson stond op, liep naar het aanrecht en bleef daar staan. 'Zou ik een beetje water mogen?'

'Ga uw gang. De glazen staan links.'

Hij pakte een glas uit het keukenkastje en draaide de kraan open. 'Ik heb een vriend,' begon Grayson terwijl hij het glas vol liet lopen. 'Aardige kerel, werkt als jurist, met veel succes. Een paar jaar geleden vertelde hij dat hij een groot voorstander was van de oorlog in Irak. Hij gaf me allerlei redenen en zei dat de Irakezen een kans op vrijheid verdienden. Toen heb ik hem gevraagd: "Jij hebt een zoon, hè?" Hij zei: "Ja, hij studeert aan Wake Forest." Ik zeg: "Zeg eens eerlijk, zou jij willen dat hij zijn leven voor deze oorlog gaf?" Ik heb hem gevraagd daar écht goed over na te denken. We doen alsof God op aarde neerdaalt en zegt: "Oké, ik stel het volgende voor: Amerika wint de oorlog in Irak, wat dat ook mag betekenen, maar in ruil daarvoor wordt je zoon in zijn hoofd geschoten en sterft. Alleen hij. Verder niemand. Iedereen keert weer veilig terug naar huis, maar jouw zoon komt om." Toen heb ik hem gevraagd: "Zou jij die ruil doen?"'

Ed Grayson draaide zich om en nam een grote slok water.

'Wat zei hij?' vroeg ze.

'Wat zou jij zeggen, Wendy?'

'Ik ben niet jouw juristenvriend die de oorlog steunt.'

'Dat is een antwoord van niks.' Grayson glimlachte. 'We weten allebei, in die momenten van de waarheid als we 's nachts wakker liggen, dat we die ruil niet zouden doen, of wel soms? We zouden geen van beiden bereid zijn ons kind op te offeren.'

'Mensen sturen hun kinderen elke dag de oorlog in.'

'Dat is waar, en misschien zijn we ook wel bereid ze de oorlog in te sturen, maar niet de dood in. Dat maakt wel degelijk verschil, hoewel daar een flinke portie zelfbedrog bij komt kijken. Je kunt bereid zijn de dobbelstenen te gooien en het risico te nemen, want je gelooft geen seconde dat het jouw kind zal zijn dat de dood vindt. Dat is anders. Dat is niet de ruil waarover ík het heb.'

Hij keek haar aan.

'Wacht u op applaus?' vroeg ze.

'Ben je het er dan niet mee eens?'

'Uw hypothese laakt het begrip opoffering,' zei Wendy. 'En bovendien is het lariekoek.'

'Ja, nou, misschien is de directe keuze unfair, dat geef ik toe. Maar voor ons, Wendy, op dit moment, bevat die een element dat heel reëel is. Dan Mercer zal mijn kind geen kwaad meer doen, en jouw zoon is te oud voor hem. Laat je dit gebeuren omdat jouw zoon in veiligheid is? Geeft dat jou of mij het recht om onze handen ervanaf te trekken, omdat het niet om óns kind gaat?'

Ze zei niets.

Ed Grayson stond op. 'Je kunt niet doen alsof het niet bestaat, Wendy.'

'Ik ben niet zo'n wereldverbeteraar, meneer Grayson.'

'Daar gaat het hier ook niet om.'

'Zo klinkt het anders wel.'

'Denk dan eens na over het volgende.' Grayson keek haar recht aan, bleef haar aankijken totdat hij zeker wist dat hij haar volledige aandacht had. 'Als je kon teruggaan in de tijd en Ariana Nasbro kon vinden...'

'Hou op,' zei ze.

'Als je kon teruggaan naar haar eerste veroordeling voor rijden onder invloed, of de tweede, of misschien zelfs de derde...'

'Ik wil verdomme dat je nú je mond houdt!'

Ed Grayson knikte, was tevreden, zo leek het, dat hij toch nog een gevoelige snaar had geraakt. 'Ik geloof dat ik beter kan gaan.' Hij liep de keuken uit naar de voordeur. 'Denk erover na, oké? Dat is het enige wat ik van je vraag. Jij en ik staan aan dezelfde kant, Wendy. Ik denk dat jij dat ook weet.'

Ariana Nasbro.

Nadat Grayson was weggegaan, probeerde Wendy niet te denken aan die verdomde brief onder in haar vuilnisbak.

Ze zette haar iPod aan, deed haar ogen dicht en probeerde met haar muziek tot rust te komen. Ze klikte de sectie troostmuziek aan, die met Thriving Ivory die 'Angels on the Moon' zong, William Fitzsimmons met 'Please Forgive Me' en David Berkeley die 'High Heels and All' speelde. Het hielp haar niets, al deze liedjes over vergiffenis. Ze koos voor een andere aanpak, trok haar fitnesskleren aan, zette het volume hoger en luisterde naar haar favorieten van vroeger: 'Shout' van Tears for Fears, 'First Night' van The Hold Steady en 'Lose Yourself' van Eminem.

Ook dat hielp niet. Ed Graysons woorden bleven haar achtervolgen.

Als je kon teruggaan in de tijd en Ariana Nasbro kon vinden...

Dan zou ze het doen. Zonder enige twijfel. Wendy zou teruggaan in de tijd, die bitch opsporen, haar kop van haar romp rukken en een rondedansje maken om haar nog stuiptrekkende lijf.

Leuk idee, maar het was wel zo.

Wendy bekeek haar e-mail. Dan Mercer had woord gehouden en had haar een adres voor hun ontmoeting van twee uur gestuurd, in Wykertown, New Jersey. Nooit van gehoord. Ze zocht het op met Google Maps. Een uur rijden. Prima. Ze had nog bijna vier uur de tijd.

Ze douchte en kleedde zich aan. De brief. Die verdomde brief. Ze rende de trap af, stak haar beide armen in de vuilnisbak en vond de witte envelop. Haar ogen concentreerden zich op het handschrift alsof het haar misschien een aanwijzing kon opleveren. Dat deed het niet. Ze trok een mes uit het messenblok en gebruikte het als briefopener. In de envelop zaten twee velletjes wit, gelinieerd papier van een blocnote, hetzelfde soort papier dat ze vroeger op school gebruikte.

Wendy bleef staan en leunend tegen het aanrecht las ze wat Ariana Nasbro haar had geschreven, elk gruwelijk, stompzinnig woord. Ze kwam geen verrassingen tegen, geen nieuwe inzichten, niets anders dan hetzelfde 'alles draait om mij'-gezever dat ze vanaf de allereerste dag te horen had gekregen. Alle clichés, alle halfslachtige sentimenten, alle voorgekookte excuses... alles werd uit de kast gehaald en in de strijd geworpen. Elk woord voelde als een messteek in haar lijf. Ariana Nasbro had het over de 'bron van haar zelfbeeld', over 'handreikingen doen', over 'zoeken naar zingeving' en 'tot op de bodem gaan'. Pathetische kletskoek. Ze had zelfs het lef om het te hebben over de 'beschadigingen' die ze in haar leven had opgelopen en hoe ze had 'leren vergeven', over 'het wonder van de vergiffenis' en over hoe ze haar en Charlie met dat wonder wilde 'laten kennismaken'.

Dat deze vrouw het lef had om de naam van haar zoon op te schrijven, vervulde Wendy met een woede die groter was dan ooit.

Ik zal altijd een alcoholist blijven, schreef Ariana Nasbro aan het eind van haar geklets. Weer een 'ik'. Ik zal, ik ben, ik wil... de brief stond er vol mee.

Ik, ik, ik.

> Ik weet nu dat ik als onvolmaakt mens vergiffenis verdien.

Wendy kreeg weer braakneigingen.

En dan de laatste regels van de brief.

> Dit is de derde brief die ik je schrijf. Laat alsjeblieft iets van je horen, zodat mijn genezing kan beginnen. God zegene je.

O ja, dacht Wendy, wil je iets van me horen? Nou, dat kan. En wel nu meteen.

Wendy pakte haar autosleutels en stormde het huis uit. Ze toetste het adres van de afzender in haar GPS en reed naar het doorgangshuis waar Ariana Nasbro nu verbleef.

Het doorgangshuis was in New Brunswick, normaliter een uur rijden, maar Wendy hield haar voet op het gaspedaal en was er in nog geen drie kwartier. Ze zette haar auto op het parkeerterrein en beende door de ingang naar binnen. Ze vertelde de vrouw achter de balie wie ze was en dat ze Ariana Nasbro wilde spreken. De vrouw achter de balie vroeg of ze even wilde plaatsnemen. Wendy zei dat ze liever bleef staan, maar niettemin bedankt.

Twee minuten later kwam Ariana Nasbro door de gang gelopen. Wendy had haar zeven jaar geleden voor het laatst gezien, tijdens het proces voor de aanklacht dood door schuld. Ariana had er toen angstig en zielig uitgezien, met hangende schouders en haar bruine muizenhaar in de war, en ze had met haar ogen geknipperd alsof ze ieder moment klappen kon krijgen.

Deze vrouw, de Ariana Nasbro van na haar gevangenisstraf, zag er anders uit. Ze had wit, heel kort haar. Ze stond roerloos rechtop en keek Wendy recht in de ogen. Ze stak haar hand uit en zei: 'Fijn dat je bent gekomen, Wendy. Bedankt.'

Wendy negeerde de uitgestoken hand. 'Ik ben niet voor jou gekomen.'

Ariana probeerde te glimlachen. 'Zullen we een eindje gaan lopen?'

'Nee, Ariana, ik wil met jou geen eindje gaan lopen. In je brieven – ik heb de eerste twee niet beantwoord, maar ik neem aan dat hints niet aan jou besteed zijn, is het wel? – heb je me gevraagd hoe je me een handreiking kon doen.'

'Ja.'

'Nou, dat zal ik je vertellen: stuur me niet langer die zelfreinigende AA-onzin van je. Het kan me niet schelen wat jij denkt. Ik ben niet van plan je te vergeven zodat jij kunt genezen of herstellen of hoe je het verdomme ook noemt. Het interesseert me niet of je beter wordt of niet. Het is niet de eerste keer dat je hulp bij de AA zoekt, hè?'

'Nee,' zei Ariana Nasbro met geheven hoofd. 'Dat klopt.'

'Je hebt het twee keer eerder geprobeerd voordat je mijn man doodreed, nietwaar?'

'Dat is juist,' zei ze op veel te kalme toon.

'Ben je toen ook tot stap acht gekomen?'

'Ja. Maar deze keer is het anders, want...'

Wendy stak haar hand op. 'Het interesseert me niet. Het feit dat het deze keer misschien anders zal gaan heeft geen enkele betekenis voor me. Ik ben niet geïnteresseerd in jou of je herstel of stap acht, maar als je echt een handreiking wilt doen, stel ik voor dat je naar buiten loopt, bij de stoeprand wacht op de eerste aankomende bus en dat je je ervoor gooit. Ik weet dat het hard klinkt, maar als je dat had gedaan de vorige keer dat je stap acht had bereikt – als de geplaagde persoon aan wie je diezelfde ik-ik-ik-kletskoek had geschreven tegen je had gezegd dat je dat moest doen in plaats van je te vergeven – misschien, heel misschien, had je dat advies dan opgevolgd, was jij dood geweest en zou mijn John nog in leven zijn. Dan zou ik mijn man nog hebben en mijn zoon zijn vader. Dát is wat mij interesseert. Jij interesseert me niet, je AA-feestjes omdat je zes maanden droogstaat interesseren me niet en je spirituele reis naar een leven zonder drank nog veel minder. Als jij echt een handreiking wilt doen, Ariana, kun je misschien beginnen met jezelf niet altijd en eeuwig in het middelpunt te plaatsen. Ben je nu genezen... helemaal genezen? Ben je er honderd procent zeker van dat je nooit meer zult drinken?'

'Je bent nooit helemaal genezen,' zei Ariana.

'Precies. Nog meer van die AA-larie. Want we weten niet wat morgen ons zal brengen, of wel soms? Dus dát zijn jouw handreikingen. Hou op met me brieven te schrijven, hou op met alleen maar over jezelf te praten in de groep, hou op met bij de dag te leven. En doe in plaats daarvan het enige wat je echt de zekerheid geeft dat je nooit meer de vader van een kind zult doodrijden: wacht op die bus en spring ervoor. En voor het overige: laat mij en mijn zoon verdomme met rust. We zullen het je nooit vergeven. Nooit, hoor je? Wat een egocentrisch misbaksel moet je zijn om te denken dat wij dat zouden doen, zodat jij, juist jij, kunt genezen?'

Na die woorden draaide Wendy zich om, liep terug naar haar auto en startte de motor.

Ze was klaar met Ariana Nasbro. En nu was Dan Mercer aan de beurt.

6

Marcia McWaid zat naast Ted op de bank. Tegenover hen zat Frank Tremont, rechercheur van de politie van Essex County, voor zijn wekelijkse verslag van de vorderingen in de zaak van hun vermiste dochter. Marcia wist nu al wat hij zou zeggen.

Frank Tremont droeg een pak in een eekhoornbruine tint en een tot op de draad versleten das die eruitzag alsof hij tot een strakke bal was geknoopt en vervolgens vier maanden in de kast had gelegen. Hij was begin zestig, naderde zijn pensioen, had van die ogen die alles al hadden gezien, en de sombere aura van iemand die te lang hetzelfde werk had gedaan. Toen Marcia maanden geleden naar hem had geïnformeerd, hadden sommigen gezegd dat Frank zijn beste tijd had gehad en dat hij de laatste paar maanden voor zijn pensioen waarschijnlijk de kantjes eraf zou lopen.

Maar daar had Marcia nooit iets van gemerkt en Tremont was tenminste bij hen langs blijven komen, was de enige die nog steeds contact met hen hield. In het begin was hij altijd in het gezelschap van anderen geweest, van federale agenten, experts in vermiste personen en een ruime variëteit aan andere mensen van het openbare gezag. Het aantal was gedurende de afgelopen vierennegentig dagen steeds verder teruggelopen, totdat alleen deze eenzame, oude smeris met zijn afzichtelijke pak was overgebleven.

In het begin had Marcia de moeite genomen alle politiemensen koffie en koekjes aan te bieden. Later had ze geen zin meer gehad om de schijn op te houden. Frank Tremont zat tegenover hen, de zichtbaar lijdende ouders in hun mooie, vrijstaande huis, en vroeg zich af, wist Marcia, hoe hij hun voor de zoveelste keer moest vertellen dat er over hun vermiste dochter niets nieuws te melden viel.

'Het spijt me,' zei Frank Tremont.

Zoals te verwachten was. Alsof het in het scenario stond.

Marcia zag Ted achteroverleunen. Hij keek naar het plafond en zijn ogen glommen van de tranen. Ted was een goed mens, een fantastische man en een geweldige echtgenoot, vader en kostwinner. Maar, had ze in de loop der jaren ontdekt, hij was geen bijzonder sterke man.

Marcia bleef Tremont aankijken. 'En nu?' vroeg ze.

'We blijven zoeken,' zei hij.

'Hoe?' vroeg Marcia. 'Ik bedoel, wat kan er nog worden gedaan?'

Tremont wilde iets zeggen, aarzelde en deed zijn mond weer dicht. 'Ik weet het niet, Marcia.'

Ted McWaid liet zijn tranen de vrije loop. 'Ik begrijp het niet,' zei hij, zoals hij al vele keren eerder had gezegd. 'Hoe is het nu mogelijk dat jullie helemaal niks kunnen vinden?'

Tremont zei niets en wachtte.

'Met al die nieuwe technologieën en internet en zo...'

Teds stem stierf weg. Hij schudde zijn hoofd. Hij begreep het niet. Nog steeds niet. Marcia wel. Want zo werkte het gewoon niet. Voordat Haley was verdwenen, waren ze een doorsnee, naïef Amerikaans gezin geweest, wier kennis van – en dus vertrouwen in – het opsporingsapparaat geheel berustte op een leven lang kijken naar tv-series waarin alle zaken worden opgelost. Keurig gekapte acteurs vinden een haar of een voetafdruk of een huidschilfer, leggen die onder de microscoop en hup, voordat het uur om is komt de dader uit de lucht vallen. Maar met de realiteit had het niets te maken. De realiteit, wist Marcia nu, kwam je alleen tegen in het nieuws. De politie van Colorado, bijvoorbeeld, had de moordenaar van JonBenet Ramsey, de kleine schoonheidskoningin, nog steeds niet gevonden. En Marcia herinnerde zich de krantenkoppen toen Elizabeth Smart, een mooi, veertienjarig meisje, 's avonds laat uit haar slaapkamer was gekidnapt. De voltallige media hadden zich op de kidnapping gestort, de hele wereld keek mee en alle ogen waren gericht op de politie, de FBI en al die forensische experts die Elizabeths huis in Salt Lake City uitkamden op zoek naar een spoor... en toch had het meer dan negen maanden geduurd voordat iemand op het idee kwam om de aandacht te richten op de gestoorde dakloze die dacht dat hij God was en die in het huis aan het werk was geweest, zelfs niet nadat Elizabeths zusje had gezegd dat ze hem die avond had gezien. Als je dat in *CSI* of *Law & Order* zag, zou de kijker de afstandsbediening naar het scherm smijten en zeggen dat dit volkomen onrealistisch was. Maar realistisch of niet, dat soort dingen gebeurde voortdurend.

De realiteit, wist Marcia nu, was dat zelfs de grootste idioten ongestraft de meest bizarre misdaden konden plegen.

De realiteit was dat we geen van allen nog veilig waren.

'Is er nog iets nieuws wat jullie me kunnen vertellen?' probeerde Tremont. 'Het maakt niet uit hoe onbelangrijk misschien ook?'

'We hebben je alles al verteld,' zei Ted.

Tremont knikte en zijn gelaatsuitdrukking was vandaag moedelozer dan ooit. 'We hebben meer zaken als deze gehad, met vermiste tienermeisjes die ineens weer boven water kwamen. Die tijd nodig hadden gehad om stoom af te blazen, of die in het geheim een vriendje hadden.'

Hij had eerder geprobeerd hun deze optie te verkopen. Net als iedereen, ook Ted en Marcia, wilde Frank Tremont zo graag dat Haley gewoon van huis was weggelopen.

'In Connecticut was er ook een tienermeisje verdwenen,' vervolgde Tremont. 'Ze kreeg een verkeerd vriendje en was er met hem vandoor gegaan. Na drie weken stond ze opeens weer voor de deur.'

Ted knikte en keek Marcia aan om zijn hoop gesteund te zien. Marcia deed haar best, probeerde een rooskleuriger blik in haar ogen te toveren, maar het lukte gewoon niet. Ted wendde zijn blik af alsof hij een standje had gekregen, stond op en excuseerde zich.

Het was raar, dacht Marcia, dat zij de enige leek te zijn die een juist beeld had van wat er was gebeurd. Natuurlijk wilde je er als ouder niet aan denken dat je geen oog had gehad voor de signalen van een tiener die zo doodongelukkig of in de war was dat ze van huis was weggelopen. De politie had elke teleurstelling in haar jonge leven onder de loep genomen. Nee, Haley was niet toegelaten op de universiteit van Virginia, die haar eerste keus was geweest. Nee, ze had de jaarlijkse essaywedstrijd niet gewonnen en was niet uitgekozen voor het zomerproject van haar school. En ja, misschien had ze het kort voor haar verdwijning uitgemaakt met een vriendje. En wat dan nog? Elke tiener maakt dat soort dingen mee.

Marcia wist wat de waarheid was, had het vanaf de allereerste dag geweten. De waarheid was wat schoolhoofd Zecher tegen haar had gezegd, dat haar dochter iets was overkomen. Iets ergs.

Tremont zat daar maar, wist niet zo goed wat hij moest doen.

'Frank?' zei Marcia.

Hij keek haar aan.

'Ik wil je iets laten zien.'

Marcia pakte de foto die ze van het kastje van haar dochter had gehaald, die met Mickey Mouse, en gaf hem aan de oude politieman. Tremont nam de tijd. Hij hield de foto in zijn hand en keek ernaar. Het was stil in de kamer. Marcia kon zijn zacht piepende ademhaling horen.

'Die foto is van drie weken vóór Haleys verdwijning.'

Tremont staarde naar de foto alsof die hem een aanwijzing kon opleveren. 'Ik herinner me deze. Jullie trip naar Disney World.'

'Kijk naar haar gezicht, Frank.'

Hij deed wat ze vroeg.

'Geloof jij dat dát meisje, met díé glimlach, zomaar opeens heeft besloten van huis weg te lopen en tegen niemand iets te zeggen? Geloof je echt dat ze er in haar eentje vandoor is gegaan en zo sluw was om in drie maanden tijd nooit haar iPhone, een geldautomaat of haar creditcard te gebruiken?'

'Nee,' zei Frank Tremont. 'Dat geloof ik niet.'

'Blijf alsjeblieft zoeken, Frank.'

'Dat zal ik doen, Marcia. Dat beloof ik je.'

Wanneer mensen denken aan de snelwegen in New Jersey, denken ze óf aan de Garden State Parkway, met zijn variëteit aan verspreide pakhuizen en loodsen, verwaarloosde begraafplaatsen en hier en daar een slecht onderhouden twee-onder-een-kapwoning, óf ze denken aan de New Jersey Turnpike, met zijn fabrieken, rokende schoorstenen en reusachtige industriecomplexen die doen denken aan het nachtmerriedecor van de *Terminator*-films. Ze denken niet aan Route 15 in Sussex County, het boerenland, de woongemeenschappen bij het meer, de schuren uit de vorige eeuw, de campings en het oude stadion van de honkbaljunioren.

Wendy, op weg naar Dan Mercer, volgde Route 15 totdat die de 206 werd, sloeg rechts af, kwam op een grindweg, passeerde de opslagunits van U-Store-It en kwam uit bij het trailerpark van Wykertown. Het was een klein park dat er verlaten uitzag, met een wat spookachtige atmosfeer waarin je eigenlijk een roestige schommel verwachtte, piepend zwaaiend in de wind. Het park was in kavels verdeeld. Rij D, kavel 7 was in de uiterste hoek, niet ver van een hek van draadgaas.

Ze stapte uit en verbaasde zich erover hoe stil het was. Ze hoorde helemaal niets. Geen buitelkruid dat door de wind voorbij werd geblazen, hoewel het wel in het beeld zou passen. Het hele park zag eruit als zo'n stadje na de grote apocalyps... de bom was gevallen en de bewoners waren in rook opgegaan. Er hingen waslijnen, maar zonder wasgoed. Ligstoelen met gescheurde zittingen lagen plat op de grond. Zwartgeblakerde barbecues en strandspeelgoed zagen eruit alsof ze nog geen minuut geleden aan hun lot waren overgelaten.

Wendy pakte haar telefoon en zette hem aan. Geen streepjes. Geweldig. Ze liep de twee betonnen treden op en bleef voor de deur van de trailer staan. Een deel van haar hersenen – het rationele deel dat wist dat ze geen superheld maar moeder was – vertelde haar dat ze niet de idioot moest uithangen en beter kon maken dat ze wegkwam. Ze stond hier nog over na te denken toen opeens de deur openging en Dan Mercer voor haar neus stond.

Toen ze zijn gezicht zag, deinsde ze achteruit.

'Wat is er met jou gebeurd?'

'Kom binnen,' mompelde Dan Mercer tussen zijn gezwollen lippen door. Zijn neus was plat. Zijn hele gezicht zat onder de blauwe plekken, maar dat was nog niet het ergste. Dat waren de talloze kleine, ronde brandwonden in zijn gezicht en op zijn armen. Een ervan zag eruit alsof die dwars door zijn wang was gegaan.

Ze wees ernaar. 'Hebben ze dat met een sigaret gedaan?'

Moeizaam haalde hij zijn schouders op. 'Ik had gezegd dat er binnen niet gerookt mocht worden. Toen werden ze boos.'

'Wie?'

'Dat was een grapje. Over dat niet roken.'

'Ja, dat begreep ik al. Maar wie hebben je zo toegetakeld?'

Dan Mercer ging er niet op in. 'Waarom kom je niet binnen?'

'Waarom blijven we niet buiten?'

'God, Wendy, voel je je onveilig bij me? Zoals je me eerder al zo fijntjes hebt duidelijk gemaakt, ben je niet echt mijn type.'

'Maar toch,' zei ze.

'Omdat ik er heel weinig voor voel om naar buiten te komen,' zei hij.

'Maar ik sta erop.'

'Dan wens ik je nog een prettige middag. Sorry dat je het hele eind voor niks hebt moeten rijden.'

Dan ging naar binnen en liet de deur dichtvallen. Wendy bleef staan, dacht dat hij wel weer naar buiten zou komen. Dat deed hij niet. Zonder acht te slaan op haar alarmbellen van zo-even – hij zag er trouwens niet uit alsof hij haar in zijn huidige toestand veel kwaad kon doen – deed ze de deur open en ging naar binnen. Dan bevond zich achter in de trailer.

'Je haar,' zei ze.

'Wat is daarmee?'

Dans golvende bruine haar had nu een bijna knalgele tint die sommige mensen 'blond' zouden noemen.

'Heb je het zelf geverfd?'

'Nee, ik ben naar Dionne geweest, mijn favoriete kapper in de stad.'

Er kwam een vage glimlach om haar mond. 'Het maakt je wel anders.'

'Ja. Alsof ik zo uit een glamourrockgroep uit de jaren tachtig kom stappen.'

Dan bewoog zich verder weg van de deur, naar de achterste hoek van de trailer, alsof hij zich schaamde voor zijn verwondingen. Wendy liet de deur los. Die viel dicht. Het was schemerig in de trailer. Smalle strepen zonlicht vielen door de kieren naar binnen. Waar zij stond lag versleten linoleum op de vloer, maar het achterste deel van de ruimte werd gesierd door een rafelig stuk oranje vloerbedekking dat eruitzag alsof het was afgedankt door de Brady Bunch omdat het te frivool was.

Dan zat in de hoek en zag er klein en gebroken uit. Wat ronduit bizar was en wat haar zo boos had gemaakt, was dat ze ooit een item had willen maken over Dan Mercer en het 'goede werk' dat hij deed, ongeveer een jaar voordat haar valstrik zijn ware bedoelingen aan het licht had gebracht. Vóór dat moment was Dan in haar ogen een zeldzaam wezen geweest, een goudeerlijke weldoener die zijn nek uitstak voor anderen, en, wat het meest schokkende was, die dat had gedaan zonder ook maar de geringste neiging te tonen zichzelf daarvoor op de borst te kloppen.

Ze was – durfde ze het toe te geven? – er als een blok voor gevallen. Dan was een knappe man met warrig bruin haar, donkerblauwe ogen en het vermogen je aan te kijken alsof je de enige persoon op de hele wereld was. Hij had charme, aandacht en een zelfrelativerend gevoel voor humor, en ze begreep heel goed dat al die misdeelde kinderen dat prachtig hadden gevonden.

Maar hoe was het mogelijk dat zij – de chronisch sceptische tv-reporter – hem niet had doorzien?

Ze had zelfs gehoopt – nogmaals, durfde ze het toe te geven, al was het maar aan zichzelf? – dat hij haar mee uit zou vragen. Toen hij haar voor het eerst had aangekeken, had ze die bliksemschicht van aantrekkingskracht gevoeld en had ze zich ervan overtuigd dat ze zelf ook een flinke onweersbui zijn kant op had gestuurd.

Als ze daar nu aan dacht, liepen de rillingen haar over de rug.

Vanaf zijn plekje in de hoek probeerde Dan haar aan te kijken met diezelfde aandacht van toen, maar het lukte hem niet. De ogenschijnlijk beeldschone oprechtheid waardoor ze zich toen had laten misleiden, was er niet meer. Wat ze nu zag was een meelijwekkende loser van wie haar intuïtie haar zei, zelfs nu, na alles wat er was gebeurd, dat hij niet het monster kon zijn dat hij in werkelijkheid was.

Maar helaas was ook dat klinkklare onzin. Ze was gewoon misleid door een bedrieger, zo simpel was het. Hij had zijn bescheidenheid aangewend om zijn ware ik te verbergen. Noem het vrouwelijke intuïtie, instinct of onderbuikgevoel... alle keren dat Wendy ernaar had geluisterd, had ze ernaast gezeten.

'Ik heb het niet gedaan, Wendy.'

Weer 'ik'. Ze had wel haar dag.

'Ja, dat zei je al toen je me belde,' zei ze. 'Kun je het toelichten?'

Hij keek alsof hij haar niet begreep en niet wist hoe hij verder moest gaan. 'Na mijn arrestatie heb je onderzoek naar me gedaan, hè?'

'Ja. En?'

'Je bent gaan praten met de jongeren in het opvanghuis waar ik werkte, nietwaar? Hoeveel jongeren heb je gesproken?'

'Maakt dat iets uit?'

'Hoeveel, Wendy?'

Ze wist al redelijk zeker welke kant het gesprek op zou gaan. 'Zevenenveertig,' zei ze.

'En hoeveel van die zevenenveertig hebben beweerd dat ik ze heb misbruikt?'

'Nul. Publiekelijk. Maar we hadden een paar anonieme tips gekregen.'

'Anonieme tips,' herhaalde Dan. 'Je bedoelt die anonieme blogs op internet, die iedereen geschreven kan hebben, ook jij zelf?'

'Of een doodsbang kind.'

'Je hechtte zelf zo weinig geloof aan die blogs dat je ze buiten de uitzending hebt gelaten.'

'Dat kunnen we nog geen bewijs van je onschuld noemen, Dan.'

'Grappig.'

'Wat?'

'Ik heb altijd gedacht dat het andersom werkte. Dat je onschuldig was totdat je schuld was bewezen.'

Ze probeerde haar ogen niet ten hemel te heffen. Dit was niet het spel dat ze wilde spelen. Het was tijd om van koers te veranderen. 'Weet je wat ik verder heb gevonden toen ik onderzoek naar je deed?'

Dan Mercer leek zich nog dieper in de hoek terug te trekken. 'Nou?'

'Niks. Geen vrienden, geen familie, geen echte contacten. Afgezien van je ex-vrouw, Jenna Wheeler, en het opvanghuis, ben je een soort geest.'

'Mijn ouders zijn overleden toen ik jong was.'

'Ja, dat weet ik. Je bent opgegroeid in een weeshuis in Oregon.'

'Dus?'

'Dus zitten er nogal wat gaten in je cv.'

'Ik ben erin geluisd, Wendy.'

'Juist. En toch meld je je om de juiste tijd bij een onbekend huis, waar of niet?'

'Ik dacht dat het om een kind in nood ging.'

'Mijn held. En je gaat er zomaar naar binnen?'

'Chynna had me gebeld en om hulp gevraagd.'

'Ze heet Deborah, niet Chynna. Ze werkt als stagiair in de studio. Wat toevallig dat haar stem zo lijkt op die van jouw mysterieuze meisje.'

'Omdat die van achter uit het huis kwam,' zei hij. 'Dat was jullie opzet, hè? Te doen alsof ze net uit de douche kwam?'

'Ah, ik begrijp het. Dus jij dacht dat het meisje ene Chynna uit je opvanghuis was?'

'Ja.'

'Ik ben natuurlijk op zoek gegaan naar die Chynna van jou, Dan. Jouw mysterieuze meisje. Gewoon, om de puntjes op de i te zetten. We hebben een compositietekenaar naar je toe gestuurd.'

'Dat weet ik allang.'

'En je weet ook dat ik die compositietekening aan iedereen in de buurt heb laten zien, en niet te vergeten aan alle medewerkers, bewoners en bezoekers van jouw opvanghuis. Dat niemand haar kende, niemand haar ooit had gezien, helemaal niks.'

'Dat heb ik je al verteld. Ze was zelf naar me toe gekomen, in vertrouwen.'

'Komt dat even goed uit. En iemand heeft jouw laptop gebruikt om vanuit jouw huis al die smerige e-mails te versturen?'

Hij zei niets.

'En – help me, Dan – iemand heeft ook al die foto's erop gezet, hè? O, en iemand – misschien ik wel, als we je advocaat mogen geloven – heeft die walgelijke foto's van kinderen in jouw garage verstopt?'

Dan Mercer deed zijn ogen dicht, zag er verslagen uit.

'Weet je wat jij zou moeten doen, Dan? Nu je een vrij man bent en het gezag je niks meer kan doen, zou ik echt hulp zoeken. Ga in therapie.'

Dan schudde zijn hoofd en plooide zijn lippen in een half glimlachje.

'Wat is er?'

Hij keek haar aan. 'Je maakt nu al twee jaar jacht op pedofielen, Wendy, en je weet het nog steeds niet?'

'Ik weet wat niet?'

Zijn stem uit de hoek klonk heel zacht. 'Pedofielen zíjn niet te genezen.'

Wendy voelde een kilte. Dat was een fractie van een seconde nadat de deur van de trailer werd opengegooid.

Ze sprong achteruit, kreeg de deur bijna tegen zich aan. Een man met een bivakmuts stond ineens binnen. Hij had een pistool in zijn hand.

Dan stak zijn handen op, deed nog een stap achteruit. 'Niet...'

De man met de bivakmuts richtte het pistool op hem. Wendy schuifelde verder achteruit, verschool zich achter de deur, en toen, zomaar opeens, schoot de man met de bivakmuts.

Hij waarschuwde niet, zei niet tegen Dan dat hij zich niet moest verroeren of dat hij zijn handen omhoog moest doen, niets van dat alles. Alleen de korte, sissende knal van het pistoolschot.

Dan schokte en viel voorover op de grond.

Wendy slaakte een kreet. Ze liet zich achter de oude bank op de grond vallen, in de hoop dat die enige bescherming zou bieden. Onder de bank door kon ze Dan zien liggen. Hij bewoog niet. Om zijn hoofd vormde zich al een plasje bloed, dat in de oranje vloerbedekking trok. De man met de bivakmuts kwam verder de trailer in. Ongehaast. Bijna achteloos. Alsof hij een wandeling in het park maakte. Hij bleef naast Dan staan en richtte het pistool op Dans hoofd.

Op dat moment zag Wendy het horloge.

Het was een Timex met zo'n metalen rekbandje. Net als haar vader vroeger had gehad. De daaropvolgende seconden verstreken als in slow motion. De lengte, zag Wendy nu, klopte. De lichaamsbouw ook. Het horloge hoefde ze er alleen maar bij op te tellen.

Het was Ed Grayson.

Hij schoot Dan nog twee keer in het hoofd, met korte, droge knallen. Dans hoofd stuitte op van de vloer door de inslag. Paniek greep haar bij de keel. Ze drong het gevoel terug. Helder nadenken. Dat was wat haar nu te doen stond.

Twee opties.

Optie één: praat het uit met Grayson. Overtuig hem ervan dat je aan zijn kant staat.

Optie twee: vlucht. Sprint naar de deur, ren naar je auto en maak dat je wegkomt.

Geen van beide opties was waterdicht. Optie één, bijvoorbeeld. Zou Grayson haar geloven? Ze had hem amper een paar uur geleden de deur uit gestuurd, had zelfs tegen hem gelogen, en nu was ze hier voor haar geheime ontmoeting met Dan Mercer, de man die ze zojuist in koelen bloede geëxecuteerd had zien worden.

Optie één begon al minder goed te klinken, dus restte haar…

Ze schoot naar de open deur.

'Stop!'

Half struikelend en zich zo klein mogelijk makend rende ze de deur uit.

'Wacht!'

Mooi niet, dacht ze. Ze duikelde over de grond en werd verblind door de zon. Blijf in beweging, dacht ze. Niet vertragen.

'Help!' riep ze.

Geen reactie. Nog steeds niemand te zien in het trailerpark.

Ed Grayson kwam naar buiten stormen. Met het pistool in zijn hand. Wendy bleef rennen. De andere trailers waren veel te ver weg.

'Help!'

Schoten.

De enige plek waar ze zich kon verschuilen was achter haar auto. Wendy rende ernaartoe. Weer een salvo schoten. Ze dook achter de auto, gebruikte die als dekking. Ze had het portier niet op slot gedaan.

Moest ze het wagen?

Had ze veel keus? Moest ze hier blijven wachten tot hij om de auto heen kwam lopen en haar doodschoot?

Ze zocht in haar zak en haalde de *remote key* eruit. Voor de zekerheid deed ze nogmaals de portieren van het slot. En wat nog beter was, toen Charlie zijn rijbewijs had gehaald, had hij erop gestaan dat ze zo'n remote namen waarmee je ook de motor kon starten, om dat op koude winterochtenden vanuit de keuken te doen, zodat de auto alvast kon opwarmen. Destijds had ze hem gemakzucht verweten, hem een verwend kind genoemd omdat hij te kleinzerig was om een paar minuten in de kou te zitten. Nu kon ze hem wel zoenen.

De motor sloeg aan.

Wendy opende het portier aan de bestuurderskant, hield haar hoofd laag en kroop in de auto. Ze richtte zich op en keek door de zijruit. Het pistool was op de auto gericht. Ze dook in elkaar.

Er werd weer geschoten.

Ze wachtte op het geluid van uiteenspattend glas. Ze hoorde het niet. Vreemd, maar ze had geen tijd om zich daar nu druk om te maken. Liggend op haar zij zette ze de versnellingspook in de rijstand. De auto kwam in beweging. Met haar linkerhand duwde ze het gaspedaal omlaag en reed zonder iets te zien vooruit. Ze hoopte van harte dat ze nergens tegenaan reed.

Er verstreken tien seconden. Hoe ver had ze gereden?

Ver genoeg, vond ze.

Wendy kwam overeind en ging achter het stuur zitten. In de achteruitkijkspiegel zag ze de gemaskerde Grayson, die haar zwaaiend met zijn pistool achternarende.

Ze trapte het gaspedaal zo hard in dat haar hoofd achterovervloog en reed door totdat er in de spiegels niemand meer te zien was. Ze pakte haar mobiele telefoon. Nog steeds geen streepjes. Ze toetste 9-1-1 in, drukte op het knopje en kreeg voor de moeite het piepje van GEEN BEREIK. Ze reed ruim een kilometer door. Nog steeds geen streepjes. Ze draaide Route 206 op en probeerde het opnieuw. Weer niets.

Pas na een kilometer of vijf kreeg ze contact.

'Om wat voor noodgeval gaat het?' vroeg een stem.

'Er is iemand doodgeschoten.'

7

Tegen de tijd dat Wendy de auto had gekeerd en was teruggereden naar het trailerpark, stonden er drie patrouillewagens van de politie van Sussex County bij de ingang. En er stond een agent op wacht.

'Bent u degene die dit heeft gemeld?' vroeg de agent.

'Ja.'

'Alles in orde met u, mevrouw?'

'Ja.'

'Hebt u medische verzorging nodig?'

'Nee, ik ben ongedeerd.'

'U zei over de telefoon dat de dader gewapend was?'

'Ja.'

'En hij was alleen?'

'Ja.'

'Komt u met me mee, alstublieft.'

Hij nam haar mee naar een van de patrouillewagens en hield het achterportier voor haar open. Ze aarzelde.

'Voor uw eigen veiligheid. U staat niet onder arrest of wat ook.'

Ze nam op de achterbank plaats. De agent deed het portier dicht en ging voorin achter het stuur zitten. Hij startte de motor niet maar ging door met haar vragen te stellen. Af en toe stak hij zijn hand op om aan te geven dat ze even moest wachten en herhaalde hij in de mobilofoon wat ze had gezegd, tegen een andere agent, nam Wendy aan. Ze vertelde hem alles wat ze wist, ook haar vermoeden dat de dader Ed Grayson was.

Er was meer dan een half uur verstreken toen een andere politieman, een zwarte reus van ruim honderdvijftig kilo, naar de auto kwam lopen. Hij had een hawaïhemd aan, dat over zijn broek hing en groot genoeg was om een paar keukengordijnen van te maken. Hij deed het achterportier open.

'Mevrouw, ik ben sheriff Mickey Walker van de politie van Sussex County. Zou u zo vriendelijk willen zijn uit de auto te stappen?'

'Hebben jullie hem gepakt?'

Walker gaf geen antwoord. Hij liep naar de ingang van het trailerpark. Wendy haastte zich achter hem aan. Ze zag een man in een wit, mouwloos T-shirt en een boxershort, die werd ondervraagd door een andere agent.

'Sheriff Walker?'

Hij ging niet langzamer lopen. 'U zei dat u denkt dat de man met de bivakmuts Ed Grayson heet?'

'Ja.'

'En dat hij na u bij de trailer was gearriveerd?'

'Ja.'

'Hebt u gezien in wat voor auto hij reed?'

Ze dacht even na. 'Nee, dat heb ik niet gezien.'

Walker knikte alsof hij dit antwoord had verwacht. Ze kwamen bij de trailer. Walker duwde de deur open en bukte zich om zich naar binnen te persen. Wendy ging hem achterna. Er waren twee uniformagenten aan het werk in de trailer. Wendy keek naar de plek waar Dan Mercer was neergevallen.

Niets.

Ze wendde zich tot Walker. 'Hebben jullie het lijk al weggehaald?' Maar ze wist al wat het antwoord zou zijn. Ze was nergens een ambulance, een busje van de technische recherche of een lijkwagen tegengekomen.

'Er was geen lijk,' antwoordde hij.

'Ik begrijp het niet.'

'En geen Ed Grayson of iemand anders. De trailer ziet eruit zoals we die hebben aangetroffen toen we hier arriveerden.'

Wendy wees naar de achterste hoek. 'Hij lag daar. Dan Mercer. Ik verzin het echt niet.'

Ze staarde naar de plek waar het lijk had gelegen en dacht: o nee, dit kan toch met geen mogelijkheid waar zijn? Ze moest denken aan die scènes in films en tv-series – iedereen heeft ze wel honderd keer gezien – waarin het lijk opeens is verdwenen, een vrouw op smekende toon zegt: 'Maar jullie moeten me echt geloven!' en niemand dat doet. Wendy's blik ging naar de grote politieman om zijn reactie te zien. Ze had ongeloof verwacht, maar Walker wist haar te verrassen.

'Ik weet dat u het niet hebt verzonnen,' zei hij.

Ze stond al klaar om hem met allerlei argumenten te overtuigen, maar dat was nu niet nodig. Ze wachtte.

'Adem eens diep in door uw neus,' zei Walker. 'Ruikt u iets?'

Ze deed wat hij vroeg. 'Verbrand kruit?'

'Yep. Vers, volgens mij. En dat is niet het enige, want er zit daar een kogelgat in de wand. De kogel is er dwars doorheen gegaan. Die hebben we buiten gevonden, in een betonblok. Zo te zien een .38, maar dat zoeken we later wel uit. Wat ik nu graag zou willen, is dat u hier rondkijkt en me vertelt of er iets is veranderd nadat u naar buiten bent gevlucht.' Hij stopte en maakte een verontschuldigend gebaar met zijn hand. 'Afgezien dan van, u weet wel, dat het stoffelijk overschot er niet meer is.'

Wendy zag het meteen. 'De vloerbedekking is weg.'

Opnieuw knikte Walker alsof hij al had geweten dat ze dat zou zeggen. 'Wat voor vloerbedekking was dat?'

'Een oranje kleed. Mercer viel daar neer toen hij door de eerste kogel was geraakt.'

'En het lag daar in de hoek? De plek die u zonet aanwees?'

'Ja.'

'Kom, dan zal ik u iets laten zien.'

Walker nam het merendeel van de ruimte in de kleine trailer in beslag. Ze liepen het vertrek door en Walker wees met zijn dikke vinger naar de wand. Wendy zag het kogelgat, klein en keurig rond. Walker hurkte kreunend neer op de plek waar Mercer was neergevallen.

'Ziet u dit?'

Op de vloer lagen oranje krulletjes, die kleine Cheeto's leken. Dat was mooi – het bewijs dat ze de waarheid sprak – maar het was niet wat Walker haar wilde laten zien. Ze volgde zijn vinger.

Bloed.

Niet veel. Zeker niet al het bloed dat Dan Mercer had vergoten toen hij was neergeschoten. Maar genoeg. Ook in het half opgedroogde bloed lagen oranje krulletjes.

'Het bloed is door de vloerbedekking gelekt,' zei Wendy.

Walker knikte. 'We hebben een getuige die iemand een grote rol vloerbedekking achter in een auto heeft zien leggen... een zwarte Acura MDX met kentekenplaten van New Jersey. We hebben bij Kentekenregistratie al geïnformeerd naar Edward Grayson uit Fair Lane, New Jersey. Hij heeft een zwarte Acura MDX.'

Eerst werd de titeltune gestart. Heel dramatisch. *Da-da-da-doemmm...*

Hester Crimstein, in haar zwarte toga, opende de deur en schreed trots als een pauw naar de rechtersstoel. Er kwam een drumbeat bij toen ze die naderde. De bekende voice-over, dezelfde die alle *In a World*-films had gedaan voordat hij overleed, zei: 'Staat u allen op. Rechter Hester Crimstein houdt zitting.'

Schakelen naar titel: *Crimstein's Court.*

Hester nam plaats. 'Ik ben tot een uitspraak gekomen.'

Een achtergrondkoortje – dezelfde zangeressen die je altijd in radiocommercials hoort – zong: 'Tijd voor het vonnis! Tijd voor het vonnis!'

Hester onderdrukte een zucht. Ze deed haar nieuwe tv-show nu drie maanden, in plaats van het eerdere *Crimstein on Crime* voor de kabelnetwerken, haar show waarin 'echte zaken' waren behandeld, wat meestal neerkwam op uitspattingen door beroemdheden, vermiste blanke tieners en overspel door politici.

Haar gerechtsdienaar heette Waco. Hij was een gepensioneerde stand-upcomedian. Dat wil zeggen, in het echt. Dit was een studiodecor, geen rechtszaal; het zag er alleen zo uit. En hoewel Hester er geen officiële processen deed, zat ze wel een soort rechtszittingen voor. De twee partijen tekenden een contract voor de duur van de zitting. De producers betaalden de boete of het smartengeld en zowel de aanklager als de beklaagde kreeg honderd dollar per dag. Een win-winsituatie.

Realityshows hebben een slechte naam en verdienen die ook, maar wat in de meeste vooral wordt aangetoond, zeker in die in de relationele en strafrechtelijke sfeer, is dat we nog steeds in een mannenwereld leven. Neem nou de beklaagde, Reginald Pepe. Big Reg, zoals hij genoemd wenste te worden, werd ervan verdacht tweeduizend dollar geleend te hebben van het slachtoffer, Miley Badonis, zijn vriendin in die tijd. Big Reg beweerde dat het een gift was geweest en verklaarde voor het hof: 'Chicks geven me altijd cadeautjes... wat kan ik daaraan doen?' Big Reg was vijftig jaar oud, een vadsige tweehonderdvijftigponder gekleed in een gaatjeshemd waar zijn borsthaar dwars doorheen krulde. Hij droeg geen beha maar zou dat wel moeten doen. Zijn haar was met gel in een puntkuif geboetseerd, waardoor hij eruitzag als een tekenfilmboef, en hij had minstens tien gouden kettingen om zijn nek. Big Regs brede gezicht, dat werd benadrukt door het droevige feit dat Hesters show tegenwoordig in HD werd gefilmd, vertoonde zo veel kraters dat je op zijn wangen automatisch op zoek ging naar kleine maanlandertjes.

Miley Badonis, het slachtoffer, was minstens twintig jaar jonger, en hoewel niemand meteen de telefoon zou grijpen om het *Elite*-modellenbureau op haar te attenderen zodra hij haar zag, was ze, tja, best een leuke vrouw. Maar ze was zo wanhopig naar een man op zoek geweest, welke man dan ook, dat ze Big Reg zonder vragen te stellen het geld had gegeven.

Big Reg was twee keer gescheiden, leefde gescheiden van zijn derde vrouw en was vandaag in het gezelschap van twee andere vrouwen. Beide vrouwen waren gekleed in een tanktopje dat veel buik vrijliet, en geen van beiden had er het figuur voor. De tanktopjes zaten zo strak dat ze al het vlees omlaag persten, waardoor ze eruitzagen als reusachtige peren.

'Jij.' Hester wees naar de rechter tanktop.

'Ik?'

Op de een of andere manier, ondanks het feit dat het woord maar twee letters telde, kreeg ze het voor elkaar om halverwege het uitspreken haar kauwgom te laten klappen.

'Ja, jij. Kom naar voren. Waarom ben je hier?'

'Huh?'

'Waarom ben je met meneer Pepe meegekomen?'

'Huh?'

Waco, haar hilarische gerechtsdienaar, begon te zingen: 'O, had ik maar een hersenpan...' uit *The Wizard of Oz*. Hester wierp hem een blik toe. 'Je verdient een terechtwijzing, Waco.'

Waco zweeg.

De linker tanktop deed een stap naar voren. 'Als ik iets mag zeggen, edelachtbare, wij zijn hier als vrienden van Big Reg.'

Hester keek Big Reg aan. 'Vrienden?'

Big Reg trok een wenkbrauw op alsof hij wilde zeggen: ja, natuurlijk, vrienden.

Hester boog zich naar voren. 'Dames, ik zal jullie allebei een goede raad geven. Als deze man hier heel hard leert en goed zijn best doet om zichzelf te beteren, kán er ooit een dag komen dat hij het niveau van de absolute loser zal ontstijgen.'

Big Reg zei: 'Hé, edelachtbare!'

'Hou uw mond, meneer Pepe.' Ze bleef de beide meisjes aankijken. 'Ik weet niet wat de bedoeling is, dames, maar wat ik wel weet is dat dít niet de manier is om wraak te nemen op jullie papa's. Weten jullie wat een "del" is?'

Beide meisjes wisten het niet.

'Ik zal jullie helpen,' zei Hester. 'Jullie zijn allebei dellen.'

'Geef ze van katoen, edelachtbare!' riep Miley Badonis.

Hester keerde haar blik in de richting van het geluid. 'Mevrouw Badonis, bent u bekend met het gezegde "de pot verwijt de ketel"?'

'Eh, nee.'

'Hou dan uw mond en luister.' Hester wendde zich weer tot de twee tanktops. 'Kennen jullie de definitie van een del?'

'Een soort slet?' probeerde de linker tanktop.

'Ja. En nee. Een slet is een meisje dat het met iedereen doet. Een del, die naar mijn mening vele malen erger is, is een meisje dat bereid is iemand als Reginald Pepe lijfelijk aan te raken. Mevrouw Badonis is vol trots op weg zich uit die categorie te werken. Jullie hebben die mogelijkheid ook. Ik smeek jullie die met beide handen aan te grijpen.'

Dat zouden ze niet doen. Hester had het al zo vaak meegemaakt. Ze wendde zich tot de beklaagde.

'Meneer Pepe?'

'Ja, edelachtbare?'

'Tegen u zou ik willen zeggen wat mijn grootmoeder vroeger tegen mij zei: dat je niet op twee paarden tegelijk kunt rijden...'

'Nou, als je het goed doet, kan dat best, edelachtbare, huh, huh, huh.'

O, man.

'Wat ik nog meer tegen u wil zeggen,' vervolgde Hester, 'is dat voor u alle hoop verloren is. Ik zou u het "schuim der natie" willen noemen, meneer Pepe, maar zeg nu zelf, is dat fair tegenover schuim? Schuim doet niemand kwaad, terwijl u, als miserabel exemplaar van de menselijke soort, een leven lang niets anders doet dan een spoor van vernielingen en verderf achterlaten. O, en van dellen.'

'Hé,' zei Big Reg, met zijn armen gespreid en glimlachend, 'u kwetst mijn gevoelens.'

Yep, dat doe ik, dacht Hester. Een mannenwereld. Ze richtte zich tot het slachtoffer. 'Helaas, mevrouw Badonis, is het geen misdaad om een miserabel exemplaar van de menselijke soort te zijn. U hebt hem het geld gegeven. Er is geen bewijs dat het een lening was. Als de rollen omgekeerd waren – als u een foeilelijke man was die geld had gegeven aan een redelijk aantrekkelijke, jonge, hoewel nogal naïeve vrouw – zou het niet eens tot een rechtszaak zijn gekomen. Kortom, ik pleit de beklaagde vrij. En ik vind hem een walgelijk sujet. Zitting gesloten.'

Big Reg juichte van vreugde. 'Hé, edelachtbare, als u vanavond vrij bent...'

De slottune werd gestart, maar Hester schonk er geen aandacht aan. Haar mobiele telefoon ging over. Toen ze het nummer zag, haastte ze zich het decor uit en nam op.

'Waar ben je?' vroeg ze.

'Ik kom net aanrijden bij mijn huis,' zei Ed Grayson. 'Zo te zien sta ik op het punt gearresteerd te worden.'

'Ben je geweest waar ik je naartoe had gestuurd?' vroeg Hester.

'Ja.'

'Oké, goed. Beroep je op je recht op een advocaat en zeg geen woord. Ik kom eraan.'

8

Wendy was verbaasd toen ze Pops' Harley-Davidson op de oprit zag staan. Doodmoe van het lange verhoor – om nog maar te zwijgen van de confrontatie met de moordenares van haar man, eerder vandaag, en de aanblik van een man die werd doodgeschoten – liep ze langs Pops' oude 'fiets', die was versierd met de eretekens van weleer: de Amerikaanse vlag en de emblemen van de National Rifle Association en de Stichting Oorlogsveteranen. Er kwam een vage glimlach om haar mond.

Ze deed de voordeur open. 'Pops?'

Hij kwam de keuken uit. 'Geen bier in de koelkast.'

'Niemand drinkt hier bier.'

'Nee, maar je weet nooit wie je op bezoek krijgt.'

Ze glimlachte naar hem – hoe noemde je de vader van je overleden man? – haar ex-schoonvader. 'Een waar woord.'

Pops kwam naar haar toe, sloeg zijn armen om haar heen en drukte haar lang en stevig tegen zich aan. Ze rook leer en asfalt, sigaretten en, ja, ook bier. Haar schoonvader – dat 'ex' kon de pot op – de Vietnamveteraan, deed haar altijd denken aan een grote, harige beer. Hij was groot en zwaargebouwd, ongeveer tweeënzestig jaar, had een piepende ademhaling en een dikke grijze snor in de vorm van een fietsstuur, met gele plekken van het roken.

'Ik hoorde dat je je baan kwijt was,' zei hij.

'Van wie?'

Pops haalde zijn schouders op. Wendy dacht erover na. Er was maar één antwoord mogelijk: Charlie.

'Ben je daarom gekomen?' vroeg ze.
'Ik was in de buurt en wilde even zitten. Waar is mijn kleinzoon?'
'Bij een vriend. Hij zal zo wel thuiskomen.'
Pops bekeek haar. 'Je ziet er belabberd uit.'
'Nog altijd vol complimentjes.'
'Wil je erover praten?'
Dat deed ze. Pops mixte een paar cocktails. Ze gingen op de bank zitten en toen Wendy hem over de executie vertelde, besefte ze, hoe moeilijk het ook was om het toe te geven, hoe erg ze een man in huis miste.
'Een vermoorde kinderverkrachter,' zei Pops. 'Wow, ik ben de eerstkomende weken in de rouw.'
'Dat is een beetje te gemakkelijk, vind je niet?'
Pops haalde zijn schouders op. 'Als je bepaalde grenzen overschrijdt, kun je niet meer terug. Trouwens, ga je al met mannen uit?'
'Leuk bruggetje.'
'Ontwijk de vraag niet.'
'Nee, ik ga niet met mannen uit.'
Pops schudde zijn hoofd.
'Wat is er?'
'Mensen hebben behoefte aan seks.'
'Ik zal het opschrijven.'
'Ik meen het. Je ziet er nog prima uit, kind. Kom je huis uit en neem het ervan.'
'Ik dacht dat jullie rechtse rakkers van de NRA tegen seks voor het huwelijk waren.'
'Nee, nee, dat prediken we alleen om meer speelruimte voor onszelf te creëren.'
Daar moest ze om lachen. 'Briljant.'
Pops keek haar weer aan. 'Wat zit je nog meer dwars?'
Wendy had zich voorgenomen er niets over te zeggen, maar de woorden kwamen als vanzelf haar mond uit. 'Ik heb een paar brieven van Ariana Nasbro gehad,' zei ze.
Stilte.
John was Pops' enige kind geweest. Hoe moeilijk het voor Wen-

dy ook was geweest om haar man te verliezen, geen ouder wil eraan denken hoe het is om je kind kwijt te raken. De pijn op Pops' gezicht was een levend, ademend iets. Het verdween nooit.

'En wat wilde onze lieve Ariana?' vroeg hij.

'Ze doet de twaalf stappen van de AA.'

'Ah. En jij bent er een van?'

Wendy knikte. 'Stap acht of negen. Ik weet niet meer welke van de twee.'

De voordeur vloog open en maakte een eind aan het gesprek. Ze hoorden Charlie binnenkomen, die natuurlijk de Harley op de oprit had gezien. 'Is Pops er?'

'We zijn in de woonkamer, vriend.'

Charlie kwam breed glimlachend de kamer binnen.

Pops was Charlies enige nog levende grootouder. Wendy's ouders waren allebei al vóór Charlies geboorte overleden, en Johns moeder, Rose, was twee jaar geleden aan kanker gestorven. De twee mannen – goed, Charlie was nog een jongen, maar hij was nu al groter dan zijn grootvader – omhelsden elkaar met alles wat ze in zich hadden. En ze knepen allebei hun ogen dicht. Zo omhelsde Pops altijd. Terughoudendheid kende hij niet. Wendy zag het aan en opnieuw voelde ze het gemis van een man in hun leven.

Toen ze elkaar loslieten, ging Wendy over op meer alledaagse zaken. 'Hoe was het op school?'

'Saai.'

Pops sloeg zijn arm om Charlies schouders. 'Vind je het goed als Charlie en ik een eindje gaan rijden?'

Ze wilde eigenlijk 'nee' zeggen, maar toen ze Charlies opgetogen gezicht zag, deed ze dat niet. Weg was de in zichzelf gekeerde tiener. Hij was weer een kind.

'Heb je een extra helm bij je?' vroeg ze aan Pops.

'Altijd.' Pops keek Charlie aan en trok zijn ene wenkbrauw op. 'Je weet nooit of je onderweg een lekkere veiligheidsbewuste motorchick tegenkomt.'

'Maak het niet te laat,' zei Wendy. 'O, en misschien moeten we de buurt waarschuwen voordat jullie wegrijden.'

‘Waarschuwen?’

‘Dat ze hun vrouwen binnenhouden,’ zei Wendy, ‘als jullie op de versiertoer gaan.’

Pops en Charlie stootten hun knokkels tegen elkaar. ‘Yeah.’

Mannen.

Ze bracht ze naar de deur, werd weer omhelsd, besefte dat een deel van wat ze miste gewoonweg de lijfelijke aanwezigheid van een man was, het omhelzen en knuffelen en de troost die dat bood. Ze keek ze na toen ze ronkend wegreden op Pops’ Harley en wilde net weer naar binnen gaan, toen er een auto kwam aanrijden en voor het huis stopte.

De auto kwam haar niet bekend voor. Wendy wachtte. Het portier aan de bestuurderskant ging open en er stapte een vrouw uit. Ze had rode ogen en haar wangen waren nat van de tranen. Wendy herkende haar onmiddellijk: Jenna Wheeler, Dan Mercers ex-vrouw.

Wendy had Jenna ontmoet op de ochtend nadat het programma over Dan was uitgezonden. Ze was naar Jenna’s huis gegaan, had op Jenna’s bank – de bekleding was heldergeel met grote blauwe bloemen – zitten luisteren hoe Jenna haar ex-man had verdedigd. Ze had dat ook al in het openbaar gedaan en dat was niet op prijs gesteld. De mensen in dit stadje – Jenna woonde maar een paar kilometer van Wendy vandaan en haar dochter ging naar dezelfde school als Charlie – waren natuurlijk diep geschokt geweest. Dan Mercer kwam vaak bij de Wheelers over de vloer. Hij had zelfs op de dochter uit Jenna’s tweede huwelijk gepast. Hoe, vroegen de buren zich af, had een zorgzame moeder dat kunnen doen, dat monster binnenlaten in hún woongemeenschap, en waarom bleef ze hem verdedigen terwijl de waarheid zo overduidelijk was?

‘Je weet het,’ zei Wendy.

Jenna knikte. ‘Ik ben nog steeds zijn nabestaande.’

De twee vrouwen bleven op het stoepje staan.

‘Ik weet niet wat ik moet zeggen, Jenna.’

‘Was je erbij?’

‘Ja.’

'Had je Dan in de val gelokt?'

'Wat?'

'Je hebt me wel verstaan.'

'Nee, Jenna, ik had hem niet in de val gelokt.'

'Waarom was je daar dan?'

'Dan had me gebeld. Hij wilde met me praten.'

Jenna keek haar ongelovig aan. 'Met jou?'

'Hij zei dat hij nieuw bewijs van zijn onschuld had.'

'Maar de rechter had de zaak al geseponeerd.'

'Dat weet ik.'

'Maar waarom...' Jenna stopte. 'Wat was dat nieuwe bewijs?'

Wendy haalde haar schouders op, alsof dat genoeg zei, en misschien was dat ook wel zo. De zon was al onder. Het was een zwoele avond, maar er kwam nu een briesje opzetten.

'Er zijn nog meer dingen die ik wil vragen,' zei Jenna.

'Dan kunnen we beter naar binnen gaan, vind je niet?'

Wendy's reden om Jenna binnen uit te nodigen was niet geheel altruïstisch. Nu de schok van de gruwelijke executie was weggeëbd, was de reporter in haar weer wakker geworden.

'Wil je thee, of iets anders?'

Jenna schudde haar hoofd. 'Ik begrijp nog steeds niet wat er is gebeurd.'

Dus vertelde Wendy haar alles. Ze begon met Dans telefoontje en eindigde met haar terugkeer naar de trailer met sheriff Walker. Alleen het bezoek van Ed Grayson aan haar huis van die ochtend liet ze onvermeld. Ze had het wel aan Walker verteld, maar vond het nu niet nodig om meer olie op het vuur te gooien.

Jenna hoorde het met betraande ogen aan. Toen Wendy uitgepraat was, zei Jenna: 'En hij schoot Dan gewoon neer?'

'Ja.'

'Zei hij niet eerst iets?'

'Nee. Niks.'

'Hij schoot hem zomaar...' Jenna keek om zich heen alsof ze hulp zocht. 'Hoe is iemand daartoe in staat?'

Wendy wist het antwoord wel, maar ze zei niets.

'Jij hebt hem gezien, hè? Ed Grayson? Heb je de politie een positieve identificatie gegeven?'

'Hij droeg een bivakmuts. Maar ik denk inderdaad dat het Grayson was.'

'Dat dénk je?'

'Bivakmuts, Jenna. Hij droeg een bivakmuts.'

'Dus je hebt zijn gezicht niet gezien?'

'Nee, dat heb ik niet gezien.'

'Hoe wist je dan dat hij het was?'

'Ik herkende hem. Aan zijn horloge, zijn lengte, zijn lichaamsbouw... Zoals hij zich bewoog.'

Jenna fronste haar wenkbrauwen. 'Denk je dat dat standhoudt voor de rechter?'

'Dat weet ik niet.'

'De politie heeft hem gearresteerd, zoals je weet.'

Wendy wist dat niet, maar opnieuw hield ze haar mond. Jenna begon weer te huilen. Wendy had geen idee wat ze moest doen. Woorden van troost zouden in het meest gunstige geval onoprecht klinken. Dus wachtte ze af.

'En Dan?' vroeg Jenna. 'Heb je zijn gezicht gezien?'

'Pardon?'

'Toen je daar aankwam, heb je gezien hoe ze zijn gezicht hadden toegetakeld?'

'Al die blauwe plekken, bedoel je? Ja, die heb ik gezien.'

'Ze hebben hem verrot geslagen en geschopt.'

'Wie?'

'Dan heeft geprobeerd onder te duiken. Maar waar hij ook naartoe ging, de buren spoorden hem op en sprongen hem op zijn nek. Er waren telefonische bedreigingen, mijn huis is vol graffiti gespoten, en ja, hij is mishandeld. Het was afschuwelijk. Hij vluchtte van de ene plek naar de andere, maar elke keer wisten ze hem weer te vinden.'

'Wie hadden hem deze keer mishandeld?' vroeg Wendy.

Jenna keek op, keek Wendy recht in de ogen. 'De laatste dagen van zijn leven waren een hel op aarde.'

'En dat probeer je míj in de schoenen te schuiven?'
'Vind je dan dat je vrijuit gaat?'
'Ik heb niet gewild dat hij werd mishandeld.'
'Nee, jij wilde hem alleen achter de tralies hebben.'
'Verwacht je dat ik me daarvoor verontschuldig?'
'Je bent tv-reporter, Wendy. Je bent niet de rechter en de jury. Maar toen jouw programma eenmaal was uitgezonden, denk je dat het toen nog iets uitmaakte dat de rechter de zaak had geseponeerd? Dacht je dat Dan weer gewoon zijn eigen leven kon oppakken... of welk ander leven ook?'
'Ik heb alleen verslag gedaan van wat er is gebeurd.'
'Dat is onzin en dat weet je heel goed. Jij hebt dit verhaal de wereld in geholpen. Jij hebt hem erin geluisd.'
'Dan Mercer is begonnen met het verleiden van een minderjarig meisje...' Wendy stopte met praten. Het had geen zin om het haar opnieuw in te peperen. Ze hadden dit al eerder met elkaar besproken. En deze vrouw, hoe naïef ze misschien ook was, was in de rouw. Ze mocht in alle rust haar verdriet verwerken.
'Zijn we klaar?' vroeg Wendy.
'Hij heeft het niet gedaan.'
Wendy nam niet de moeite hierop te reageren.
'Ik heb vier jaar met hem in één huis gewoond. Ik was met de man getrouwd.'
'En je bent van hem gescheiden.'
'Dus?'
'Waarom ben je van hem gescheiden?'
'De helft van alle huwelijken in dit land loopt op de klippen.'
'Waarom dat van jullie?'
Jenna schudde haar hoofd. 'Wat? Denk je dat ik van hem ben gescheiden omdat ik had ontdekt dat hij pedofiel was?'
'Was dat zo?'
'Hij is de peetvader van mijn dochter. Hij past op mijn kinderen. Ze noemen hem "oom Dan".'
'Goed. Dat is allemaal heel bijzonder. Maar waarom zijn jullie dán gescheiden?'

'We vonden dat allebei het beste.'

'Hm. Hield je opeens niet meer van hem?'

Jenna nam de tijd om over deze vraag na te denken. 'Nee, dat was het niet.'

'Wat dan? Hoor eens, ik weet dat het moeilijk is om het toe te geven, maar misschien voelde je aan dat er iets mis met hem was.'

'Niet op die manier.'

'Op welke manier dan wel?'

'Dan had een kant die ik nooit echt kon bereiken. En voordat je voorbarige conclusies trekt, nee, het was niet zo dat hij seksuele afwijkingen had. Hij had een moeilijke jeugd gehad. Hij was wees en is van het ene pleeggezin naar het andere gesleept...'

Haar stem stierf weg. Wendy dacht weer aan het voor de hand liggende. Wees. Pleeggezinnen. Misschien was hij misbruikt. Duik in het verleden van een pedofiel en een van deze voorgeschiedenissen kom je altijd wel tegen. Ze wachtte af.

'Ik weet wat je denkt. En je hebt het mis.'

'Waarom? Omdat je de man zo goed kende?'

'Ja. Maar niet alleen dat.'

'Wat dan nog meer?'

'Het was altijd alsof... ik weet niet goed hoe ik het moet zeggen. Er was in zijn studietijd iets met hem gebeurd. Je weet dat hij aan Princeton studeerde, hè?'

'Ja.'

'De arme wees, leerde keihard en slaagde erin om op een chique Ivy League-school te komen.'

'Ja, en?'

Jenna zei niets en keek haar recht aan.

'Wat is er?'

'Jij bent hem iets schuldig.'

Wendy zei niets.

'Want wat je ook denkt,' zei Jenna, 'wat er van dit hele gebeuren nu wel of niet waar is, één ding is zeker.'

'En dat is?'

'Dat het jouw schuld is dat hij dood is.'

Stilte.

'Misschien gaat het zelfs nog verder. Zijn advocaat heeft je voor het hof voor gek gezet. Dan zou op vrije voeten worden gesteld. Dat moet je enorm dwars hebben gezeten.'

'Begin nou niet zo, Jenna.'

'Waarom niet? Je was boos. Jij vond dat de rechter de verkeerde beslissing had genomen. Je spreekt af met Dan en opeens – wat een toeval! – is daar Ed Grayson. Je móét er wel iets mee te maken hebben, en dan ben je op z'n minst medeplichtig. Of misschien hebben ze jóú er ingeluisd.'

Ze hield op met praten. Wendy wachtte. Ten slotte zei ze: 'Je gaat toch niet zeggen: "Net als Dan," hè?'

Jenna haalde haar schouders op. 'Ik vind het wel erg toevallig.'

'Ik denk dat het tijd is dat je gaat, Jenna.'

'Ik denk dat je gelijk hebt.'

De twee vrouwen liepen naar de voordeur. Jenna zei: 'Nog één vraag.'

'Ga je gang.'

'Dan had jou verteld waar hij was, toch? Ik bedoel, zo ben je toch in dat trailerpark terechtgekomen?'

'Ja.'

'Heb je dat aan Ed Grayson doorverteld?'

'Nee.'

'Hoe kan het dan dat hij daar opeens opdook… op precies hetzelfde moment?'

Wendy aarzelde voordat ze antwoord gaf. 'Dat weet ik niet. Hij is me gevolgd, vermoed ik.'

'Maar hoe wist hij dan dat hij dat moest doen?'

Daar had Wendy geen antwoord op. Ze dacht terug aan de stille wegen, aan alle keren dat ze in haar spiegels had gekeken. Er had geen auto achter haar gereden.

Hoe was Ed Grayson te weten gekomen waar Dan Mercer was?

'Zie je wel? Het meest logische antwoord is dat jij hem hebt geholpen.'

'Dat is niet zo.'

'Oké,' zei Jenna. 'En het zou verdomd vervelend zijn als niemand je geloofde, hè?'

Ze draaide zich om en liep weg. De vraag bleef in de lucht hangen. Wendy keek haar na toen ze wegreed. Ze wilde zich omdraaien en weer naar binnen gaan, toen ze opeens bleef staan.

Haar achterbanden. De spanning zou te laag zijn geweest? Had Grayson dat niet gezegd?

Ze rende naar de oprit. Er was niets mis met haar achterbanden. Ze hurkte neer en voelde onder de achterbumper. Vingerafdrukken, bedacht ze. In haar haast had ze er niet aan gedacht. Ze trok haar hand terug, boog zich opzij en keek.

Niets te zien.

Er zat niets anders op. Als een volleerd automonteur ging ze op haar rug liggen. De oprit was voorzien van bewegingsgevoelige buitenverlichting. Die bood voldoende licht. Ze schoof over het asfalt onder haar auto. Niet helemaal. Een klein stukje maar. Toen zag ze het. Het was een klein apparaatje, niet veel groter dan een doosje lucifers. Het werd op zijn plaats gehouden door een magneet, zoals mensen soms doen met hun reservesleutels. Maar dit waren geen sleutels. En dit maakte veel duidelijk.

Ed Grayson had zich helemaal niet gebukt om haar bandenspanning te controleren. Hij had dat gedaan om een GPS-zendertje onder haar auto te plakken.

9

'Is je cliënt bereid een verklaring af te leggen?'

Ze zaten in de verhoorkamer van het hoofdbureau van politie in Sussex County – Ed Grayson, een boom van een sheriff die Mickey Walker heette, de jonge agent Tom Stanton en advocaat Hester Crimstein – en Hester antwoordde: 'Begrijp me niet verkeerd maar, man, dit gaat leuk worden.'

'Ik ben blij dat je het naar je zin hebt.'

'Dat heb ik zeker. Ik vermaak me kostelijk. Want deze arrestatie is lachwekkend.'

'Je cliënt staat niet onder arrest,' zei Walker. 'We willen alleen maar met hem praten.'

'Gewoon voor de gezelligheid, bedoel je? Wat aardig van je. Maar je hebt wel aanvragen voor gerechtelijke bevelen ingediend om zijn huis en zijn auto te doorzoeken, klopt dat?'

'Ja, dat hebben we gedaan.'

Hester knikte. 'Mooi, geweldig. Hier, voordat we beginnen.' Ze schoof een blaadje papier en een pen over de tafel naar hem toe.

'Wat moet dat voorstellen?' vroeg Walker.

'Ik wil graag dat jullie allebei je naam, rang, bureauadres, huisadres en telefoonnummers opschrijven, plus al jullie voorkeuren, dingen waar je een hekel aan hebt en al het andere wat je kunt verzinnen om eventueel je huid te redden wanneer ik jullie aanklaag wegens onrechtmatige arrestatie.'

'Ik zeg je net: er stáát niemand onder arrest.'

'En ik zeg jou net, mooie jongen: en toch heb je aanvragen voor gerechtelijke bevelen ingediend.'

'Het lijkt ons verstandig wanneer je cliënt een verklaring aflegt.'
'O ja?'
'We hebben een getuige die heeft gezien dat jouw cliënt een man executeerde,' zei Walker.
Ed Grayson wilde iets zeggen maar Hester Crimstein legde haar hand op zijn onderarm om dat te voorkomen.
'Je meent het.'
'Een betrouwbare getuige.'
'En die betrouwbare getuige van jou heeft mijn cliënt een man zien executeren? Dramatisch woord, trouwens, executeren. Niet doden of vermoorden of doodschieten, maar executeren.'
'Ja, dat heeft ze gezien.'
Hester glimlachte poeslief. 'Vind je het goed als we dit stap voor stap doen, sheriff?'
'Stap voor stap.'
'Ja. Ten eerste, wie is die man? Het slachtoffer van deze executie?'
'Dan Mercer.'
'Die pedofiel?'
'Het maakt niet uit wie of wat hij is. En de aanklacht van pedofilie tegen hem is geseponeerd.'
'Nou, dat laatste is in ieder geval waar. Jouw makkers hebben die zaak verprutst. Maar goed, stap voor stap, dus. Stap één: jij beweert dat Dan Mercer is geëxecuteerd.'
'Dat is juist.'
'Dus, stap één: toon ons het stoffelijk overschot.'
Stilte.
'Mankeert er iets aan je gehoor, grote jongen? Het lijk. Ik wil het laten onderzoeken door mijn patholoog-anatoom.'
'Doe niet zo flauw, Hester. Je weet dat het lijk nog niet is gevonden.'
'Niet is gevonden?' Hester deed alsof ze geschokt was. 'Nou, misschien kun je me dan vertellen welk bewijs je hebt dat Dan Mercer überhaupt dood is. Of wacht, laat maar. Ik heb een beetje haast. Geen lijk, dus?'

'Nog niet.'

'Oké, goed dan. Volgende stap. Jij beweert, ook al heb je geen lijk, dat Dan Mercer is geëxecuteerd.'

'Ja.'

'Ik neem aan dat daar een of ander wapen voor is gebruikt. Mogen we dat zien, alsjeblieft?'

Weer een stilte.

Hester maakte een kommetje van haar hand en hield hem bij haar oor. 'Hallo?'

'Ook dat hebben we nog niet gevonden,' zei Walker.

'Geen wapen?'

'Geen wapen.'

'Geen lijk, geen wapen.' Hester hield haar handen op en grijnsde. 'Begrijp je nu wat ik bedoelde met "dit gaat leuk worden"?'

'We hadden gehoopt dat je cliënt een verklaring zou willen afleggen.'

'Waarover? Zonne-energie en haar rol in de eenentwintigste eeuw? Wacht, ik ben nog niet uitgepraat. Het lijk en het wapen hebben we gehad... wat zijn we nog vergeten? O ja, de getuige.'

Stilte.

'Jouw getuige heeft gezien dat mijn cliënt Dan Mercer executeerde, is dat juist?'

'Ja.'

'Heeft ze zijn gezicht gezien?'

Weer een stilte.

Hester hield haar hand weer bij haar oor. 'Kom op, grote jongen. Gooi het er maar uit.'

'Hij droeg een bivakmuts.'

'Pardon?'

'Hij droeg een bivakmuts.'

'Zo'n muts die je hele gezicht bedekt?'

'Dat heeft ze verklaard, ja.'

'En toch heeft ze mijn cliënt herkend? Hoe?'

'Aan zijn horloge.'

'Zijn horloge?'

Walker schraapte zijn keel. 'En aan zijn lengte en lichaamsbouw.'

'Eén meter tachtig, negentig kilo. O, en die buitengewoon zeldzame Timex. Weet je waarom ik niet langer glimlach, sheriff Walker?'

'Dat ga je ons vast vertellen.'

'Ik glimlach niet meer omdat dit me te gemakkelijk is. Weet je wat ik per uur verdien? Voor dat geld heb ik recht op een uitdaging. Dit is bijna beledigend. Jouw zaak, zoals die ervoor staat, heeft geen schijn van kans. Ik wil niet langer luisteren naar wat je níét hebt. Ik wil horen wat je wel hebt.'

Ze wachtte. Tot nu toe had Walker haar alleen dingen verteld die ze al wist. Maar ze wilde weten wat ze nog meer hadden. Dat was de enige reden dat ze hier nog was.

'We hadden gehoopt dat je cliënt een verklaring zou afleggen,' zei Walker weer.

'Niet als dit alles is wat je hebt.'

'Dat is het ook niet.'

Stilte.

'Wil je tromgeroffel?' vroeg Hester.

'We hebben concreet bewijs dat jouw cliënt zowel aan Dan Mercer als aan de plaats delict linkt.'

'O, gossie. Laat horen.'

'Hou in gedachten dat alle uitslagen van de tests voorlopig zijn. De definitieve krijgen we binnen enkele weken. Maar we hebben een vrij goed beeld van wat dat bewijs zal aantonen. Daarom is jouw cliënt hier. Om hem de kans te geven ons uit te leggen wat zijn aandeel in het gebeuren is. Om het concrete bewijs voor te zijn.'

'Wat aardig van jullie.'

'We hebben bloed in de trailer gevonden. En we hebben bloeddruppels gevonden in de Acura MDX van meneer Grayson. Een complete DNA-test vergt enige tijd, maar de voorlopige uitslag toont aan dat de twee monsters overeenkomen. Dat houdt in dat het bloed dat is gevonden op de plek waarvan onze getuige zegt dat meneer Mercer daar is neergeschoten, hetzelfde is als het bloed dat in de auto van je cliënt is aangetroffen. We hebben ook de bloedgroep vastgesteld. O negatief, de bloedgroep van meneer Mercer. En we hebben tapijtvezels gevonden. Zonder te veel op de details in te gaan, komen de tapijtvezels uit de trailer die aan meneer Mercer was verhuurd, overeen met de vezels die in de Acura MDX van je cliënt zijn aangetroffen. Bovendien zaten dezelfde vezels onder de sportschoen van je cliënt. En ten slotte hebben we een kruitsporentest gedaan. Er zaten kruitsporen op de hand van je cliënt. Hij heeft een wapen afgevuurd.'

Hester verroerde zich niet en staarde hem aan. Walker staarde terug.

'Mevrouw Crimstein?'

'Ik wacht tot je uitgesproken bent. Dit kan toch niet alles zijn wat je hebt?'

Walker zei niets.

Hester wendde zich tot Ed Grayson. 'Kom op, we gaan.'

'Wil je helemaal niet reageren?' vroeg Walker.

'Waarop? Mijn cliënt is een onderscheiden, gepensioneerde federale marshal. Meneer Grayson is een brave huisvader, een hoeksteen van onze samenleving, iemand zonder strafblad... en tóch zit je onze tijd te verspillen met deze nonsens? In het gunstigste geval – het aller-, allerbeste geval, als de uitslagen van alle tests zijn zoals jij hoopt en ik al je zogenaamd concrete bewijs niet onderuithaal met hulp van mijn deskundigen, mijn kruisverhoren en mijn verweer dat het bewijs gekleurd is en dat jij incompetent bent – als dat allemaal goed voor je afloopt, wat ik ten zeerste betwijfel, kun je heel misschien aantonen dat er een zijdelings verband bestaat tussen mijn cliënt en Dan Mercer. Meer niet. En dat is ronduit lachwekkend. Je hebt geen lijk, geen wapen en geen getuige die mijn cliënt kan identificeren. Je kunt niet eens hardmaken dat er een misdaad is gepleegd, laat staan dat mijn cliënt daarbij betrokken is geweest.'

Walker leunde achterover en zijn stoel zuchtte onder het gewicht. 'Dus je kunt dat bloed en die vezels verklaren?'

'Dat hoef ik niet, of wel soms?'

'Ik had gehoopt dat jullie ons zouden willen helpen. Om de naam van je cliënt voor eens en voor altijd te zuiveren.'

'Weet je wat? Ik heb dít voor je.' Hester schreef een telefoonnummer op een papiertje en schoof het naar hem toe.

'Wat is dit?'

'Een telefoonnummer.'

'Dat zie ik. Van wie?'

'Van de Gun-O-Rama-schietbaan.'

Walker keek haar alleen maar aan. Zijn gezicht was een fractie bleker geworden.

'Bel ze op,' zei Hester. 'Mijn cliënt is daar vanmiddag geweest, een uur voordat jij hem hebt opgepakt, om zijn gebruikelijke schiettraining te doen.' Ze stak haar hand op en bewoog haar vingers. 'Toedeloe, kruitsporentest.'

Walkers mond viel open. Hij keek Stanton aan en probeerde zich een houding te geven. 'Toevallig.'

'Niet echt. Meneer Grayson is een onderscheiden, gepensioneerde federale marshal, weet je nog? Hij traint regelmatig. Zijn we hier klaar?'

'Geen verklaring.'

'"Eet geen sneeuw waarin is gepist." Dat is onze verklaring. Kom op, Ed.'

Hester en Ed Grayson stonden op.

'We zullen blijven zoeken, mevrouw Crimstein. Hou dat allebei in gedachten. We hebben een tijdschema van wat er is gebeurd. We zullen meneer Graysons gangen nagaan. We zullen het lijk en het moordwapen vinden. Ik begrijp zelfs waarom hij tot zijn daad is gekomen. Maar we staan niet toe dat er iemand voor eigen rechter speelt. Ik ga me vastbijten in deze zaak. Dus wees op je hoede.'

'Mag ik vrijuit spreken, sheriff Walker?'

'Natuurlijk.'

Hester keek naar de camera boven zijn hoofd. 'Zet de camera uit.'

Walker keek achterom, knikte en het rode lampje van de camera ging uit.

Hester zette haar beide handen plat op tafel en boog zich naar voren. Ze hoefde niet ver voorover te buigen. Ook zittend was Walker nog bijna even groot als zij. 'Al heb je het lijk, het moordwapen en, shit, live videobeelden van mijn cliënt die deze kinderverkrachter in het Giants-stadion onder het oog van tachtigduizend getuigen doodschiet... toch krijg ik hem binnen tien minuten vrij.'

Ze draaide zich om. Ed Grayson had de deur al opengedaan.

'Een prettige avond nog,' zei Hester.

Om tien uur 's avonds kreeg Wendy een sms van Charlie.

POPS WIL WETEN WAAR DE DICHTSTBIJZIJNDE TIETENBAR IS.

Ze glimlachte. Zijn manier om haar te laten weten dat alles oké met hem was. Charlie was goed in sms'en.

Ze antwoordde: GEEN IDEE. EN ZO WORDEN ZE NIET MEER GENOEMD. TEGENWOORDIG HEET DAT 'HERENCLUB'.

Charlie: POPS ZEGT DAT HIJ GRUWELIJK DE PEST HEEFT AAN DIE POLITIEK CORRECTE SH*T.

Ze glimlachte toen de huistelefoon ging. Het was sheriff Walker, die haar terugbelde.

'Ik heb iets onder mijn auto gevonden,' zei ze.

'Wat?'

'Een GPS-zendertje. Ik denk dat Ed Grayson het eronder heeft geplakt.'

'Ik ben in de buurt,' zei hij. 'Vind je het erg als ik meteen even kom kijken?'

'Nee, dat is goed.'

'Over vijf minuten ben ik er.'

Ze wachtte hem op naast haar auto. Walker bukte zich terwijl Wendy hem herinnerde aan het bezoek van Ed Grayson en de nadruk legde op het schijnbaar onbelangrijke detail dat Grayson het nodig vond haar bandenspanning te controleren. Walker vond de GPS en knikte. Het duurde even voordat hij weer rechtop stond.

'Ik stuur een paar mensen om het ding te fotograferen en het te verwijderen.'

'Ik hoorde dat je Ed Grayson hebt gearresteerd.'

'Van wie?'

'Mercers ex-vrouw, Jenna Wheeler.'

'Dan heeft ze het mis. We hebben hem alleen meegenomen naar het bureau om met hem te praten. Hij heeft niet onder arrest gestaan.'

'Houden jullie hem nog steeds vast?'

'Nee, hij kon vertrekken wanneer hij dat wilde.'

'En nu?'

Walker schraapte zijn keel. 'Nu zetten we ons onderzoek voort.'

'Wow, dat klinkt opeens officieel.'

'Ik moet een beetje op mijn woorden passen. Je bent tenslotte tv-reporter.'

'Niet meer. Maar goed, wat we bespreken, blijft off the record.'

'Off the record hebben we geen zaak. We hebben geen lijk. We hebben geen moordwapen. We hebben één ooggetuige – dat ben jij – en die heeft het gezicht van de dader niet gezien, dus die kan hem niet identificeren.'

'Wat een onzin.'

'Hoezo?'

'Als Dan Mercer een vooraanstaand burger was geweest in plaats van een vermeende pedofiel...'

'En als ik vijftig kilo afviel en opeens blank en knap was, kon iemand me aanzien voor Hugh Jackman. Maar de realiteit is dat we, totdat het lijk of het moordwapen wordt gevonden, niks hebben.'

'Je klinkt alsof je het opgeeft.'

'Dat is niet zo. Maar de hoge heren voelen er heel weinig voor om deze zaak door te zetten. Want zoals zowel mijn baas als de advocaat van de tegenpartij me vandaag inpeperde, is de best mogelijke uitkomst dat we een gepensioneerde overheidsagent wiens zoon seksueel is misbruikt door het slachtoffer voor de rechter dagen.'

'En dat zou buitengewoon slecht zijn voor de politieke toekomst van de betrokkenen.'

'Dat is het cynische standpunt,' zei Walker.

'Zijn er dan nog andere standpunten?'

'Ja, die van het dagelijks leven. Onze middelen zijn beperkt. Een van mijn collega's, een oldtimer die Frank Tremont heet, is nog steeds op zoek naar dat vermiste meisje, Haley McWaid, hoewel die zaak na al die tijd... tja, vrij uitzichtloos is geworden. Maar wie is bereid hem ervan af te halen om – ten eerste – rechtvaardigheid te vinden voor een vuile viezerik, en – ten tweede – energie te steken in een zaak die we onmogelijk kunnen winnen omdat geen enkele jury Grayson zal veroordelen?'

'Dan zeg ik nogmaals: je klinkt alsof je het opgeeft.'

'Toch niet. Ik ben van plan zijn gangen na te gaan en uit te zoeken waar Mercer heeft gewoond.'

'Niet in die trailer?'

'Nee. Ik heb zijn advocaat en zijn ex-vrouw gesproken. Mercer verkaste nogal vaak... hij vond het blijkbaar niet veilig om zich op één plek te vestigen. Hoe dan ook, hij had die trailer pas vanochtend gehuurd. Er was daar niks, niet eens een setje schone kleren.'

Wendy trok een gezicht. 'Wat denk je te vinden als je te weten komt waar hij woonde?'

'Ik mag doodvallen als ik het weet.'

'Wat nog meer?'

'Ik wil weten waar dat GPS-zendertje vandaan komt, hoewel ik me niet kan voorstellen dat we daar veel verder mee komen. Want ook al hebben we geluk en kunnen we aantonen dat het van Grayson is, nou, bewijst het dan dat hij jouw gangen naging? Zelfs dan hebben we nog een lange weg te gaan.'

'Je moet het lijk zien te vinden,' zei ze.

'Ja. Dat is de eerste prioriteit. Ik moet reconstrueren welke route Grayson heeft gereden... en ik heb al een vaag idee welke dat is. Want we weten inmiddels dat Grayson, twee uur nadat hij bij de trailer is weggereden, een tussenstop heeft gemaakt bij een schietclub.'

'Dat meen je niet.'

'Dat was mijn reactie ook. Maar ik moet toegeven dat het een erg slimme zet was. Talloze getuigen hebben hem op papieren schietschijven zien schieten, wat onze kruitsporentest compleet waardeloos maakt. We hebben het wapen gecheckt waarmee hij op de schietbaan heeft geschoten, maar – verrassing – de kogels komen niet overeen met die ene die we in het trailerpark hebben gevonden.'

'Dus Grayson wist dat hij naar de schietclub moest gaan om jouw kruitsporentest te verzieken?'

'Hij is een voormalig FBI-man. Hij weet wat hij doet. Ga het maar na. Hij droeg een bivakmuts, hij heeft zich van het lijk en het moordwapen ontdaan, hij heeft onze kruitsporentest om zeep geholpen, én hij heeft Hester Crimstein in de arm genomen. Begrijp je nu tegen wie ik het moet opnemen?'

'Ja.'

'We weten dat Grayson het lijk ergens onderweg gedumpt moet hebben, maar er zijn veel uren die we nog niet kunnen invullen, en het is daar stil genoeg om ongestoord je werk te doen.'

'En je krijgt niet de mankracht om het hele gebied uit te kammen?'

'Zoals ik al zei gaat het hier niet om een vermist meisje, maar om het stoffelijk overschot van een pedofiel. En als Grayson alles goed heeft gepland – wat hij tot nu toe steeds heeft gedaan – heeft hij misschien wel een graf gegraven voordat hij Mercer ging doodschieten. Dan vinden we het lijk nooit.'

Wendy tuurde in de verte en schudde haar hoofd.

'Wat is er?'

'En ik was zijn lokeend. Grayson heeft geprobeerd me aan zijn kant te krijgen. Toen dat niet lukte, is hij me gaan volgen... en ik heb hem rechtstreeks naar Mercer gebracht.'

'Het is jouw schuld niet.'

'Het maakt niet uit of het mijn schuld is of niet. Ik hou er niet van om op die manier gebruikt te worden.'

Walker zei niets.

'Ik vind het een ontknoping van niks,' zei Wendy.

'Andere mensen zullen zeggen: "Opgeruimd staat netjes."'

'Hoe bedoel je?'

'De pedofiel ontsnapt aan het rechtssysteem, maar niet aan het recht. Het is bijna bijbels, als je erover nadenkt.'

Wendy schudde haar hoofd. 'Het voelt fout.'

'Welk deel?'

Dat hield ze voor zichzelf. Maar het antwoord was: alles. Misschien had Mercers ex-vrouw toch gelijk. Misschien had er vanaf het eerste begin een luchtje aan het hele gebeuren gezeten. Misschien had ze toch op haar vrouwelijke intuïtie moeten vertrouwen, haar onderbuikgevoel, of hoe het verdomme ook heette.

Opeens had ze het gevoel dat ze had meegeholpen een onschuldig mens om het leven te brengen.

'Probeer hem te vinden,' zei Wendy. 'Wat hij ook was, dát zijn we hem toch wel verschuldigd.'

'Ik zal mijn best doen. Maar probeer te begrijpen dat deze zaak nooit de hoogste prioriteit zal krijgen.'

10

Maar daar zat Walker faliekant naast.

Wendy hoorde pas een dag later over de gruwelijke vondst, toen die door alle nieuwsmedia breed werd uitgemeten. Terwijl Pops en Charlie uitsliepen, dacht Wendy terug aan wat Jenna had gezegd over Princeton, en had ze besloten haar eigen onderzoek op te starten. Doelwit één: Phil Turnball, Dan Mercers flatgenoot op de universiteit. Het was tijd, vond ze, om eens grondig in het verleden van Dan te duiken. Een betere startplek kon ze niet bedenken.

Maar op exact hetzelfde moment dat Wendy een Starbucks in Englewood, New Jersey, binnenging, doorzochten sheriff Walker en zijn jonge hulpsheriff Tom Stanton in Newark, ruim veertig kilometer verderop, kamer 204 van een motel met de dubieuze naam: Freddy's Deluxe Luxury Suites. Een troosteloze gribus, dat was het. Freddy moest over een goed gevoel voor humor beschikken, want van enige luxe – dubbelop vermeld in de naam – was niets te bespeuren, en bovendien waren de kamers geen suites.

Walker had zijn uiterste best gedaan om de laatste twee weken van Dan Mercers leven in kaart te brengen. Veel aanwijzingen had hij niet. Met zijn mobiele telefoon had Dan Mercer maar drie mensen gebeld: zijn advocaat Flair Hickory, zijn ex-vrouw Jenna Wheeler, en ten slotte, gisteren, tv-reporter Wendy Tynes. Flair had zijn cliënt nooit gevraagd waar hij woonde... hoe minder hij wist, hoe liever. Jenna wist het ook niet. En Wendy, tja, met haar had hij de vorige dag pas voor het eerst contact gehad.

Toch was het spoor niet moeilijk te volgen geweest. Dan Mercer was ondergedoken, inderdaad, maar volgens zijn advocaat en zijn ex-vrouw had hij dat gedaan voor de bedreigingen van 'overbezorgde' burgers en zogenaamde wereldverbeteraars, niet voor het openbare gezag. Niemand wilde een vermeende pedofiel in zijn buurt. Dus was hij van het ene motel naar het andere verhuisd en had hij steeds contant betaald met geld dat hij bij de dichtstbijzijnde automaat had gepind. Vanwege het nog lopende onderzoek had Mercer de staat New Jersey niet mogen verlaten.

Zestien dagen geleden had hij een kamer genomen in een Motel 6 in Wildwood. Daarna had hij drie dagen in de Court Manor Inn in Fort Lee verbleven, vervolgens in het Fair Motel in Ramsey, en tot de afgelopen dag had hij in kamer 204 van Freddy's Deluxe Luxury Suites in het centrum van Newark gelogeerd.

Het raam van de kamer bood uitzicht op een opvanghuis met de bijnaam 'De Hoop' – zoals in 'Laatste Hoop' – waar Dan Mercer had gewerkt. Interessante plek, als eindstation. De beheerder van het motel had Mercer al twee dagen niet gezien, maar, legde hij uit, ze hadden wel meer gasten die liever niet gezien wilden worden.

'Laten we kijken of we iets kunnen vinden,' zei Walker.

Stanton knikte. 'Oké.'

Walker zei: 'Mag ik je iets vragen?'

'Ja.'

'Ik kon nergens een hulpsheriff vinden die met mij aan deze zaak wilde werken. Iedereen vindt dat die smeerlap zijn verdiende loon heeft gekregen.'

Stanton knikte weer. 'En ik meld me als vrijwilliger.'

'Precies.'

'En nu wil jij weten waarom.'

'Ja.'

Stanton schoof de bovenste la dicht en trok die daaronder open. 'Misschien omdat ik een groentje ben, omdat ik nog geen eelt op mijn ziel heb. Maar de wet heeft deze knaap vrijgepleit. Punt, uit. Als dat je niet bevalt, moet je de wet veranderen. Wij, van het openbare gezag, moeten onpartijdig zijn. Als de maximumsnelheid negentig kilometer per uur is, moet je iemand bekeuren als hij tweeennegentig rijdt. Als je denkt: nou, ik bekeur hem pas als hij honderd rijdt, dan ben je niet goed bezig. Andersom werkt het net zo. De rechter houdt zich aan de regels en pleit Dan Mercer vrij. Ben je het daar niet mee eens, dan moet je de regels veranderen. Je moet ze niet ombuigen, maar wettelijk laten veranderen.'

Walker glimlachte. 'Je bent inderdaad een groentje.'

Stanton haalde zijn schouders op en bleef tussen de kleren in de la zoeken. 'Maar er zit meer achter.'

'Dat vermoedde ik al. Ga je gang, ik luister.'

'Ik heb een oudere broer, Pete. Prima kerel, geweldige sportman. Twee jaar na de middelbare school zat hij in het trainingsteam van de Buffalo Bills. Als uitblinker.'

'Oké.'

'Dus aan het begin van het derde seizoen is hij er helemaal klaar voor. Dit wordt zíjn jaar, daar is hij van overtuigd. Hij heeft als een gek getraind en met gewichten gewerkt en staat op het punt om in het A-team te komen. Hij is dan zesentwintig en woont in Buffalo. Op een avond gaat hij uit en ontmoet hij een meisje in Bennigan's. Je kent het wel. Die restaurantketen?'

'Ja, ik ken ze.'

'Goed, dus Pete bestelt kipvleugeltjes, er komt een bloedmooie chick naar zijn tafel en ze vraagt of ze er een mag proeven. Hij zegt: ga je gang. Ze pakt er een en begint op een heel erotische manier dat vleugeltje af te kluiven. Begrijp je wat ik bedoel? Met haar tong uit haar mond, en dan heeft ze ook nog zo'n topje aan dat erom vraagt erin te gluren. Kortom, een lekker ding. Ze beginnen te flirten. Ze gaat aan zijn tafel zitten. Van het een komt het ander en Pete neemt haar mee naar zijn appartement en geeft haar waar ze op uit was.'

Stanton balde zijn vuist en sloeg er zachtjes mee op de ladekast om te demonstreren wat 'waar ze op uit was' betekende, voor het geval Walker dat niet begreep.

'Blijkt die griet pas vijftien te zijn. Een tweedejaars op de middelbare school, maar man, zo ziet ze er absoluut niet uit. Je weet hoe die meiden op school zich tegenwoordig kleden. Ze kan zo drankjes serveren in Hooters... en wat daar nog meer wordt geserveerd, als je begrijpt wat ik bedoel.'

Stanton kijkt naar Walker en wacht. Om het gesprek gaande te houden zegt Walker: 'Ja, ik begrijp het.'

'Goed, hoe dan ook, de vader van het meisje komt erachter. Hij gaat compleet door het lint en zegt dat Pete zijn kleine meisje heeft verkracht... ook al had ze waarschijnlijk met mijn broer liggen bonken om hem te treiteren. Dus Pete wordt aangeklaagd voor verkrachting van een minderjarige. Hij komt in het systeem terecht. Het systeem waar ik zo van hou. Ik begrijp het wel. Zo is de wet nu eenmaal. Maar vanaf dat moment staat hij bekend als verkrachter, pedofiel en weet ik wat nog meer. En dát is een lachertje. Mijn broer is een gezagsgetrouw burger, een prima kerel, en geen enkel team wil hem nog hebben, wil hem nog niet aanraken met een stok van drie meter. Misschien is deze knaap, die Dan Mercer... nou, werd er niet gezegd dat hij er misschien in was geluisd? Misschien verdient hij het voordeel van de twijfel. Hij is immers onschuldig totdat zijn schuld is bewezen?'

Walker keerde Stanton de rug toe omdat hij niet wilde toegeven dat zijn jonge hulpsheriff mogelijk gelijk had. Je moest in het leven zo veel beslissingen nemen die je liever niet nam, en je wilde graag dat die beslissingen eenvoudig waren. Je wilde mensen onderbrengen in netjes afgebakende categorieën, ze opsplitsen in monsters en engelen, maar zo ging het in het echte leven bijna nooit. Je werkte in een grijs gebied en eerlijk gezegd was dat knap waardeloos. De uitersten waren veel gemakkelijker.

Terwijl Tom Stanton naast het bed neerhurkte om eronder te kijken, probeerde Walker zijn gedachten op een rij te zetten. Op dit moment was het voor hem beter om zwart-wit te blijven denken en zich verre te houden van moralistisch relativisme. Iemand wordt vermist, is waarschijnlijk dood. Vind hem. Dat was alles. Het maakt niet uit wie hij is of wat hij heeft gedaan. Zorg dat je hem vindt.

Walker liep de badkamer in en bekeek het glazen planchetje boven de wastafel. Tandpasta, tandenborstel, scheermes, scheerschuim, deodorant. Fascinerend.

In de andere kamer zei Stanton: 'Bingo.'
'Wat?'
'Onder het bed. Ik heb zijn mobiele telefoon gevonden.'
Walker wilde net 'Geweldig!' roepen, maar zijn mond ging opeens weer dicht.
Met behulp van Mercers mobiele nummer en een driehoekspeiling hadden ze vastgesteld dat Mercer zijn laatste telefoontje ergens langs Route 15 had gepleegd, kort voor de moord, een kilometer of vijf van het trailerpark en minstens een uur rijden van deze motelkamer.
Dus waarom zou zijn telefoon hier onder het bed liggen?
Veel tijd om daarover na te denken kreeg hij niet. In de andere kamer hoorde hij Stanton zeggen, heel zacht, bijna op gepijnigde fluistertoon: 'O nee...'
Er liep een rilling over zijn rug toen hij het hoorde. 'Wat?'
'O mijn god...'
Walker liep terug naar de slaapkamer. 'Wat is er? Wat is er aan de hand?'
Stanton had de telefoon in zijn hand. Alle kleur was weggetrokken uit zijn gezicht. Hij staarde naar het beeld op het schermpje. Walker zag dat het toestel een felroze behuizing had.
Het was een iPhone. Hij had hetzelfde model.
'Wat is er nou?'
Het schermpje van de iPhone werd zwart. Stanton zei niets. Hij hield de telefoon op en drukte op een knopje. Het schermpje lichtte weer op. Walker deed een stap naar hem toe en keek.
Zijn hart sloeg een slag over.
Op het startschermpje van de iPhone was een familiefoto te zien. Een doodgewoon vakantiekiekje. Vier mensen – drie kinderen, één volwassene – die allemaal vrolijk glimlachten. In het midden van de foto stond Mickey Mouse. En rechts van Mickey, het breedst glimlachend van allemaal, stond het vermiste meisje dat Haley McWaid heette.

11

Wendy belde naar het huis van Mercers flatgenoot, Phil Turnball. Nadat Turnball was afgestudeerd aan Princeton, had hij de sneltrein naar Wall Street genomen en was hij in de geldhandel gedoken. Hij woonde in een van de betere buurten van Englewood.

Toen Dans aflevering van *Op heterdaad* was uitgezonden, had Wendy contact gezocht met Turnball. Hij had geweigerd commentaar te geven. Ze had niet aangedrongen. Misschien was Phil Turnball, nu Mercer dood was, iets bereidwilliger.

Mevrouw Turnball – Wendy kon haar voornaam niet verstaan – nam de telefoon op. Wendy legde uit wie ze was. 'Ik weet dat uw man me niet te woord wilde staan, maar geloof me, wat ik hem nu te vertellen heb, zal hij zeker willen horen.'

'Hij is niet thuis.'

'Kan ik hem ergens bereiken?'

Ze aarzelde.

'Het is belangrijk, mevrouw Turnball.'

'Hij heeft een bespreking.'

'Op zijn kantoor in Manhattan? Ik heb het adres hier in mijn oude notities staan...'

'Starbucks,' zei ze.

'Pardon?'

'De bespreking. Het is niet wat je denkt. Die is in Starbucks.'

Wendy vond een parkeerplek voor de deur van Baumgart's, een restaurant waar ze graag en vaak kwam, en liep naar Starbucks, vier panden verderop. Mevrouw Turnball had haar verteld dat Phil was wegbezuinigd tijdens de financiële crisis. Zijn bespreking, voor zover je die zo kon noemen, was meer een koffiekransje voor voormalige heersers van het universum, een groep, opgericht door Phil, die de Vadersclub heette. Mevrouw Turnball had haar uitgelegd dat de club voor deze plotseling werkloos geworden heren een manier was om 'zich door vriendschap staande te houden in deze barre tijden', maar Wendy kon zich niet aan de indruk onttrekken dat ze een zeker sarcasme in de stem van de vrouw hoorde toen ze dit zei. Of misschien was Wendy bevooroordeeld. Een groep dikbetaalde, bloedzuigende, nietsontziende, zichzelf enorm belangrijk vindende yuppies die zaten te klagen over de economie die ze zelf als parasieten om zeep hadden geholpen... onder het genot van een kop koffie van vijf dollar.

Nou, eigen schuld, dikke bult.

Ze ging Starbucks binnen en zag Phil Turnball rechts in de hoek zitten. Zijn pak zag eruit alsof het net van de stomerij kwam en hij zat aan een tafeltje met drie andere mannen. Een van de mannen had een witte tennisoutfit aan en draaide een racket rond alsof hij een service van Roger Federer verwachtte. De man links van hem had een babydraagdoek om zijn nek, met, nou ja, een baby erin. Hij zat licht op zijn stoel te wippen, ongetwijfeld om zijn kindje tevreden en stil te houden. De laatste man, degene naar wie de andere drie aandachtig luisterden, had een groot model honkbalpet op, met een klep die iets omhoog en schuin naar rechts stond.

'Vinden jullie het niks?' vroeg de pet.

Nu Wendy dichterbij kwam, zag ze dat hij leek op Jay-Z, tenminste, als Jay-Z opeens tien jaar ouder was geworden, nooit aan sport had gedaan en een vadsige blanke man was die er probeerde uit te zien als Jay-Z.

'Nee, nee, Fly, begrijp me niet verkeerd,' zei de man in de tennisoutfit. 'Het deugt verder wel. Het deugt absoluut.'

Wendy fronste haar wenkbrauwen. Wat deugde er?

'Maar – en het is maar een voorstel – die ene regel werkt volgens mij niet. Dat met die swingende puppy's.'

'Hm. Te suggestief?'

'Misschien wel.'

'Want ik moet wel bij mezelf blijven, vat je? Vanavond in Blend. Het open podium. Ik moet wel. Ik ga mezelf niet verloochenen.'

'Ik vat je, Fly, echt. En je krijgt de hele zaal plat, maak je geen zorgen. Maar een halsband?' Tennisoutfit spreidde zijn armen. 'Het past gewoon niet in je thema. Je hebt een andere verwijzing naar die puppy's nodig. Puppy's dragen nog geen halsband, of wel soms?'

Instemmend gemompel rondom de tafel.

De mislukte Jay-Z – Fly? – zag Wendy aarzelen. Hij boog zich naar de anderen. 'Yo, attentie. Serieuze *hottie* op vijf uur.'

Ze draaiden zich allemaal naar haar om. Afgezien van Phil was dit absoluut niet het gezelschap dat Wendy had verwacht. Ze vond dat mevrouw Turnball haar wel had mogen waarschuwen voor deze uitzonderlijke verzameling van voormalige heersers van het universum.

'Wacht.' Het was de man in de tennisoutfit die het zei. 'Ik ken jou. *NTC News*. Wendy nog iets, hè?'

'Wendy Tynes, ja.'

Ze glimlachten allemaal, behalve Phil Turnball.

'Kom je verslag doen van Fly's optreden van vanavond?'

Wendy bedacht dat een item over deze gasten best een goed idee zou zijn. 'Misschien een andere keer,' zei ze. 'Maar vandaag ben ik hier om Phil te spreken.'

'Ik heb je niks te zeggen.'

'Je hoeft ook niks te zeggen. Kom mee. Ik moet je onder vier ogen spreken.'

Toen ze buiten waren en wegliepen van Starbucks, zei Wendy: 'Dus dat is de Vadersclub.'

'Van wie heb je dat?'

'Van je vrouw.'

Hij zei niets.

'Trouwens,' vervolgde Wendy, 'wat was dat met Vanilla Ice daarbinnen?'

'Norm... nou, eigenlijk wil hij dat we hem "Fly" noemen.'

'Fly?'

'Afkorting van Ten-A-Fly. Dat is zijn rappersnaam.'

Wendy onderdrukte een zucht. Tenafly was een stadje in de buurt.

'Norm... Fly... was een geniale marketingman bij Benevisti Vance in de stad. Hij zit nu – wat? – twee jaar zonder werk, maar hij denkt dat hij een nieuw talent in zichzelf heeft ontdekt.'

'En dat is?'

'Rappen.'

'Zeg alsjeblieft dat je een grapje maakt.'

'Het is net als verdriet verwerken,' zei Phil. 'Iedereen doet het op zijn eigen manier. Fly denkt dat hij een nieuwe markt heeft aangeboord.'

Ze kwamen bij Wendy's auto. Ze deed de portieren van het slot. 'Als rapper?'

Phil knikte. 'Hij is de enige blanke rapper van over de veertig in de hele New Jersey-scene. Tenminste, dat zegt hij.' Ze gingen voor in de auto zitten. 'Nou, wat wil je van me?'

Er bestond geen tactvolle manier om het nieuws te brengen, dus zei ze het maar meteen.

'Dan Mercer is gisteren vermoord.'

Zonder een woord te zeggen hoorde Phil Turnball aan wat ze te vertellen had. Hij staarde door de voorruit naar buiten, met een bleek gezicht en vochtige ogen. Hij had zich volmaakt glad geschoren, zag Wendy van opzij. De scheiding in zijn haar was ook volmaakt, en op zijn voorhoofd krulde het haar iets op, waardoor je je kon voorstellen hoe hij er als jongetje had uitgezien. Wendy wachtte, liet hem verwerken wat ze hem had verteld.

'Zal ik iets te drinken voor je halen?' vroeg Wendy.

Phil Turnball schudde zijn hoofd. 'Ik leerde Dan kennen op de eerste oriëntatiedag op de universiteit. Hij had zo veel humor. Alle anderen, ik ook, waren zo gespannen, er zo op gebrand indruk te maken. Maar Dan voelde zich helemaal op zijn gemak, en hij stond op zo'n aparte manier in het leven.'

'Hoezo "apart"?'

'Alsof hij alles al een keer had meegemaakt en het niet de moeite waard vond zich overal druk om te maken. En Dan wilde iets dóén, iets betekenen. Ja, ik weet dat het als een cliché klinkt, maar hij zette zijn woorden ook om in daden. Hij feestte net zo hard mee als iedereen, maar hij had het altijd over goede dingen doen. We hadden toekomstplannen, uiteraard. Wij allemaal. En nu...'

Zijn stem stierf weg.

'Het spijt me,' zei Wendy.

'Ik neem aan dat je me niet alleen bent komen opzoeken om me dit slechte nieuws te vertellen.'

'Nee.'

'Dus?'

'Ik doe onderzoek naar Dan...'

'Voor zover ik weet had je dat al gedaan.' Hij draaide zich naar haar om. 'Het enige waar nog iets te pikken valt, is van zijn lijk.'

'Dat was ik niet van plan.'

'Wat dan wel?'

'Ik heb je eerder gebeld. Toen we onze eerste research naar Dan deden.'

Hij zei niets.

'Waarom heb je nooit teruggebeld?'

'Om je wát te vertellen?'

'Dat weet ik niet.'

'Ik heb een vrouw en twee kinderen. Ik geloofde niet dat iemand er iets mee opschoot wanneer ik het publiekelijk opnam voor een pedofiel, ook al werd hij vals beschuldigd.'

'Geloofde je dat? Dat hij vals werd beschuldigd?'

Phil kneep zijn ogen dicht. Wendy wilde haar hand op zijn arm leggen, maar dat leek haar bij nader inzien geen goed idee. Ze besloot van onderwerp te veranderen.

'Waarom ga je in pak naar Starbucks?' vroeg ze.

Heel even kwam er een glimlach om Phils mond. 'Ik heb altijd de pest gehad aan weekendkleding op vrijdag.'

Wendy keek hem van opzij aan, deze knappe, maar tegelijkertijd verslagen man. Hij zag er verloren uit, aangeslagen, alsof hij alleen nog overeind werd gehouden door zijn mooie pak en zijn keurig gepoetste schoenen.

Ze staarde naar Phils gezicht en schrok toen het in haar gedachten werd vervangen door een ander, het gezicht van haar dierbare vader, zesenvijftig jaar oud, zittend aan de keukentafel, waar hij, met de mouwen van zijn flanellen shirt opgestroopt, zijn nogal korte sollicitatiebrieven in enveloppen stopte. Hij was zesenvijftig toen hij opeens, voor het eerst in zijn leven, werkloos was geworden. Haar vader was vakbondsleider geweest, afdeling 277, en had achtentwintig jaar aan de drukpers van een vooraanstaande New Yorkse krant gestaan. Hij had goede arbeidsvoorwaarden voor zijn mannen afgedwongen, had slechts één keer gestaakt, in 1989, en was geliefd bij iedereen op de werkvloer.

Toen was de krant gefuseerd, in een van die M&A-deals die in het begin van de jaren negentig voortdurend werden gesloten, het soort deals waar de jongens in pak van Wall Street – de Phil Turnballs van die tijd – gek op waren omdat ze voor hun pakket een paar punten winst opleverden, wat dat verdomme ook mocht betekenen. Opeens was haar vader boventallig geworden en kon hij vertrekken. Van de ene dag op de andere, voor het eerst in zijn hele leven, zat hij zonder werk. De volgende dag was hij aan de keukentafel gaan zitten en was hij zijn sollicitatiebrieven gaan schrijven. Zijn gezicht had toen erg geleken op dat van Phil Turnball nu.

'Ben je niet boos?' had Wendy aan haar vader gevraagd.

'Boosheid is energieverspilling.' Hij had nog een brief in een envelop gestopt en had haar aangekeken. 'Mag ik je een goeie raad geven? Of ben je daar inmiddels te oud voor?'

'Nooit te oud om te leren,' had Wendy geantwoord.

'Ga voor jezelf werken. Dat is de enige baas die je kunt vertrouwen.'

Híj had nooit de kans gehad om voor zichzelf te beginnen. Hij vond ook nooit meer een baan. Twee jaar later, op achtenvijftigjarige leeftijd, overleed haar vader aan een hartaanval, aan diezelfde keukentafel, terwijl hij nog altijd de kranten uitploos op advertenties en zijn sollicitatiebrieven in enveloppen stopte.

'Wil je me niet helpen?' vroeg Wendy aan Phil.

'Hoe? Dan is dood.'

Phil Turnballs hand ging naar de portierhendel.

Wendy legde haar hand op zijn arm. 'Nog een laatste vraag voordat je gaat: waarom denk je dat Dan vals werd beschuldigd?'

Hij dacht even na voordat hij antwoord gaf. 'Ik denk dat als het je zelf overkomt, dat je er een zeker gevoel voor krijgt.'

'Nu kan ik je niet volgen.'

'Laat maar zitten. Het is niet belangrijk.'

'Is jou ook iets overkomen, Phil? Mis ik iets?'

Hij grinnikte kort, maar niet van blijdschap. 'Geen commentaar, Wendy.' Hij pakte de portierhendel vast.

'Maar...'

'Niet nu,' zei hij, en hij opende het portier. 'Nu ga ik een eindje lopen en terugdenken aan mijn oude vriend. Dat is wel het minste waar Dan recht op heeft.'

Phil Turnball stapte uit de auto, trok het jasje van zijn pak recht en liep de andere kant op, weg van haar en van zijn vrienden in Starbucks.

12

Het zoveelste dode hoertje.

Rechercheur Frank Tremont van de politie van Essex County hees zijn broek op aan de riem, keek naar het meisje en slaakte een zucht. Het oude liedje. Newark, South Ward, vlak bij het Beth Israel-ziekenhuis en er toch zo ver vandaan. Frank snoof en rook het bederf dat in de lucht hing, maar dat was niet alleen afkomstig van het lijk. Zo rook het hier altijd. Niemand maakte hier nog schoon. Niemand nam nog de moeite eraan te beginnen. Men had zich geschikt naar het verval.

En nu weer een dood hoertje.

Ze hadden haar pooier al in hechtenis. Ze had hem 'geflest', of wat ook, en hij had moeten laten zien wat een stoere kerel hij was en had haar de keel doorgesneden. Hij had het mes nog bij zich toen ze hem oppakten. Slimme vent, een genie. Het kostte Frank ongeveer zes seconden om hem te laten bekennen. Het enige wat hij hoefde te zeggen was: 'We hebben gehoord dat je de ballen niet hebt om je meisjes in het gareel te houden.' Voor meneer de geniale pooier was dat genoeg om zich van zijn stoerste kant te laten zien.

Frank keek neer op het vermoorde meisje, misschien vijftien jaar oud, misschien dertig, moeilijk te zeggen in deze buurt, tussen al het straatafval, de gedeukte frisdrankblikjes, de verpakkingen van McDonald's en de lege halve liters bier. Hij moest denken aan zijn vorige zaak met een vermoord hoertje. Die had hem de das omgedaan. Het onderzoek was totaal uit de hand gelopen. Hij had dingen verkeerd ingeschat en had er een zootje van gemaakt. Er hadden meer slachtoffers kunnen vallen, maar het had geen zin om daar nu nog over door te zeuren. Hij had het verprutst en dat had hem zijn functie gekost. Hij was door de openbaar aanklager en de leider van het onderzoek op een zijspoor gerangeerd. Binnenkort zou hij met pensioen gaan.

En toen hadden ze de zaak van de vermiste Haley McWaid gekregen.

Frank was naar zijn bazen gestapt en had gevraagd of hij nog even mocht blijven, alleen tot de zaak was opgelost. Zijn bazen hadden begrip gehad voor zijn verzoek. Maar dat was nu al drie maanden geleden. Frank had alles in het werk gesteld om de jonge studente te vinden. Hij had talloze anderen bij de zaak betrokken: de FBI, politiemensen met verstand van internet, deskundigen op het gebied van opsporing en daderprofielen, iedereen die mogelijk kon helpen de zaak tot een goed einde te brengen. Hij was niet uit op de eer, alleen op het terugvinden van het meisje.

Maar de zaak was op een morsdood spoor beland.

Hij keek weer naar het dode hoertje. Je zag ze vaak als je dit soort werk deed. Je zag junkies en hoertjes die hun leven vergooiden, die zich lieten misbruiken en zich vol spoten met van alles en nog wat, die in elkaar werden geslagen en zwanger raakten van god weet hoeveel kinderen van god weet hoeveel verschillende vaders, en het was allemaal zo verdomde deprimerend. De meesten redden het wel, strompelen voort zonder enig doel of vooruitzicht, volstrekt anoniem in welk sociaal leven ook, en áls ze worden opgemerkt, is het om de verkeerde redenen. Maar de meesten overleven het in ieder geval. Ze zijn een last voor iedereen, maar God laat ze in leven, sommigen zelfs tot hoge leeftijd.

En dan, omdat God zo verrekte onberekenbaar is, neemt Hij het leven van Franks dochter.

Achter de gele tape hadden zich wat mensen verzameld, maar veel waren het er niet. De meesten wierpen een blik opzij en liepen door.

'Ben je klaar, Frank?'

Het was de man van het mortuarium. Frank knikte. 'Neem maar mee.'

Zijn meisje, Kasey. Zeventien jaar oud. Zo lief en intelligent en aardig voor iedereen. Er is een gezegde over een glimlach waardoor het lijkt alsof de zon in de kamer gaat schijnen. Kasey had zo'n glimlach. *Wham*, een baan zonlicht waar geen duister tegenop kon. Ze had nooit iemand ook maar een centje last bezorgd of kwaad gedaan. In haar hele leven niet. Kasey gebruikte geen drugs, hing niet de slet uit en raakte niet zwanger. Ondertussen vermenigvuldigden al die junkies en hoertjes zichzelf als konijnen... en toch was het Kasey die doodging.

'Oneerlijk' is een groot understatement.

Kasey was zestien toen bij haar het Ewing-sarcoom werd geconstateerd. Botkanker. De tumoren begonnen in haar bekken en vraten zich een weg door de rest van haar lichaam. Zijn meisje stierf een pijnlijke dood. Frank was erbij. Hij zat naast haar bed, met droge ogen en haar tere hand in de zijne, terwijl hij zijn uiterste best deed bij zinnen te blijven. Hij zag de littekens van eerdere operaties en de holle oogkassen van hen die langzaam aan het sterven zijn. Hij voelde haar lichaamstemperatuur hoog oplopen wanneer ze koorts had. Hij herinnerde zich dat Kasey als kind vaak nare dromen had gehad, dat ze regelmatig bevend in hun bed was gekropen, tussen hem en Maria in, dat ze als tiener praatte in haar slaap en altijd lag te draaien en te woelen. Maar toen de ziekte bij haar was geconstateerd, was dat abrupt opgehouden. Het was alsof de angst voor de nacht had moeten plaatsmaken voor haar angst voor de dag die erop volgde. Kasey was rustiger gaan slapen, bijna alsof ze zich voorbereidde op haar dood.

Frank had gebeden, maar dat had geen enkele zin gehad. Zo voelde het ook. God wist wat Hij deed. Hij werkte volgens plan. Want als je echt gelooft dat Hij alwetend en almachtig is, denk je dan dat Hij zijn hele planning omgooit alleen vanwege jouw meelijwekkende gebedje? Frank geloofde er niet in. Hij maakte kennis met een echtpaar van wie de zoon ook in het ziekenhuis lag, met dezelfde ziekte, en voor wie ze elke dag kwamen bidden. Toch ging hij dood. Daarna ging hun andere zoon naar Irak en kwam daar om het leven. Iedereen die dat hoorde en bleef volhouden dat bidden hielp, verklaarde Frank voor gek.

Intussen wemelde het op straat van de losers die hun leven vergooiden. Zij mochten blijven leven, en Kasey moest dood. Dus, ja, meisjes met ouders en broertjes en zusjes, meisjes als Haley McWaid en Kasey Tremont, die mensen hadden die van hen hielden, die nog een heel leven voor zich hadden, een echt leven dat meer beloofde dan alleen verspilling, die meisjes deden er meer toe. Dat was de waarheid. Maar niemand durfde die uit te spreken. De ruggengraatloze softies bleven je inpeperen dat het dode hoertje dat hier in de lijkenzak werd geritst evenveel consideratie verdiende als een Haley McWaid of een Kasey Tremont. Behalve dat we allemaal weten dat dit onzin is. We doen alsof. We kennen de waarheid en we liegen erover. Maar we weten het maar al te goed.

Laten we dus ophouden met te doen alsof. Het dode hoertje kreeg misschien twee alinea's op pagina twaalf van *The Star-Ledger*, en dan alleen nog om de lezers eraan te herinneren hoe goed ze het hebben. Haley McWaid kreeg uren zendtijd op de landelijke tv. Dan is het toch duidelijk? Waarom zeggen we het niet gewoon?

De Haley McWaids van deze wereld waren belangrijker dan sommige andere mensen.

Daar is niets mis mee. Het is waar, of niet soms? Het betekende niet dat het dode hoertje níét belangrijk was. Maar Haley was voor hem gewoon belangrijker. En dat had niets te maken met huidskleur of een van de vele andere etiketten die de mensen probeerden op te plakken. Noem iemand een racist... dat is niet zo moeilijk. Maar het is klinkklare onzin. Blank, zwart, Aziatisch, latino, wat ook... minder belangrijk is minder belangrijk. Iedereen weet het, ook al durft niemand het hardop te zeggen.

Zoals de laatste tijd vaak gebeurde, dwaalden Franks gedachten af naar Haley McWaids moeder, Marcia, en haar zwaar aangeslagen vader, Ted. Het hoertje was er nu niet meer. Misschien kon het iemand iets schelen, maar negen van de tien keer was dat niet het geval. Haar ouders, als ze had geweten wie dat waren, hadden haar al lang geleden opgegeven. Marcia en Ted zaten nog steeds op Haleys thuiskomst te wachten, vreesden voor haar leven en hadden nog hoop. En ja, dat was belangrijk. Misschien was dat het verschil tussen de dode hoertjes en de Haley McWaids van deze wereld. Niet huidskleur of geld of afkomst, maar mensen die om je gaven, familie die in doodsangst zat, vaders en moeders die nooit meer de oude zouden worden.

Daarom zou Frank Tremont niet opgeven totdat hij wist wat er met Haley McWaid was gebeurd.

Hij dacht weer aan Kasey, probeerde haar voor zich te zien als gelukkig jong meisje, als het kind dat meer van aquariums dan van dierentuinen hield, en meer van blauw dan van roze. Maar die beelden waren vervaagd, waren moeilijker op te roepen, hoe vreselijk hij dat ook vond. In plaats daarvan zag hij Kasey voor zich in het ziekenhuisbed, waarin ze alsmaar magerder werd, zag hoe ze haar hand door haar haar haalde en er lange plukken uit trok, hoe ze keek naar het haar in haar hand en zachtjes huilde terwijl haar vader hulpeloos en machteloos naast haar bed zat.

De mannen van het mortuarium waren klaar met het dode hoertje. Ze tilden het lijk op en lieten het op de brancard ploffen alsof het een zak aardappelen was.

‘Een beetje voorzichtig,’ zei Frank.

De ene man draaide zich naar hem om. ‘Ze voelt er niks meer van.’

‘Doe toch maar een beetje voorzichtig.’

Toen ze de brancard naar de auto reden, voelde Frank Tremont zijn mobiele telefoon trillen in zijn broekzak.

Hij knipperde het vochtige waas uit zijn ogen en drukte op de antwoordknop. ‘Tremont hier.’

‘Frank?’

Het was Mickey Walker, de sheriff van Sussex County. Een grote, zwarte kerel met wie Frank in Newark had samengewerkt. Oerdegelijke vent en een prima rechercheur. Frank mocht hem graag. Walkers bureau had de zaak van de kinderverkrachter op zijn bord gekregen, maar blijkbaar had een van de ouders het pedofilieprobleem met een eigen wapen de wereld uit geholpen. Het leek Frank een prachtig voorbeeld van ‘net goed’, hoewel hij wist dat Walker de zaak tot op de bodem zou uitzoeken.

'Ja, ik ben het, Mickey.'
'Ken je Freddy's Deluxe Luxury Suites?'
'Die wipgribus in Williams Street?'
'Ja, die. Kun je daar naartoe komen, nu meteen?'
Tremont voelde zijn hartslag versnellen. 'Hoezo? Wat heb je?'
'Ik heb iets in Mercers kamer gevonden,' zei Walker, op een toon zo doods als een grafsteen. 'Iets wat volgens mij van Haley McWaid is.'

13

Pops was in de keuken roereieren aan het maken toen Wendy thuiskwam.

'Waar is Charlie?'

'Ligt nog in bed.'

'Het is één uur 's middags.'

Pops keek op de keukenklok. 'Ja. Heb je trek?'

'Nee. Waar zijn jullie gisteravond geweest?'

Pops roerde in de pan alsof hij zijn hele leven niets anders had gedaan en keek haar met een opgetrokken wenkbrauw aan.

'Heb je geheimhouding moeten zweren?'

'Ja, zoiets,' zei Pops. 'En waar ben jij geweest?'

'Ik heb vanochtend een bezoekje gebracht aan de Vadersclub.'

'Zou je dat willen toelichten?'

Dat deed ze.

'Triest,' zei hij.

'En misschien ook een beetje kinderachtig.'

Pops haalde zijn schouders op. 'Als een man zijn gezin niet meer kan onderhouden, kun je hem net zo goed zijn ballen afsnijden. Dan voelt hij zich geen man meer. Je baan kwijtraken is een ramp, zowel voor gewone arbeiders als voor yuppietuig. Misschien nog wel meer voor yuppietuig. De samenleving heeft hun geleerd zich te vereenzelvigen met hun werk.'

'En dat zijn ze dan kwijt?'

'Yep.'

'Misschien is een andere baan niet het antwoord,' zei Wendy. 'Misschien moeten ze het begrip "man zijn" opnieuw definiëren.'

Pops knikte. 'Diepzinnig.'
'En hypocriet?'
'Dat ook,' zei Pops terwijl hij geraspte kaas over de eieren strooide. 'Maar van jou kan ik het wel hebben.'
Wendy glimlachte.
Hij draaide het gas uit. 'Weet je zeker dat je geen hapje *oeufs à la Pops* wilt? Het is mijn succesnummer. En ik heb al genoeg gemaakt voor twee.'
'Oké, goed dan.'
Ze gingen aan de keukentafel zitten en aten. Ze vertelde hem uitgebreider over Phil Turnball en zijn Vadersclub, en over haar vermoeden dat Phil iets verzweeg. Ze waren klaar met eten toen een slaperige Charlie in een gerafelde boxershort, een oversized wit T-shirt en met een ernstig geval van 'slaaphaar' de keuken in kwam. Wendy bedacht net hoe groot en mannelijk hij er al uitzag, toen hij als een kind met zijn vingers in zijn ogen begon te pulken.
'Alles oké?' vroeg ze.
'Ze willen niet open,' legde Charlie uit.
Wendy hief haar ogen ten hemel, ging naar boven en zette de computer aan. Ze opende Google en typte PHIL TURNBALL in. Weinig hits. Een donatie aan een politieke partij. Bij 'afbeeldingen' kreeg ze wel een hit: een groepsfoto met Phil en zijn vrouw Sherry, een aantrekkelijke blondine, twee jaar geleden tijdens een wijnproeverij voor een goed doel. Verder kwam ze alleen te weten dat Phil had gewerkt voor een beleggingsfirma die Barry Brothers Trust heette. In de hoop dat ze haar wachtwoord nog niet hadden geblokkeerd logde ze in in de mediadatabase waar haar nieuwszender gebruik van maakte. Want iedereen denkt wel dat alle informatie met zoekmachines gratis te vinden is, maar dat is niet zo. Voor het betere werk moest je nog steeds betalen.
Ze zocht in de nieuwsberichten naar Turnball. Nog steeds niets. Maar wel een paar niet erg positieve berichten over Barry Brothers. Ten eerste hadden ze het pand aan Park Avenue bij Forty-sixth Street, waar ze jarenlang gehuisvest waren geweest, moeten verlaten. Wendy herkende het adres. Het Lock-Horne-gebouw. Ze glimlachte en

pakte haar mobiele telefoon. Ja, na twee jaar stond het nummer nog steeds in de adressenlijst. Ze keek of de deur dicht was en belde het.

Het toestel aan de andere kant was amper overgegaan toen er werd opgenomen.

'Duidelijk spreken.'

De stem klonk hooghartig, superieur en – voor zover je dat uit twee woorden kon opmaken – neerbuigend.

'Hallo, Win. Met Wendy Tynes.'

'Dat lees ik ook op mijn schermpje.'

Stilte.

Ze kon hem bijna voor zich zien, Win, met zijn belachelijk knappe gezicht, dat blonde haar, de handen in een driehoek met de vingertoppen tegen elkaar, en die doordringende blauwe ogen waar op het eerste gezicht geen enkel gevoel achter huisde.

'Ik wil je om een gunst vragen,' zei ze. 'Wat informatie.'

Stilte.

Win – voluit Windsor Horne Lockwood III – was blijkbaar niet van plan het haar gemakkelijk te maken.

'Weet je iets van Barry Brothers Trust?' vroeg ze.

'Ja, daar weet ik iets van. Was dat het?'

'Doe niet zo bijdehand, Win.'

'Neem me met al mijn tekortkomingen.'

'Volgens mij heb ik dat al eens gedaan,' zei ze.

'Ah, miauw, zeg dat wel.'

Stilte.

'De Barry Brothers hebben een werknemer met de naam Phil Turnball ontslagen. Ik vroeg me af waarom. Kun jij daarachter komen?'

'Ik bel je terug.'

Klik.

Win. In de glamourrubrieken werd hij vaak omschreven als een 'internationale playboy', en dat paste wel bij hem, vond ze. Hij had blauw bloed en oud geld, heel oud geld, het soort oude geld dat rechtstreeks van de *Mayflower* kwam en werd uitgeladen door kruiers terwijl men zelf een kopje thee nuttigde. Ze had hem twee jaar geleden tijdens een of andere officiële gelegenheid ontmoet. Win was verfrissend direct tegen haar geweest. Hij wilde met haar naar bed. Geen mooie praatjes, geen toestanden, geen verplichtingen. Eén nacht maar. Ze was eerst geschokt geweest, maar kort daarna dacht ze: shit, waarom niet? Ze had nog nooit een onenightstand gehad, en hier bood deze belachelijk knappe en voorkomende man haar de ideale gelegenheid. Je leeft maar één keer, of niet soms? Ze was een alleenstaande moderne vrouw en zoals Pops haar onlangs nog had voorgehouden: mensen hadden behoefte aan seks. Dus was ze met hem naar het Dakota-gebouw bij Central Park West gegaan. Win bleek een vriendelijke, attente, humoristische, geweldige man te zijn, en toen ze de volgende ochtend was thuisgekomen, had ze twee uur lang tranen met tuiten gehuild.

Haar telefoon ging over. Wendy keek op haar horloge en schudde haar hoofd. Win had er nog geen minuut voor nodig gehad.

'Hallo?'

'Phil Turnball is ontslagen omdat hij twee miljoen dollar heeft verduisterd. Prettige dag nog.'

Klik.

Win.

Ze moest opeens aan iets anders denken. Blend, was het toch? Zo heette die tent. Ze had er een keer een concert bijgewoond. Het was in Ridgewood. Ze zocht de website op en bekeek het programma. Ja, vanavond was er open podium. Er stond zelfs bij: *Speciaal optreden van de nieuwe rapsensatie Ten-A-Fly.*

Er werd op de deur geklopt. 'Binnen,' riep ze. Pops stak zijn hoofd om de deurpost. 'Alles oké?' vroeg hij.

'Ja. Hou je van rap?'

Pops fronste zijn wenkbrauwen. 'Nou, ik word een jaartje ouder, dus echt van de rappe ben ik niet meer.'

'Eh, nee... ik bedoel rapmuziek.'

'Ik luister liever naar een kat die over zijn nek gaat.'

'Ga met me mee vanavond. Het wordt tijd dat we je horizon verbreden.'

Ted McWaid keek naar zijn zoon, Ryan, op het lacrosseveld van Kasselton. De dag was bijna ten einde, maar het veld, van het allernieuwste kunstgras, had een uitstekende lichtinstallatie. Ted zat naar de wedstrijd van zijn negen jaar oude zoon te kijken omdat hij niet wist wat hij anders moest doen. Of moest hij thuis de hele dag gaan zitten huilen? Zijn vroegere vrienden – dat 'vroegere' klonk misschien hard, maar Ted was niet in een vergevingsgezinde bui – knikten alleen nog beleefd naar hem. Voor het overige meden ze oogcontact en gingen ze hem uit de weg, alsof een vermist kind hebben besmettelijk was.

Ryan zat in het juniorenteam van groep drie. Het niveau van hun sticktechniek bevond zich, om vriendelijk te blijven, ergens tussen 'in ontwikkeling' en 'geen'. De bal rolde het merendeel van de tijd over het veld, geen jongen was in staat hem langer dan twintig seconden in zijn netje te houden en de wedstrijd leek nog het meest op ijshockeyers die een rugbyscrum deden. De spelers droegen allemaal een helm die veel te groot was voor hun hoofd, waardoor ze op Dart Vader leken en het vrijwel onmogelijk was om vast te stellen wie wie was. Ted had Ryan een keer de hele wedstrijd aangemoedigd en toegeschreeuwd wat hij moest doen, totdat de jongen na de wedstrijd zijn helm had afgezet en bleek dat hij Ryan helemaal niet was.

Ted stond op enige afstand van de andere ouders en moest bijna glimlachen toen hij eraan terugdacht. Onmiddellijk daarna greep het heden hem weer bij de strot. Zo ging het de laatste maanden steeds. Soms leek alles weer heel even normaal, maar als je eraan toegaf, werd je direct terechtgewezen.

Hij dacht aan Haley op ditzelfde lacrosseveld, aan hoe ze vanaf de dag dat het in gebruik was genomen aan 'haar linker' had gewerkt. In de uiterste hoek van het veld stond een trainingsdoel, en Haley was hier dag in dag uit bezig om aan haar linker te werken, want die moest verbeterd worden, en de scouts zouden vooral op haar linker letten, verdomme juist haar zwakke punt, en de universiteit van Virginia zou haar nooit aannemen als ze haar linker niet op niveau kreeg. Dus trainde ze die non-stop, niet alleen hier maar ook thuis. Ze was steeds meer dingen met haar linkerhand gaan doen, haar tanden poetsen, aantekeningen voor school maken, alles wat ze maar kon bedenken.

Alle andere ouders in de stad moesten hun kinderen aansporen om beter hun best te doen, ze dag en nacht op hun nek zitten om betere cijfers en sportprestaties te behalen, allemaal in de hoop een – zoals iemand het noemde – meer gewenste instelling ten opzichte van het hoger onderwijs voor zichzelf te ontwikkelen. Haley niet. Haley was zélf gedreven. Te gedreven? Misschien wel. Uiteindelijk had de universiteit van Virginia haar niet aangenomen. Haar linker was verdomd goed geworden, en ze was snel voor iemand van een schoolteam, of zelfs voor lagere regionen van de eerste divisie, maar voor de universiteit van Virginia was het niet voldoende geweest. Haley was er kapot van geweest, ontroostbaar. Waarom? Wat maakte het uit? Wat voor verschil maakte het op de lange termijn?

Hij miste haar zo vreselijk.

Niet zozeer dit... haar lacrossewedstrijden bijwonen. Wat hij het ergst miste, was samen met haar tv-kijken, of wanneer ze hem ervan probeerde te overtuigen hoe goed haar nieuwe muziek was, de YouTube-video's die ze zo grappig vond en die ze aan hem liet zien. Hij miste de stompzinnige dingen, zoals zijn best mogelijke *moonwalk* aan haar in de keuken demonstreren en dat zij haar ogen ten hemel hief. Of zijn overdreven handtastelijkheid met Marcia, totdat een diep geschokte Haley een vies gezicht trok en riep: 'Hallo! Gadverdamme, er zijn kinderen bij, hoor!'

Ted en Marcia hadden elkaar al drie maanden niet aangeraakt... niet met opzet maar met wederzijds, onuitgesproken goedvinden. Het leek gewoon zo ongepast. Het gebrek aan lichamelijk contact veroorzaakte geen spanning, hoewel Ted wel het gevoel had dat er tussen hen een kloof begon te ontstaan. Maar als dat zo was, leek het gewoon niet belangrijk genoeg om er veel aandacht aan te besteden, op dit moment in ieder geval niet.

Het niet-weten. Dat sloopte je. In het begin wilde je een antwoord, welk antwoord ook, waardoor je je nog schuldiger en ellendiger voelde. Zijn schuldgevoel vrat voortdurend aan hem en hield hem 's nachts wakker. Ted was niet goed in confrontaties. Die joegen zijn hartslag omhoog. Een meningsverschil met een buurman over de exacte grens van hun percelen had hem wekenlang wakker gehouden.

Hij was op gebleven, had gepiekerd en zichzelf verwijten gemaakt.

Wat nu was gebeurd was ook zijn schuld.

Regel één voor mannen: je dochter is veilig onder jouw dak. Je beschermt je gezin. Hoe je het ook wendde of keerde, één ding was duidelijk: Ted had zijn plicht verzaakt. Had er iemand ingebroken en Haley ontvoerd? Nou, dat was dan zijn schuld, of niet soms? Een vader beschermt zijn kinderen. En als Haley die avond op eigen initiatief het huis uit was geslopen? Dan was het ook zijn schuld. Want dan was hij niet de vader geweest met wie zijn dochter kon praten over wat haar dwarszat of wat er in haar leven allemaal speelde.

Er kwam geen eind aan zijn zelfverwijten. Hij wilde teruggaan in de tijd en één ding veranderen, de universele tijdsafspraken of wat ook. Haley was altijd het sterke kind geweest, het onafhankelijke, competente kind. Hij had zich wel eens afgevraagd van wie ze dat had, en dan kwam hij elke keer bij haar moeder uit. Had dat er iets mee te maken? Was hij ervan uitgegaan dat Haley niet zo veel hulp en begeleiding nodig had gehad, veel minder dan Patricia en Ryan?

Zinloos, die voortdurende zelfverwijten.

Ted was niet het depressieve type, helemaal niet, maar er waren dagen, grauwe, kleurloze dagen, dat hij precies wist waar zijn vader zijn pistool bewaarde. Hij kon de hele scène voor zich zien. Ten eerste moest hij ervoor zorgen dat er niemand thuis was. Hij zou het huis binnengaan, het huis waar hij was opgegroeid en waar zijn ouders nog steeds woonden, hij zou het pistool uit de schoenendoos boven in de kast halen, de trap af lopen, naar de kelder, waar hij voor het eerst had gevreeën met Amy Stein toen ze in de brugklas zaten, en doorlopen naar het washok, omdat de vloer daar van beton was, zonder vloerbedekking, en dus gemakkelijker schoon te maken. Hij zou op de grond gaan zitten, met zijn rug tegen de oude wasmachine, de loop van het pistool in zijn mond steken... en voor altijd een eind aan de pijn maken.

Ted zou het nooit doen. Dat kon hij zijn gezin niet aandoen, hun lijden nog zo veel erger maken. Zoiets deed een vader niet. Hij leek wel gek. Maar op de beangstigende momenten dat hij echt eerlijk tegenover zichzelf was, vroeg hij zich af wat het betekende dat zijn gedachten aan die uitweg, aan dat einde, zo verdomde aantrekkelijk leken.

Maar nu was Ryan zijn wedstrijd aan het spelen. Ted probeerde zich daarop te concentreren, op het gezicht van zijn jongen achter het vizier van zijn helm, de mond vertrokken door de tandenbeschermer, en probeerde een of andere vorm van vreugde te vinden in dit belangrijke moment in Ryans kindertijd. Hij begreep de spelregels van het lacrosse voor jongens nog steeds niet – die waren anders dan voor meisjes – maar hij wist wel dat zijn zoon in de aanval speelde. En dat was natuurlijk de positie waarin je de beste kansen had om een goal te maken.

Ted vouwde zijn handen om zijn mond als een megafoon van vlees en riep: 'Rennen, Ryan!'

Hij hoorde de matte echo van zijn stem. In het afgelopen uur hadden de andere ouders voortdurend aanmoedigingen over het veld geroepen, maar Teds stem klonk hier zo vreemd, zo misplaatst. Hij schrok er zelf van. Hij besloot in plaats van te roepen in zijn handen te klappen, maar ook dat klonk vreemd, alsof zijn handen veel te groot waren. Hij keerde zich even af van het speelveld en op dat moment zag hij hem aankomen.

Frank Tremont kwam zijn kant op lopen alsof hij door kniediepe sneeuw ploegde. Naast hem liep een grote, zwarte man die zo te zien ook van de politie was. Even spreidde Teds hoop zijn vleugels en vloog op. Binnen in hem begon iets te gloeien. Maar dat duurde maar kort.

Frank liep met gebogen hoofd. Toen hij dichterbij kwam zag Ted dat Franks lichaamstaal helemaal verkeerd was. Teds knieën begonnen te knikken. Hij zakte door de ene maar wist overeind te blijven. Hij begon langs de zijlijn Franks kant op te lopen.

Toen ze elkaar dicht genoeg waren genaderd, vroeg Frank: 'Waar is Marcia?'

'Op bezoek bij haar moeder.'

'We moeten haar gaan halen,' zei Frank. 'Nu meteen.'

14

Pops begon breed te grijnzen zodra ze Blend binnenkwamen.

'Wat is er?' vroeg Wendy.

'Meer lekkere diertjes op die barkrukken dan op heel Discovery Channel.'

De verlichting was gedempt, er hingen overal rookglazen spiegels en iedereen was in het zwart gekleed. Wat betreft de clientèle had hij gelijk. Althans, van hem uit gezien.

'Die lekkere diertjes van jou,' zei Wendy, 'zijn rijpere vrouwen die hier komen om jongere mannen te scoren.'

Pops fronste zijn wenkbrauwen. 'Er zijn er vast wel een paar bij met rancunegevoelens jegens hun vader.'

'Op jouw leeftijd kun je beter hopen op een vadercomplex. Correctie: een opacomplex.'

Pops keek haar teleurgesteld aan, alsof haar opmerking wel erg flauw was. Ze knikte verontschuldigend, want dat was hij inderdaad.

'Vind je het erg als ik even rondloop?' vroeg Pops.

'Geneer je je voor me?'

'Jij bent het lekkerste diertje hier. Dus, ja. Hoewel sommige chicks dat wel zien zitten. Alsof ze mij van jou afpikken.'

'Als je ze maar niet mee naar huis neemt. Ik heb een beïnvloedbare tienerzoon thuis.'

'We kunnen altijd naar háár huis gaan,' zei Pops. 'Is ook beter; ik hou er niet van als ze weten waar ik woon. En dan hoef ik haar de volgende ochtend niet weg te sturen.'

'Heel begripvol van je.'

Blend had voorin een bar, een restaurant in het midden en de club was achterin. Daar was vanavond het open podium. Wendy betaalde de toegang – vijf dollar inclusief een drankje voor de mannen, één dollar inclusief een drankje voor de dames – en wierp zich in het strijdgewoel. Ze hoorde Norm, alias Ten-A-Fly, rappen:

Luister, hotties, luister nou,
je bent hier niet in Tenafly,
maar Ten-A-Fly is diep in jou…

Mijn god, dacht Wendy. Bij het podium hadden zich veertig à vijftig dolenthousiaste mensen verzameld. Ten-A-Fly droeg genoeg goud om Mister T jaloers te maken en een truckerspet met een platte klep die schuin naar rechts stond. Hij hield met zijn ene hand zijn broek op – misschien omdat die veel te groot was, of omdat de man absoluut geen kont had – en had de microfoon in zijn andere hand.

Toen Norm zijn buitengewoon romantische epistel over 'Ten-A-Fly is diep in jou' had beëindigd met 'en algauw smeek je om nog een douw', barstte zijn publiek – gemiddelde leeftijd: begin veertig – in juichen uit. Een in het rood geklede pseudo-groupie die vooraan stond gooide iets op het podium, en met iets wat aan afgrijzen grensde zag Wendy dat het een slipje was.

Ten-A-Fly raapte het op, drukte het tegen zijn neus en ademde diep in. 'Yo, yo, wat ben ik toch gek op jullie, kokende hotties. Ten-A-Fly en de VC zijn in *da house!*'

De pseudo-groepie wierp haar armen in de lucht. Ze – God sta haar bij – had een rood T-shirt aan met de tekst TEN-A-FLY'S NR. 1 SLET.

Pops kwam bij haar staan. Hij had een gepijnigde uitdrukking op zijn gezicht. 'Moge Gods liefde en Zijn genade per direct op ons neerdalen…'

Wendy liet haar blik door de club gaan. Ze zag de rest van de Vadersclub (VC?), ook Phil, bij het podium staan. Ze klapten in hun handen en moedigden hun vriend aan. Wendy draaide zich langzaam om haar as en haar blik bleef rusten op een tengere blondine die alleen achterin zat. Haar ogen waren op het glas op haar tafeltje gericht.

Sherry Turnball, Phils vrouw.

Wendy maakte zich los uit de menigte en ging naar haar toe. 'Mevrouw Turnball?'

Langzaam keek Sherry Turnball op van haar glas.

'Ik ben Wendy Tynes. Ik heb je aan de telefoon gehad.'

'De tv-reporter.'

'Ja.'

'Ik wist niet dat jij degene was die dat programma over Dan Mercer heeft gemaakt.'

'Kende je hem?'

'Ik heb hem maar één keer ontmoet.'

'Wanneer?'

'Dan en Phil waren flatgenoten op Princeton. Maar Dan heb ik pas ontmoet op een politieke fondsenwervingsavond die we vorig jaar voor Farley hebben gehouden.'

'Farley?'

'Ook een jaargenoot.' Ze pakte haar glas en nam een slokje.

Op het podium vroeg Ten-A-Fly om stilte. 'Ik wil jullie iets vertellen over mijn volgende nummer.' Het rumoer verstomde. Ten-A-Fly rukte de zonnebril van zijn hoofd alsof die hem boos had gemaakt. De blik die hij het publiek in wierp was intimiderend bedoeld, maar het leek er meer op dat hij problemen met zijn stoelgang had.

'Op een dag zit ik in Starbucks met mijn *brothers* van de vc,' begon hij.

De Vadersclub antwoordde met luid gejoel.

'Dus ik zit daar met mijn café latte en zo, als deze bloedserieuze hottie langs komt lopen, en man-o-man, wat laat ze die dingen dansen, begrijpen jullie wel?'

Het gejuich zei: ja, we begrijpen je.

'En ik ben op zoek naar inspiratie, voor een nieuw nummer en zo, en op het moment dat ik die alarmfase-vijf-chick in dat haltertopje voorbij zie komen, komt de volgende tekst in me op: "Swing die puppy's". Zomaar opeens. Ze komt voorbij, hoofd omhoog, schouders achteruit, en ik denk bij mezelf: yeah, baby, swing die puppy's.'

Ten-A-Fly liet een pauze vallen om zijn publiek de kans te geven dit te verwerken. Het was doodstil. Toen riep iemand: 'Geniaal!'

'Bedankt, brother, en ik meen het.' Hij wees naar zijn 'fan' op een nogal gecompliceerde manier, met zijn duim en wijsvinger als een pistool en zijn hand horizontaal. 'Maar goed, mijn brothers van de VC hebben me geholpen deze rap naar een hoger niveau te tillen. Dus deze is voor jullie, jongens. En natuurlijk voor al jullie topzware hotties. Jullie zijn Ten-A-Fly's inspiratie.'

Applaus.

Sherry Turnball zei: 'Jij vindt dit zeker meelijwekkend, hè?'

'Wie ben ik om daarover te oordelen?'

Ten-A-Fly begon aan iets wat sommigen als een dansje zouden kunnen zien, hoewel medisch specialisten het waarschijnlijk zouden classificeren als 'spasmen', of 'een acute beroerte'.

Yo, girl, swing die puppy's,
Swing ze als mijn Nr. 1 slet,
Swing die puppy's,
Swing ze als mijn Nr. 1 in bed,
Swing die puppy's,
Een lekker been om op te kluiven voor een lekker ding,
Yo, swing die puppy's,
Geen gezeik van de Dierenbescherming...

Wendy knipperde met haar ogen, wreef erin en deed ze weer open.

Inmiddels waren de andere leden van de Vadersclub weer gaan staan, zongen uit volle borst het 'Swing die puppy's'-refrein mee en lieten Ten-A-Fly de regels ertussenin vol rappen.

Swing die puppy's,

Ten-A-Fly: Je hoeft niet te blaffen, er is niks aan de hand,

Swing die puppy's,

Ten-A-Fly: Doen het nog een keer en je krijgt een gouden halsband...

Wendy trok een vies gezicht. Alle mannen stonden nu bij het podium. De man die ze 's middags in zijn witte tennisoutfit had gezien, had zich voor deze avond uitgedost in een grasgroene polo. Phil had een lichtblauw overhemd en een kakibroek aan. Hij klapte in zijn handen en leek helemaal in de ban van de rap. Sherry Turnball staarde in de verte.

'Alles oké met je?' vroeg Wendy.

'Het is leuk om Phil weer eens te zien lachen.'

De rap ging nog een paar coupletten door. Wendy zag Pops in de hoek staan, in gesprek met twee vrouwen. Hij viel hier erg uit de toon in zijn motoroutfit, maar de vrouwen waren blijkbaar doorgewinterde clubgangsters die wel eens een stoute jongen mee naar huis wilden nemen.

'Zie je die vrouw vooraan zitten?' vroeg Sherry.

'Was zij het niet die haar slipje op het podium gooide?'

Ze knikte. 'Dat is Norms... eh, Ten-A-Fly's vrouw. Ze hebben drie kinderen, ze moeten hun huis verkopen en bij haar ouders intrekken. Maar ze blijft hem steunen.'

'Dat is mooi,' zei Wendy, maar toen ze nog eens goed keek, leek het gejuich iets te geforceerd, leek het meer op overdrijving dan op oprecht enthousiasme.

'Waarom ben je hier?' vroeg Sherry Turnball.

'Ik probeer de waarheid over Dan Mercer te achterhalen.'

'Een beetje laat, vind je niet?'

'Ja. Maar Phil zei vandaag iets merkwaardigs tegen me. Hij zei dat hij begreep wat het was om vals beschuldigd te worden.'

Sherry Turnball draaide haar glas rond en zei niets.

'Sherry?'

Ze keek op, keek Wendy in de ogen. 'Ik wil niet dat hij nog meer wordt gekwetst.'

'Daar ben ik niet op uit.'

'Phil staat elke ochtend om zes uur op, trekt een pak aan en strikt zijn das. Alsof hij naar zijn werk moet. Dan gaat hij de deur uit, koopt de plaatselijke kranten en rijdt ermee naar de Suburban Diner aan Route 17. Hij haalt een kop koffie, gaat aan een tafeltje zitten en neemt alle advertenties door. In zijn eentje, met zijn pak en zijn das. Elke ochtend, alleen. Elke dag hetzelfde.'

Wendy dacht weer aan haar vader, die aan de keukentafel zijn sollicitatiebrieven in enveloppen stopte.

'Ik probeer hem ervan te overtuigen dat het niet erg is,' zei Sherry. 'Maar als ik voorstel naar een kleiner huis te verhuizen, vat Phil dat op als een persoonlijk falen. Zo zijn mannen, nietwaar?'

'Wat is hem overkomen, Sherry?'

'Phil hield van zijn werk. Hij was financieel adviseur. Een echte geldman. Tegenwoordig zijn dat vieze woorden. Maar Phil zei altijd: "De mensen vertrouwen me al hun spaargeld toe." Zo zag hij dat. Hij geeft echt om het geld van die mensen. Ze vertrouwen hem hun zuurverdiende geld, de schoolopleiding van hun kinderen en hun pensioen toe. Hij zei altijd: "Stel je eens voor wat een verantwoordelijkheid en een eer dat is." Het ging hem allemaal om vertrouwen. Om eerlijkheid en om de eer.'

Ze hield op met praten. Wendy wachtte op het vervolg. Toen dat niet kwam, zei ze: 'Ik heb wat research gedaan.'

'Ik ga zelf weer werken. Phil wil het niet, maar ik doe het toch.'

'Sherry, luister naar me. Ik weet het van die twee miljoen.'

Ze keek op alsof ze een klap in haar gezicht had gekregen. 'Hoe ben je daarachter gekomen?'

'Dat doet er niet toe. Bedoelde Phil dát toen hij het had over valse beschuldigingen?'

'Die beschuldigingen sloegen nergens op. Gewoon een excuus om een van hun duurst betaalde mensen te ontslaan. Als hij echt schuldig was, zouden ze hem dan niet gearresteerd hebben?'

'Ik wil er graag met Phil over praten.'

'Waarom?'
Wendy opende haar mond, bedacht zich en deed hem weer dicht.
Sherry zei: 'Het heeft niks met Dan te maken.'
'Misschien wel.'
'Hoe dan?'
Goeie vraag.
'Wil jij voor me met hem praten?' vroeg Wendy.
'Wat moet ik dan zeggen?'
'Dat ik hem wil helpen.'
Op dat moment moest Wendy aan iets denken, aan iets wat Jenna had gezegd, en wat Phil en Sherry daarna ook hadden gezegd, iets over het verleden, over Princeton... de naam Farley. Ze moest naar huis, naar haar computer, meer research doen. 'Praat nou maar met hem, oké?'
Op het podium was Ten-A-Fly begonnen aan een nieuwe rap, over een of andere rijpere vrouw die Charisma heette, waarbij hij zichzelf plagieerde met een grapje over dat hij zelf geen charisma had maar dat hij wel graag Charisma wilde. Wendy haastte zich naar Pops.
'Kom mee,' zei ze.
Pops gebaarde naar de tipsy vrouw met de veelbelovende glimlach en het uitnodigende decolleté. 'Ik ben bezig.'
'Vraag haar telefoonnummer en zeg dat ze haar puppy's maar een andere keer voor je moet laten swingen. We moeten hier weg.'

15

Het eerste wat rechercheur Frank Tremont en sheriff Mickey Walker moesten vaststellen, was of er een verband bestond tussen kinderverkrachter Dan Mercer en de vermiste Haley McWaid.

Haleys telefoon had tot nu toe weinig aanwijzingen opgeleverd – geen nieuwe sms'jes, e-mails of gesprekken – hoewel Tom Stanton, de jonge hulpsheriff van Sussex County, die enige kennis van moderne technologie had, er nog mee bezig was. Toch, met de hulp van een emotionele Ted en een onwrikbare Marcia, hadden ze niet veel tijd nodig om de link tussen Haley en Dan Mercer te leggen. Haley McWaid was laatstejaars op Kasselton High geweest. Een van haar klasgenoten was Amanda Wheeler, de stiefdochter van Jenna Wheeler, Dans ex-vrouw. Dan Mercer had op goede voet gestaan met zijn ex en was blijkbaar regelmatig bij haar over de vloer gekomen.

Een verband.

Jenna en Noel Wheeler zaten tegenover Frank op de bank in hun klassieke split-levelwoning. Jenna's ogen waren rood van het huilen. Ze was klein van stuk, had een strak lichaam alsof ze veel sportte, en was waarschijnlijk oogverblindend mooi als haar gezicht niet opgezet was geweest van het huilen. Haar echtgenoot, Noel, was – had Tremont vernomen – hoofd van de afdeling Cardiologie van het Valley Medical Center. Hij had donker, golvend haar dat een beetje te lang was, meer iets wat je van een concertpianist zou verwachten.

De zoveelste comfortabele bank in het zoveelste mooie huis in een stille buitenwijk, bedacht Frank. Net als bij de McWaids. Beide banken zagen er mooi en duur uit. Deze had warme, gele bekleding met blauwe bloemen. Vrolijk, voorjaarsachtig. Frank stelde zich voor dat ze samen, Noel en Jenna Wheeler – of Ted en Marcia McWaid – naar een of andere meubelgigant langs de snelweg waren gereden, vermoedelijk aan Route 4, om een stel banken te bekijken, om te zien welke het beste paste in hun mooie huis, zowel bij de inrichting als bij hun levensstijl, een combinatie van comfort en duurzaamheid bood, en paste bij het behang, het Perzische tapijt en de souvenirs van hun trip naar Europa. Ze hadden de bank laten thuisbezorgen en hadden hem net zo lang heen en weer geschoven totdat hij precies op de juiste plek stond, waren erop neergeploft, hadden de kinderen geroepen om hetzelfde te doen en misschien waren ze zelfs een keer 's nachts stilletjes de trap af geslopen om hem 'in te wijden'.

Sheriff Mickey Walker van Sussex County stond achter hem als een totale zonsverduistering. Nu de twee zaken elkaar overlapten, zouden ze fulltime samenwerken, want van een tot de county beperkte jurisdictie kon geen sprake zijn wanneer je een vermist meisje probeerde op te sporen. Ze hadden afgesproken dat Frank de leiding in dit gesprek zou nemen.

Frank Tremont hoestte zachtjes in zijn vuist. 'Fijn dat u beiden bereid bent met ons te praten. Bedankt.'

'Hebben jullie nieuws over Dan?' vroeg Jenna.

'Ik wil u allebei vragen wat uw relatie met Dan Mercer was.'

Jenna keek hem verbaasd aan. Noel Wheeler verroerde zich niet. Hij zat licht voorovergebogen, zijn onderarmen rustten op zijn dijbenen, met zijn handen, de vingers ineengevlochten, tussen zijn knieën.

'Hoezo "onze relatie"?' vroeg Jenna.

'Waren jullie close met hem?'

'Ja.'

Frank keek naar Noel. 'U allebei? Ik bedoel, hij is de ex van uw vrouw.'

Opnieuw was het Jenna die antwoord gaf. 'Ja, wij allebei. Dan is... was... de peetvader van onze dochter Kari.'

'Hoe oud is Kari?'
'Wat heeft dat ermee te maken?'
Frank scherpte zijn toon iets aan. 'Geef alstublieft antwoord op de vraag, mevrouw Wheeler.'
'Ze is zes.'
'Was ze wel eens alleen met Dan Mercer?'
'Als u insinueert dat...'
'Ik stel een vraag,' onderbrak Frank haar. 'Was uw dochter van zes wel eens alleen met Dan Mercer?'
'Ja, dat was ze,' zei Jenna met geheven hoofd. 'En ze hield zielsveel van hem. Ze noemde hem "oom Dan".'
'U hebt nog een kind, nietwaar?'
Nu was het Noel die antwoord gaf. 'Ik heb een dochter uit een vorig huwelijk, ja. Ze heet Amanda.'
'Is ze nu thuis?'
Frank had dit al gecontroleerd en hij wist wat het antwoord was.
'Ja, ze is boven.'
Jenna keek naar de zwijgende Walker. 'Ik begrijp niet wat dit allemaal te maken heeft met Ed Graysons moord op Dan.'
Walker had zijn armen over elkaar en keek haar alleen maar aan.
Frank vroeg: 'Hoe vaak kwam Dan hier?'
'Wat maakt dat nou uit?'
'Mevrouw Wheeler, hebt u soms iets te verbergen?'
Jenna's mond viel open. 'Pardon?'
'Waarom maakt u het me zo moeilijk?'
'Ik maak het jullie helemaal niet moeilijk. Ik wil alleen weten...'
'Waarom? Wat maakt het uit waarom ik het vraag?'
Noel Wheeler kalmeerde zijn vrouw door zijn hand op haar knie te leggen. 'Hij kwam hier regelmatig. Ongeveer eens per week, voordat...' Hij wachtte even. '... voordat dat programma over hem werd uitgezonden.'
'En daarna?'
'Bijna niet meer. Misschien nog één of twee keer.'
Frank verschoof zijn aandacht naar Noel. 'Waarom was dat? Geloofde u dat de beschuldigingen terecht waren?'

Noel Wheeler nam de tijd voordat hij antwoordde. Jenna keek hem van opzij aan en maakte opeens een gespannen indruk. Ten slotte zei hij: 'Nee, ik geloofde die beschuldigingen niet.'

'Maar?'

Noel Wheeler zei niets. Hij keek zijn vrouw niet aan.

'U nam liever het zekere voor het onzekere, was dat het?'

Jenna zei: 'Dan vond het zelf beter om niet meer te komen. Om te voorkomen dat de buren gingen roddelen.'

Noel bleef naar de grond kijken.

'En,' vervolgde ze, 'ik zou nog steeds graag willen weten wat dit met de moord op Dan te maken heeft.'

'We zouden uw dochter Amanda graag een paar dingen willen vragen,' zei Frank.

Nu had hij hun volledige aandacht. Jenna wilde opspringen, maar iets weerhield haar daarvan. Ze keek naar Noel. Tremont vroeg zich af waarom. Het stiefmoedersyndroom, nam hij aan. Amanda was tenslotte Noel Wheelers kind.

Noel zei: 'Inspecteur... Tremont, was het, hè?'

Frank knikte, nam niet de moeite de foute rang te corrigeren... hij was rechercheur, geen inspecteur, maar, shit, de helft van de tijd wist hij het verschil zelf niet eens.

'We zijn bereid mee te werken,' vervolgde Noel. 'Ik zal al uw vragen beantwoorden. Maar nu wilt u mijn dochter erbij betrekken. Hebt u zelf kinderen, inspecteur?'

Vanuit zijn ooghoeken zag Frank Tremont dat Mickey Walker enigszins opgelaten van houding veranderde. Walker wist het, ook al had Tremont het hem nooit verteld. Tremont praatte nooit over Kasey.

'Nee, meneer Wheeler.'

'Als u met Amanda wilt praten, zou ik toch echt graag willen weten waar het over gaat.'

'Goed dan.' Tremont nam de tijd, liet ze nog even lijden in stilte. Toen hij vond dat hij lang genoeg had gewacht, zei hij: 'Weten jullie wie Haley McWaid is?'

'Ja, natuurlijk,' zei Jenna.

'Wij denken dat uw ex-man haar iets heeft aangedaan.'
Stilte.
Jenna zei: 'En met "iets" bedoelt u...'
'Haar heeft gekidnapt, gemolesteerd, misbruikt, vermoord,' snauwde Frank. 'Is dat precies genoeg voor u, mevrouw Wheeler?'
'Ik wil gewoon weten...'
'Het kan me niet schelen wat u wilt weten. En Dan Mercer en zijn reputatie en zelfs wie hem heeft vermoord kunnen me ook geen barst schelen. Het enige wat me interesseert, is wat zijn relatie met Haley McWaid is.'
'Dan zou nooit iemand kwaad doen.'
Frank voelde dat de ader op zijn slaap begon te kloppen. 'O, waarom zegt u dat dan niet meteen? Misschien moet ik u gewoon op uw woord geloven en naar huis gaan. Dan zeg ik tegen meneer en mevrouw McWaid: "Vergeet al die bewijzen dat hij uw dochter heeft gekidnapt maar, hoor, want zijn ex-vrouw zegt dat hij niemand kwaad doet.'
'U hoeft niet zo cynisch te doen,' zei Noel, op die dokterstoon die hij waarschijnlijk gebruikte om zijn patiënten te kalmeren.
'Weet u, dokter Wheeler, ik heb alle reden om cynisch te doen. Zoals u me net hebt verteld, bent u vader van een dochter, is dat juist?'
'Ja, natuurlijk.'
'Nou, stelt u zich voor dat uw Amanda al drie maanden wordt vermist en de McWaids weigeren mijn vragen te beantwoorden. Hoe zou u dan reageren?'
Jenna zei: 'We proberen alleen te begrijpen hoe...'
Maar opnieuw bracht haar echtgenoot haar tot zwijgen door zijn hand op haar knie te leggen. Noel keek haar aan, schudde zijn hoofd en riep: 'Amanda!'
Jenna Wheeler leunde verslagen achterover toen een meisjesstem van boven riep: 'Ik kom!'
Ze wachtten. Jenna keek naar Noel. Noel keek naar de grond.
'Een vraag voor u beiden,' zei Frank Tremont. 'Kende Dan, voor zover u weet, Haley McWaid, of heeft hij haar ooit ontmoet?'
'Nee,' zei Jenna.

'Dokter Wheeler?'

Hij schudde zijn hoofd met het golvende haar toen hun dochter de kamer in kwam. Amanda was lang en mager, met een langgerekt lichaam en hoofd, alsof ze van klei was gemaakt en er te hard in haar was geknepen. Het was wreed om te zeggen, maar het eerste woord dat in je opkwam, was 'schonkig'. Ze stond met haar grote handen voor zich alsof ze naakt was en zichzelf probeerde te bedekken. Haar blik schoot alle kanten op zonder ook maar één keer iemand aan te kijken.

Haar vader stond op en liep naar haar toe. Hij legde beschermend zijn arm om haar schouders en nam haar mee naar de bank. Hij liet zijn dochter tussen Jenna en hemzelf plaatsnemen. Ook Jenna legde haar arm om de schouders van haar stiefdochter. Frank wachtte even tot ze haar met een paar zachte woordjes hadden gerustgesteld.

'Amanda, ik ben rechercheur Tremont. Dit hier is sheriff Walker. We zouden je graag een paar vragen willen stellen. Je bent zelf op geen enkele manier in de problemen, dus probeer je te ontspannen, alsjeblieft. Het enige wat we willen is dat je onze vragen zo eerlijk en direct mogelijk beantwoordt, oké?'

Amanda knikte, snel en kort. Haar ogen schoten in het rond als twee fladderende vogeltjes die een veilig nestje zochten. Haar ouders gingen dichter tegen haar aan zitten en bogen zich iets naar voren alsof ze eventuele klappen voor haar wilden opvangen.

'Ken je Haley McWaid?' vroeg Frank.

Het meisje leek voor zijn ogen ineen te schrompelen. 'Ja.'

'Waarvan?'

'School.'

'Kun je zeggen dat jullie vriendinnen waren?'

Amanda haalde haar schouders op zoals tieners dat doen. 'We waren een laboratoriumkoppel bij scheikunde.'

'Was dat dit jaar?'

'Ja.'

'Hoe kwam dat zo?'

Amanda leek de vraag niet te begrijpen.

'Hadden jullie elkaar zelf uitgekozen?'

'Nee. Mevrouw Walsh heeft ons als koppel aangewezen.'

'Aha. Konden jullie goed met elkaar opschieten?'

'Ja, best. Haley is heel aardig.'

'Is ze wel eens hier in huis geweest?'

Nu aarzelde Amanda. 'Ja.'

'Vaak?'

'Nee, maar één keer.'

Frank Tremont leunde achterover en wachtte even. 'Weet je nog wanneer dat was?'

Het meisje keek op naar haar vader. Hij knikte. 'Het is goed.'

Amando wendde zich weer tot Tremont. 'Met Thanksgiving.'

Frank observeerde Jenna Wheeler. Ze liet niets blijken, maar hij kon zien dat het haar moeite kostte. 'Waarom was Haley toen hier?'

Ze haalde haar schouders weer op. 'Gewoon, om een beetje te kletsen en zo,' zei Amanda.

'Maar op Thanksgiving? Moest ze dan niet bij haar ouders zijn?'

Jenna Wheeler legde het uit. 'Het was erna. De meisje hadden thuis hun thanksgivingdiner gegeten en waren later op de avond hiernaartoe gekomen. Ze hadden de volgende dag vrij van school.'

Jenna's stem leek van ver weg te komen. Die klonk vlak en levenloos. Frank bleef Amanda aankijken. 'Hoe laat was dat?'

Amanda dacht na. 'Ik weet het niet precies meer. Ze kwam om een uur of tien, geloof ik.'

'Hoeveel meisjes waren er hier?'

'We waren met z'n vieren. Bree en Jody waren er ook. We hebben in de kelder gezeten.'

'Na Thanksgiving.'

'Ja.'

Frank wachtte. Toen niemand het uit zichzelf zei, stelde hij de voor de hand liggende vraag. 'Was oom Dan hier met Thanksgiving?'

Amanda gaf geen antwoord. Jenna verroerde zich niet.

'Was hij hier?' vroeg Tremont weer.

Noel Wheeler boog zich naar voren en bracht zijn handen naar zijn gezicht. 'Ja,' zei hij. 'Dan was hier met Thanksgiving.'

16

Pops zat de hele terugweg te mokken. 'Die hottie at verdomme uit mijn hand.'

'Sorry.' En daarna: 'Hottie?'

'Je moet met je tijd meegaan als het om benamingen van chicks gaat.'

'Met je tijd meegaan is goed.'

'Je moest eens weten hoe eigentijds ik ben.'

'Ik hoef de details niet te horen.'

'Wees maar niet bang,' zei Pops. 'Dus dit is belangrijk?'

'Yep. Sorry dat je je hottie hebt misgelopen.'

'Ach, vis in de zee.' Pops haalde zijn schouders op. 'Je weet hoe het werkt.'

'Ja.'

Wendy ging snel het huis binnen. Charlie zat te zappen met twee van zijn vrienden, Clark en James. Ze hingen op de bank zoals alleen opgeschoten jongens dat kunnen, alsof ze hun skelet hadden uitgetrokken, het aan de kapstok hadden gehangen en in het dichtstbijzijnde meubelstuk waren neergestort.

'Hoi,' zei Charlie, zonder iets anders dan zijn lippen te bewegen. 'Je bent vroeg.'

'Ja. Blijf maar zitten.'

Hij grijnsde. Clark en James mompelden: 'Hallo, mevrouw Tynes.' Ook zij bewogen zich niet, maar ze namen tenminste nog de moeite even haar kant op te kijken. Charlie stopte met zappen bij haar voormalige tv-zender. Het NTC *Nieuws* was bezig. Michele Feisler, de nieuwe, irritant jonge nieuwslezer die ze hadden moeten ontslaan in plaats van Wendy, deed een follow-up op een item van een paar dagen geleden, over ene Arthur Lemaine, die door beide knieën was geschoten toen hij de South Mountain Arena in West Orange uit kwam.

'Au,' zei Clark.

'Alsof één knie niet genoeg is.'

Arthur Lemaine, vertelde Michele op die zogenaamd serieuze presentatortoon waarvan Wendy hoopte dat zij die nooit had gehad, was beschoten na de avondtraining. De camera maakte een bewegend shot van het stadion en kwam tot stilstand bij het grote opschrift dat de New Jersey Devils er trainden, alsof dat iets bijdroeg aan het verhaal.

Er werd teruggeschakeld naar de gepast grimmige Michele Feisler achter haar presentatiedesk.

'Stom wijf,' zei James.

'Weet je, haar hoofd is veel te groot voor haar lijf,' zei Clark.

Feisler vervolgde op die toon waar melk van ging schiften: 'Arthur Lemaine weigert nog steeds met de autoriteiten te praten over het incident.' Dat verbaast me niets, dacht Wendy. Als iemand je door beide knieën schiet, is het maar beter om niets te zien, te horen en te zeggen. Ook James legde zijn vinger langs zijn neus om te suggereren dat het om de maffia ging. Charlie zapte door.

James draaide zijn hoofd om en zei: 'Die Michele-chick kan niet aan u tippen, mevrouw T.'

'Weinig kans,' beaamde Clark. 'U laat haar alle hoeken van de studio zien.'

Charlie had hun blijkbaar verteld dat ze was ontslagen, wat ze liever stil had gehouden, maar toch was ze hen dankbaar. 'Bedankt, jongens.'

'Echt,' zei Clark. 'Ze heeft een kop als een strandbal.'

Charlie zei niets. Hij had haar een keer uitgelegd dat zijn vrienden haar als een 'lekker wijf' beschouwden. Hij had dit zonder enige gêne of ironie gezegd, en Wendy had niet geweten of ze zich nu gevleid of beledigd moest voelen.

Ze ging naar boven en zette de computer aan. Farley was een

voornaam die je niet vaak hoorde. Sherry Turnball had iets gezegd over een politieke fondsenwervingsavond die ze voor hem hadden gehouden. Ze dacht aan de naam en herinnerde zich iets over een of ander seksschandaal.

De snelheid en doeltreffendheid van internet zouden haar niet meer moeten verbazen, maar soms gebeurde dat nog wel eens. Twee klikjes en Wendy had gevonden wat ze zocht.

Een half jaar geleden, toen Farley Parks zich verkiesbaar had gesteld als Congreslid, was hij in de wielen gereden door een schandaal in de prostitutiesfeer. In de pers had men er weinig aandacht aan geschonken – zo bijzonder waren politieke seksschandalen tegenwoordig nu ook weer niet – maar Farley had zich wel uit de race moeten terugtrekken. Wendy begon aan de websites die haar zoekopdracht hadden opgeleverd.

Blijkbaar had een exotische danseres (lees: stripper) luisterend naar de naam Desire (mogelijk niet haar echte naam) het verhaal aan de plaatselijke krant verkocht. Vanaf dat moment had het zich verder verspreid. Desire had een blog op het net gezet, waarop haar escapades met Farley Parks tot in alle ijzingwekkende details stonden beschreven. Wendy beschouwde zichzelf als redelijk doorgewinterd, maar ze had gehuiverd en het schaamrood op haar wangen gekregen toen ze ze las. Gadver. Er was ook een video bij. Met een half afgewend gezicht klikte ze hem aan. Geen bloot, godzijdank. Van Desire was alleen het donkere silhouet te zien. Ze vertelde nog meer onsmakelijke details, met een schorre, onherkenbaar gemaakte stem. Na dertig seconden zette Wendy de video af.

Genoeg. Het was duidelijk waar het om ging. Duidelijker dan haar lief was.

Oké, rustig aan. Reporters leren patronen te zoeken, hoewel ze in dit geval waarschijnlijk weinig subtiele verbanden zou ontdekken. Toch moest ze research doen. Alle hits op de eerste pagina van haar zoekopdracht gingen over het schandaal. Ze ging door naar de tweede pagina en vond daar een gortdroge biografie. Daar stond het zwart op wit: Farley Parks was twintig jaar geleden afgestudeerd aan Princeton. In hetzelfde jaar als Phil Turnball en Dan Mercer.

Toeval?

Drie mannen die in hetzelfde eindjaar op een chique universiteit zitten en die alle drie bij een schandaal betrokken raken… omdat rijke mensen met macht de neiging hebben dat soort problemen aan te trekken? Dat zou het kunnen zijn. Toeval.

Of misschien waren de drie meer geweest dan alleen jaargenoten.

'Flatgenoten.' Dat was het woord dat Phil Turnball had gebruikt. Phil en Dan woonden in dezelfde flat. En 'een flat' suggereerde dat het om meer dan twee personen ging. Als het alleen om Phil en Dan was gegaan, zou hij 'kamergenoten' hebben gezegd. Flatgenoten? Dat wees in de richting van minstens drie of misschien meer personen.

Hoe kon ze erachter komen of Farley Parks een van die personen was geweest?

Wendy had alleen het huistelefoonnummer van de Turnballs. En die zouden nu nog in Blend zijn. Wie kon er nog meer weten van de kamer- of flatgenoten?

Misschien Jenna Wheeler, Dans ex.

Het was al redelijk laat, maar dit was geen situatie om overdreven beleefd te zijn. Wendy toetste het nummer van de Wheelers in. Een man – waarschijnlijk haar echtgenoot Noel – nam op toen het toestel drie keer was overgegaan.

'Hallo?'

'Met Wendy Tynes. Kan ik Jenna even spreken?'

'Die is er niet.'

Klik.

Ze staarde naar haar toestel. Hm. Dat was nogal kortaf. Ze haalde haar schouders op en legde de telefoon neer. Ze richtte haar aandacht weer op haar computer toen ze opeens een idee kreeg: Facebook. Onder de toenemende druk van haar quasi-eigentijdse leeftijdgenoten had Wendy een jaar daarvoor een Facebook-account geopend, had zich bij een paar vrienden aangemeld en er een paar toegelaten, en had er vervolgens niets meer mee gedaan. Misschien was het de leeftijd, hoewel ze er genoeg mensen was tegengekomen die ouder waren dan zij. Maar toen Wendy jonger was

– om niet als een oude bes te klinken – en een man nam haar eens goed 'te grazen'... nou, toen had dat iets anders te betekenen dan mensen tegenwoordig met elkaar op Facebook deden. Intelligente mensen voor wie ze altijd respect had gehad stuurden haar voortdurend allerlei maffe quizjes, bestookten haar met flauwe grappen of nodigden haar uit voor infantiele computerspelletjes, totdat ze zich had gevoeld als Tom Hanks in de film *Big*, de scène waarin hij steeds zijn hand opsteekt en zegt: 'Ik kan er niet bij.'

Maar ze herinnerde zich nu dat zij en haar groep oud-studenten hun eigen pagina hadden gehad, met oude en nieuwe foto's en informatie over haar jaargenoten. Kon het zijn dat er ook zo'n pagina bestond van degenen die twintig jaar geleden op Princeton waren afgestudeerd?

Ze logde in op Facebook en typte een zoekopdracht in.

Bingo.

Achtennegentig studenten van dat jaar hadden zich aangemeld. Op de eerste pagina stonden fotootjes van acht van hen. Er waren discussieforums en links. Wendy vroeg zich af hoe ze zich kon aansluiten bij de groep zodat ze toegang had tot al het materiaal, toen haar mobiele telefoon kort zoemde. Ze keek naar het schermpje en zag het symbooltje dat aangaf dat ze een voicemailbericht had. Ze was kennelijk gebeld toen ze in Blend was. Ze keek naar de lijst met binnengekomen gesprekken en zag dat het laatste van haar voormalige werkgever was. Zeker iets over haar niet-bestaande arbeidsvoorwaarden.

Maar, nee, het telefoontje was van amper een uur geleden. Personeelszaken zou haar nooit zo laat bellen.

Wendy belde de voicemail en luisterde vol verbazing naar de stem van Vic Garrett, de man die haar had ontslagen... was het echt pas twee dagen geleden?

'Ha, schoonheid, met Vic. Bel me zodra je dit hoort. Hééł belangrijk.'

Wendy voelde het bloed meteen jeuken in haar aderen. Vic was niet iemand die snel overdreef. Ze toetste zijn doorkiesnummer in de studio in. Als Vic naar huis was, werd ze automatisch doorgeschakeld naar zijn mobiel. Hij antwoordde voordat het toestel één keer was overgegaan.

'Heb je het gehoord?' vroeg Vic.

'Wat?'

'Misschien nemen we je opnieuw aan. Of in ieder geval freelance. Hoe dan ook, ik wil dat jij dit doet.'

'Dat ik wat doe?'

'De politie heeft de telefoon van Haley McWaid gevonden.'

'En wat heeft dat met mij te maken?'

'Ze hebben hem gevonden in Dan Mercers motelkamer. Blijkbaar is die knul van jou verantwoordelijk voor wat er met haar is gebeurd, wat dat verdomme ook is.'

Ed Grayson lag alleen in zijn bed.

Maggie, al zestien jaar zijn vrouw, had haar koffers gepakt en was vertrokken terwijl hij werd verhoord voor de moord op Dan Mercer. Het gaf niet. Hun huwelijk wás al ten einde, was dat al enige tijd, moest hij toegeven, maar ja, je blijft bij elkaar en blijft hopen. Nu was ook die laatste hoop vervlogen. Maggie zou niets zeggen. Dat wist hij. Ze zou doen alsof het probleem niet bestond. Zo had ze het altijd gedaan. Je stopte alle slechte dingen in een koffer, legde die op de bovenste plank in een of andere kast achter in je hoofd, deed de deur dicht en plooide je lippen in een glimlach. Maggies favoriete gezegde, dat ze van haar moeder in Québec had, was: 'Als je gaat picknicken, neem je je eigen weer mee.' Zowel zij als haar moeder glimlachte veel. Ze hadden allebei zo'n stralende glimlach dat je soms vergat dat die niets te betekenen had.

Jarenlang had Maggies glimlach wél succes bij hem gehad. Die was onweerstaanbaar geweest voor de jonge Ed Grayson, had hem als het spreekwoordelijke blok voor haar doen vallen. Toen had de glimlach louter goedheid geleken, en Ed had dicht bij die goedheid willen zijn. Maar de glimlach was geen goedheid, had hij later ontdekt. Die was een rookgordijn, een masker om al het slechte op afstand te houden.

Toen de naaktfoto's van hun zoon E.J. voor het eerst boven water waren gekomen, was Ed erg geschrokken van Maggies reactie, want ze wilde doen alsof ze niet bestonden. Niemand hoeft het te weten, had ze gezegd. E.J. is ongedeerd, en hij is pas acht. Niemand had echt iets met hem gedaan, of als dat wel zo was, had het geen sporen nagelaten. De kinderarts had niets kunnen ontdekken. E.J. leek in orde, was onbezorgd als altijd. Hij plaste niet in bed, had geen nachtmerries en was niet overdreven angstig.

'Laat het rusten,' had Maggie tegen hem gezegd. 'Er is niks met hem aan de hand.'

Ed Grayson was verbijsterd geweest. 'Wil je die smeerlap dan niet achter de tralies hebben? Wil je hem de kans geven om zich aan andere kinderen te vergrijpen?'

'Andere kinderen interesseren me niet. Alleen E.J. interesseert me.'

'En dit is wat je hem wilt leren voor de rest van zijn leven? "Laat het rusten"?'

'Dat is het beste voor hem. Het heeft geen zin dat de hele wereld weet wat hem is overkomen.'

'Hij heeft niks verkeerd gedaan, Maggie.'

'Dat weet ik. Denk je dat ik dat niet weet? Maar de mensen zullen anders naar hem kijken. Hij zal erdoor gebrandmerkt worden. Als we het stilhouden, er tegen niemand iets over zeggen...'

Maggie had naar hem geglimlacht. Voor het eerst hadden de rillingen over zijn rug gelopen toen hij het zag.

Ed ging rechtop zitten en schonk nog een whisky met sodawater in. Hij pakte de afstandsbediening, zette ESPN aan en keek naar *SportsCenter*. Hij deed zijn ogen dicht en dacht aan het bloed. Dacht aan de pijn en de gruwelijkheden die hij anderen in naam der wet had aangedaan. Hij geloofde in alles wat hij tegen die tv-reporter, Wendy Tynes, had gezegd: dat er recht moest worden gedaan. Zoniet door het gerechtshof, nou, dan maar door iemand zoals hij. Maar dat betekende nog niet dat er geen persoonlijke prijs werd betaald door degene die dat op zich nam.

Je hoort vaak dat vrijheid niet echt vrij is. Gerechtigheid is dat evenmin.

Hij was alleen, maar Maggies geschokte gefluister, toen hij thuiskwam, echode nog steeds door zijn hoofd.

'Wát heb je gedaan?'

En in plaats van zich uitgebreid te rechtvaardigen had hij het kort en bondig gehouden.

'Het is voorbij.'

Toen hij het zei, had hij het net zo goed over henzelf kunnen hebben, over Ed en Maggie Grayson, en op zo'n moment kijk je terug en vraag je je af of er tussen hen ooit wel echte liefde had bestaan. Het was gemakkelijk om wat E.J. was overkomen te wijten aan hun onderlinge afstandelijkheid van de afgelopen jaren, maar was het ook waar? Veroorzaakte een tragedie een kloof – maakte ze die breder – of wierp een tragedie licht op een kloof die er altijd al was geweest? Misschien leven we in het duister, zijn we geblinddoekt door glimlachjes en façades van goedheid. Misschien neemt een tragedie je alleen je blinddoek af.

Ed hoorde de deurbel. Het was laat voor bezoek. Het geluid van de bel werd onmiddellijk gevolgd door ongeduldig gebons op de deur. Ed, die meer reageerde dan nadacht, sprong uit bed, trok de la van het nachtkastje open en haalde zijn dienstwapen eruit. Er werd nog een keer gebeld, en op de deur gebonsd.

'Meneer Grayson? Politie. Doet u open.'

Ed keek uit het raam. Twee hulpsheriffs van Sussex County, in hun bruine uniform, maar geen van beiden die grote, zwarte sheriff, Walker. Dat is snel, dacht Grayson. Hij was meer verbaasd dan geschokt. Hij legde het pistool weer in de la, liep de trap af en deed open.

De twee hulpsheriffs zagen eruit alsof ze een jaar of twaalf waren.

'Meneer Grayson?'

'Federaal marshal Grayson, jongeman.'

'Meneer, u staat onder arrest voor de moord op Daniel J. Mercer. Doet u uw handen achter uw rug, alstublieft, terwijl ik u uw rechten voorlees.'

17

In een zekere verdwazing beëindigde Wendy het telefoongesprek met haar vroegere – en weer huidige? – baas Vic Garrett.

Haley McWaids iPhone was onder Dan Mercers bed gevonden.

Ze probeerde het nieuws te absorberen en haar emoties te peilen. Haar eerste reactie was de meest voor de hand liggende: haar hart brak toen ze aan de familie McWaid dacht. Ze had zo gehoopt dat het allemaal goed zou komen. Oké, nu een stapje verder. Wendy was geschokt, ja. Dat was het gevoel dat overheerste. Misschien wel té geschokt. Zou ze ook niet een zekere opluchting moeten voelen, hoe banaal dat ook was? Want was dit niet het bewijs dat ze Dan al die tijd goed had ingeschat? Was er dan toch recht gedaan? Ze was niet het lokaas geweest in een of ander smerig complot waarin een onschuldig man, die alleen maar had geprobeerd goed te zijn voor anderen, om het leven was gebracht.

Maar op het beeldscherm voor haar neus stond de Facebookpagina van Dans eindexamenklas op Princeton. Ze deed haar ogen dicht en leunde achterover. Ze zag Dans gezicht voor zich, toen ze hem voor het eerst had ontmoet voor dat interview in het opvanghuis, dacht aan zijn enthousiasme voor de kinderen die hij van straat had gehaald, het grote ontzag waarmee die kinderen naar hem hadden gekeken, en het feit dat zij zich tot hem aangetrokken had gevoeld. Vervolgens schoten haar gedachten naar de vorige dag, in dat verdomde trailerpark, de gruwelijke verwondingen op en in datzelfde gezicht, het gedoofde licht in die ogen, en dat ze hem, ondanks alles wat ze wist, had willen aanraken.

Moest ze al die intuïtie zomaar negeren?

De andere kant was natuurlijk dat het kwaad vele gedaanten kende. Ze had al minstens tien keer het voorbeeld van de beruchte seriemoordenaar Ted Bundy horen noemen. Maar een feit was dat ze Bundy in de verste verten niet aantrekkelijk had gevonden. Misschien was het gepraat achteraf, omdat ze wist wie en wat hij was, maar je kon de gevoelloosheid in zijn ogen zien. Zij zou hem – daar was ze van overtuigd – een gladde, mooi pratende, charmante, stiekeme gluiperd hebben gevonden. Je kon het kwaad voelen. Dat kon echt. Of tenminste, dat dacht ze.

Bij Dan had ze dat noch gezien, noch gevoeld. Wat ze wel had gevoeld, zelfs op de dag dat hij werd vermoord, was warmte en vriendelijkheid. En dat was inmiddels meer dan alleen intuïtie. Bovendien was er Phil Turnball. En Farley Parks. Er was meer aan de hand, iets wat duister en gecompliceerd was.

Ze opende haar ogen en boog zich naar het scherm. Oké, Facebook. Ze had zich aangemeld en de pagina van Princeton gevonden, maar hoe moest ze nu verder?

Vraag het aan de plaatselijke Facebook-expert, bedacht ze.

'Charlie!'

Van beneden: 'Wat?'

'Kun je even hier komen?'

'Ik kan je niet verstaan.'

'Kom even hier!'

'Wat?' En daarna: 'Waarvoor?'

'Kom nou even.'

'Kun je niet gewoon zeggen wat je wilt?'

Ze greep haar mobiele telefoon en sms'te naar hem dat ze dringend computerhulp nodig had en dat ze, als hij niet opschoot, al zijn internetaccounts zou opzeggen, al had ze geen idee hoe dat moest. Even later hoorde ze een diepe zucht, gevolgd door zware, trage voetstappen op de trap. Charlie stak zijn hoofd om de deurpost.

'Wat is er?'

Ze wees naar het beeldscherm. 'Ik moet lid worden van deze groep.'

Charlie bekeek de pagina. 'Je hebt niet op Princeton gezeten.'

'Goh, dank je voor deze vlijmscherpe analyse. Dat wist ik zelf niet.'

Charlie glimlachte. 'Ik vind het cool als je cynisch tegen me bent.'

'Zo moeder, zo zoon.' God, wat hield ze van die jongen. Wendy had weer zo'n aanval, zoals alle ouders wel eens hadden, wanneer ze de onweerstaanbare aandrang hebben hun kind in hun armen te sluiten en het nooit meer los te laten.

'Wat is er?'

Ze drong het gevoel terug. 'Nou, hoe kom ik binnen in deze groep als ik niet op Princeton heb gezeten?'

Charlie trok een gezicht. 'Je maakt zeker een grapje, hè?'

'Zie ik eruit alsof ik een grapje maak?'

'Moeilijk te zeggen, met dat cynisme van je.'

'Ik maak geen grapje en ben niet cynisch. Hoe kom ik binnen?'

Charlie zuchtte, boog zich over haar heen en wees naar de rechterkant van de pagina. 'Zie je die link met JOIN GROUP?'

'Ja.'

'Daar klik je op.'

Hij ging weer rechtop staan.

'En dan?'

'Dat is alles,' zei haar zoon. 'Dan ben je binnen.'

Nu trok Wendy een gezicht. 'Maar, zoals je me net zo fijntjes duidelijk hebt gemaakt, ik heb niet op Princeton gezeten.'

'Maakt niet uit. Het is een open groep. Bij gesloten groepen staat er REQUEST TO JOIN. Maar deze is open voor iedereen. Klik hem aan en je bent binnen.'

Wendy keek hem ongelovig aan.

Charlie slaakte weer een zucht. 'Doe het nou maar,' zei hij.

'Goed dan. Wacht.' Wendy klikte de link aan en... voilà, zonder enig probleem was ze lid van een groep oud-studenten van Princeton, althans, op Facebook. Charlie keek haar aan alsof hij wilde zeggen 'ik zei het je toch?', schudde zijn hoofd, liep de kamer uit en bonkte de trap af. Wendy dacht weer aan hoeveel ze van hem hield.

En ze dacht aan Marcia en Ted McWaid, aan de politie die hun het nieuws over de iPhone vertelde, de telefoon die Haley waarschijnlijk heel graag had willen hebben en waarmee ze dolgelukkig was geweest toen ze hem kreeg, en die nu onder het bed van een onbekende man was gevonden.

Daar schoot ze niets mee op.

Je zit op Facebook, dus ga aan het werk. Eerst nam Wendy de lijst van de achtennegentig leden door. Geen Dan, geen Phil en geen Farley. Begrijpelijk. Alle drie hadden ze een reden om zich op de achtergrond te houden. En als ze lid van de Facebook-groep waren geweest, hadden ze zich waarschijnlijk laten uitschrijven. Geen van de andere namen kwam haar bekend voor.

Oké. Wat nu?

Ze opende het forum. Een topic over een zieke jaargenoot die door iedereen beterschap werd gewenst. Een andere topic over regionale bijeenkomsten van jaargenoten. Ook geen bekende namen. Een topic over een reünie die binnenkort zou worden gehouden. Ze nam de hele pagina door en kwam ten slotte uit bij een link die veelbelovend leek.

FOTO'S EERSTEJAARS!

Ze vond de drie op de vijfde foto van de diashow. Het onderschrift luidde STEARNS HOUSE, en op de foto stonden ongeveer honderd studenten die poseerden voor een bakstenen gebouw. Ze herkende Dan het eerst. Hij was mooi ouder geworden; zijn krullende haar was als volwassene wat korter geweest, maar verder was hij nauwelijks veranderd. Zonder twijfel een heel knappe jongen.

De namen stonden onder de foto. Farley Parks, toen al de politicus, stond pontificaal vooraan, in het midden. Phil Turnball stond meer naar rechts. En terwijl Dan gewoon gekleed was in een spijkerbroek en een T-shirt, konden Phil en Farley zo op de cover van het maandblad *Studentensnobs*, met hun kakibroek, overhemd en instappers zonder sokken. Het enige wat ontbrak was een trui die met de mouwen om de hals was geknoopt.

Oké, ze wist nu hoe de studentenflat heette. En nu?

Ze kon alle namen die onder de foto stonden door Google halen, maar dat zou een hoop tijd kosten en massa's irrelevante informatie opleveren. Trouwens, de meeste eerstejaars hadden nog niets te melden op internet.

Wendy ging terug naar het forum en nam de rest van de topics door. Na tien minuten vond ze wat ze zocht.

ONS JAARBOEK EERSTEJAARS OP FACEBOOK!

Ze klikte de link aan, downloadde een pdf-bestand en opende het met Acrobat Reader. Het jaarboek van de eerstejaars... Wendy dacht eraan terug en glimlachte. Want ze hadden er op Tufts natuurlijk ook één gehad. Je foto, de stad waar je vandaan kwam, je school en – waar ze nu het meest in geïnteresseerd was – het studentenhuis waar je woonde. Wendy klikte de M aan, bladerde twee pagina's door en vond Dan Mercer. Zijn eerstejaarsfoto en daaronder de informatie.

Daniel J. Mercer
Riddle, Oregon
Riddle High School
Stearns House, flat 109

Dan grijnsde op de foto alsof hij zijn hele leven nog voor zich had. Fout. Zo te zien was hij een jaar of achttien toen de foto was genomen. De glimlach zei dat hij de hele wereld aankon, dat hij – ja zeker – zou afstuderen aan Princeton, zou trouwen, zou scheiden... en dan wat?

Dat hij pedofiel werd en zou worden doodgeschoten?

Klonk dat logisch? Was Dan toen al pedofiel, op achttienjarige leeftijd? Had hij al iemand misbruikt? Had hij op school al die aandrang gehad... of daar al aan toegegeven? Had hij echt een tienermeisje gekidnapt?

Waarom wilde dit er bij haar niet in?

Doet er niet toe. Concentreer je. Ze had nu het nummer van de flat in Stearns House, flat 109. Ze klikte de P aan om het te checken. En, jawel, Farley Parks, geboren in Bryn mawr, Pennsylvania, van de Lawrenceville School, had ook in Stearns House, flat 109 gewoond. En Philip Turnball uit Boston, Massachusetts, van de Phillips Academy in Andover, die er op de foto vrijwel hetzelfde uitzag als nu... ja, hoor, ook Stearns House, flat 109.

Wendy ging naar de zoekfunctie en typte STEARNS HOUSE, FLAT 109 in.

Vijf hits.

Philip Turnball, Daniel Mercer, Farley Parks... en twee nieuwe gezichten: Kelvin Tilfer, een negroïde jongen met een behoedzame glimlach, en Steven Miciano, die om zijn nek zo'n bandje van gevlochten leer met een grote kraal in het midden had.

De twee nieuwe namen zeiden haar niets. Ze opende Google in een ander scherm en typte KELVIN TILFER in.

Niets. Bijna letterlijk niets. Eén link naar een lijst van oud-studenten van Princeton, en dat was het zo'n beetje. Geen Facebook. Geen Twitter. Geen MySpace. Geen LinkedIn.

Wendy vroeg zich af wat ze daarvan moest denken. Over de meeste mensen is wel iets, hoe onbenullig ook, op internet te vinden. Maar Kelvin Tilfer, zeker als je zijn flatgenoten in aanmerking nam, was een geest.

Wat zou dat kunnen betekenen?

Misschien niets? Het was te vroeg om er theorieën op los te laten. Eerst meer informatie verzamelen.

Wendy typte STEVEN MICIANO in het venstertje. Toen ze de links zag, voordat ze er een had aangeklikt om de volledige tekst te lezen, wist ze het al.

'Godsamme,' zei ze hardop.

'Wat?' vroeg een stem achter haar.

Het was Charlie. 'Niks. Wat is er?'

'Vind je het goed als we naar Clarks huis gaan?'

'Ja, hoor.'

'Cool.'

Charlie liep de kamer uit. Wendy keerde zich weer naar het beeldscherm. Ze klikte de eerste link aan: een nieuwsbericht van vier maanden geleden, uit een krant die de *West Essex Tribune* heette.

> Stadgenoot Steven Miciano, orthopedisch chirurg in het St. Barnabus Medical Center in Livingston, New Jersey, is gisteravond gearresteerd op beschuldiging van het in bezit hebben van verboden middelen. De politie, die was getipt, vond wat werd omschreven als 'een grote hoeveelheid illegaal verkregen pijnstillers op recept' in de kofferbak van de auto van de arts. Dokter Miciano is op borgtocht vrijgelaten in afwachting van een hoorzitting. Een woordvoerder van het St. Barnabus Medical Center heeft verklaard dat dokter Miciano gedurende het onderzoek van zijn taken is ontheven totdat de zaak is opgehelderd.

Dat was het. Wendy ging naar de website van de *West Essex Tribune* om de follow-ups van de weken daarna te lezen. Die waren er niet. Ze ging terug naar Google en vond links die naar blogs en zelfs naar Twitter verwezen. De eerste was van een vroegere patiënt die vertelde dat Miciano had geprobeerd hem onder de tafel drugs te verkopen. Een tweede was van een leverancier van medicijnen die beweerde te beschikken over bewijzen om Miciano gerechtelijk te vervolgen. Een derde kwam van een blog, van een patiënt die meende dat Miciano 'onbekwaam' en 'duidelijk onder invloed van iets' was geweest.

Wendy begon notities te maken, klikte alle links naar blogs en Twitter aan, zocht op de diverse forums, op MySpace en in Facebook.

Dit was te gek voor woorden.

Vijf eerstejaars flatgenoten van Princeton. Over een van de vijf was niets te vinden. Goed, ze liet Kelvin Tilfer even buiten beschouwing. De andere vier: een financieel adviseur, een politicus, een maatschappelijk werker... en nu een chirurg. En alle vier waren ze binnen ongeveer een jaar tijd bij een schandaal betrokken geraakt.

Dat was wel heel toevallig.

18

Met het ene telefoontje dat hem was toegestaan belde Ed Grayson zijn advocaat, Hester Crimstein, wakker. Hij vertelde dat hij was gearresteerd.

Hester zei: 'Dit klinkt zo absurd dat ik normaliter een van mijn medewerkers zou hebben gestuurd.'

'Maar?' zei Ed.

'Maar de timing bevalt me niet.'

'Mij ook niet,' zei Ed.

'Ik heb Walker amper een paar uur geleden in zijn grote hemd gezet. Waarom zou hij je dan weer oppakken en je nu echt arresteren?' Ze wachtte even. 'Of begin ik mijn touch kwijt te raken?'

'Dat is het niet, denk ik.'

'Dat denk ik ook niet. Dus dan moet het betekenen dat ze iets nieuws hebben.'

'De bloedtest?'

'Dat zou niet voldoende zijn.' Hester aarzelde. 'Ed, weet je zeker dat ze niks anders gevonden kunnen hebben dat... eh... belastend voor jou is?'

'Uitgesloten.'

'Weet je het echt zeker?'

'Absoluut.'

'Oké, je weet hoe het werkt. Je zegt geen woord. Ik bel mijn chauffeur uit bed en kom naar je toe. Veel verkeer zal er niet zijn, dus binnen een uur ben ik er.'

'Er is nog een probleempje,' zei hij.

'En dat is?'

'Ik ben deze keer niet naar het politiebureau in Sussex County gebracht. Ik zit in Newark. Dat is Essex County, een andere jurisdictie.'

'Enig idee waarom?'

'Nee.'

'Oké, blijf waar je bent. Ik schiet even wat kleren aan. Deze keer kom ik met zwaar geschut. Geen medelijden meer met die kwezels.'

Drie kwartier later zat Hester naast haar cliënt Ed Grayson in een kleine verhoorkamer met een formica vloer en een daarin verankerde tafel. Ze wachtten. Ze wachtten heel lang. Hester werd alsmaar bozer.

Uiteindelijk ging de deur open. Sheriff Walker kwam binnen, gekleed in zijn uniform. Een andere man – buik, een jaar of zestig, in een eekhoornbruin pak dat eruitzag alsof hij er expres kreukels in had gemaakt – kwam hem achterna.

'Sorry voor het wachten,' zei Walker. Hij ging bij de achtermuur staan en leunde ertegenaan. De andere man nam tegenover Grayson aan de tafel plaats. Hester liep nog te ijsberen.

'We gaan weg,' zei ze.

Walker stak zijn hand op en bewoog twee vingers. 'Toedeloe, raadsvrouw, we zullen je missen. O, maar je cliënt gaat nergens heen. Hij staat onder arrest. Hij zit al in het systeem... is officieel in hechtenis genomen en zo. Het is al laat. Morgenochtend vroeg kan hij worden voorgeleid om de borg te bepalen, maar maak je geen zorgen, we hebben hier knusse cellen om de nacht door te brengen.'

Hester wilde er niets van weten. 'Een vraagje, sheriff, ben je officieel gekozen en benoemd?'

'Ja, dat ben ik.'

'Stel je dan eens voor dat ik al mijn middelen aanspreek om jou een groot oor aan te naaien. Ik bedoel, zo moeilijk moet dat toch niet zijn? Je arresteert een man wiens zoon het slachtoffer was van een vuile, vieze...'

Eindelijk nam de andere man het woord. 'Kunnen we de dreigementen even laten voor wat ze zijn?'

Hester keek hem aan.

'Je doet verdomme maar wat je wilt, mevrouw Crimstein, oké? Het kan me niet schelen. We hebben vragen. Jullie gaan die beantwoorden, of je cliënt gaat zo ver zoekraken in het systeem dat hij er nooit meer uit komt. Ben ik duidelijk?'

Hester Crimstein kneep haar ogen tot spleetjes. 'En jij bent?'

'Mijn naam is Frank Tremont. Ik ben rechercheur van de politie van Essex County. En, echt, als we nu even kunnen ophouden met stoer doen, komen jullie misschien te weten waarom we hier zijn.'

Hester keek alsof ze hem wilde aanvliegen, maar ze nam wat gas terug. 'Goed dan, grote jongen, wat hebben jullie?'

Het was Walker die reageerde. Hij legde met een klap een dossier op tafel. 'Een bloedtest.'

'En die beweert?'

'Zoals je weet hebben we bloed in de auto van je cliënt gevonden.'

'Dat zei je al.'

'En dat bloed komt exact overeen met dat van het slachtoffer, Dan Mercer.'

Hester gaapte theatraal.

Walker zei: 'Misschien kun je ons vertellen hoe dat kan.'

Hester haalde haar schouders op. 'Misschien zijn ze samen een eindje gaan rijden en kreeg Dan Mercer een bloedneus.'

Walker sloeg zijn armen over elkaar. 'Is dat echt het beste wat je kunt verzinnen?'

'O, nee, sheriff Walker. Ik kan veel betere dingen verzinnen, als je het per se wilt.' Hester sloeg haar ogen neer en vervolgde met de stem van een klein meisje: 'Misschien mag ik een hypothese op tafel leggen?'

'Ik geef de voorkeur aan feiten.'

'Sorry, mooie jongen, maar meer heb ik niet in de aanbieding.'

'Goed dan. Laat maar horen.'

'Nou, mijn hypothese is de volgende, als jullie me toestaan. Jullie hebben een ooggetuige van de vermeende moord op Dan Mercer, is dat juist?'

'Ja.'

'Welnu, nog steeds hypothetisch, laten we nu eens aannemen dat ik de verklaring van jullie getuige, die tv-reporter, Wendy Tynes, heb gelezen.'

'Dat kan niet,' zei Walker. 'Zowel de verklaring als de identiteit van de getuige is strikt vertrouwelijk.'

'O, hemeltje, hemeltje. Sorry, hoor. De hypothetische verklaring afgelegd door een hypothetische tv-reporter. Mag ik doorgaan?'

Frank Tremont zei: 'Ga je gang.'

'Geweldig. Nou, volgens haar hypothetische verklaring had ze, toen ze Dan Mercer opzocht in zijn trailer en vóórdat er werd geschoten, duidelijke sporen gezien die erop wezen dat hij kort daarvoor was mishandeld.'

Niemand zei iets.

'Mag ik wat feedback?' vroeg Hester. 'Kan een van jullie ten minste even knikken?'

'Doe maar alsof we allebei hebben geknikt,' zei Frank.

'Oké, goed dan. Laten we nu eens aannemen – nog steeds hypothetisch – dat Dan Mercer een paar dagen daarvoor een ontmoeting met de vader van een van de slachtoffers heeft gehad. Een ontmoeting die uitdraaide op een handgemeen. Laten we aannemen dat daarbij wat bloed is gevloeid. En laten we aannemen dat het bloed in een auto terecht is gekomen.'

Ze stopte met praten, spreidde haar armen en trok haar ene wenkbrauw op. Walker keek naar Tremont.

'Wel, wel, wel,' zei Frank Tremont.

'Wel, wel, wat?'

Hij probeerde te glimlachen, maar daar was hij te gespannen voor. 'Als er een hypothetisch handgemeen plaatsvond, was je cliënt wel degene die daar een motief voor had, of niet soms?'

'Sorry, hoe heette je ook alweer?'

'Frank Tremont, van de politie van Essex County.'

'Werk je daar pas, Frank?'

Nu was hij het die zijn armen spreidde. 'Zie ik er zo uit?'

'Nee, Frank, je ziet eruit als honderd jaar foute inschattingen. En je opmerking over motief is er een die een groentje met zuurstofgebrek tijdens de geboorte zou maken tegen een hersendode aspirant-jurist. Want, ten eerste – let goed op – is de verliezer in een handgemeen gewoonlijk degene die op vergelding uit is, waar of niet?'

'Meestal wel.'

'Nou...' Hester gebaarde naar haar cliënt alsof ze een tv-quiz presenteerde. '... kijk eens naar deze kerngezonde bonk mannelijkheid die ik vertegenwoordig. Zie je ook maar één blauwe plek, krasje of wondje? Nee. Dus je zou denken dat áls er een lichamelijk treffen heeft plaatsgevonden, mijn jongen hier als winnaar uit de bus is gekomen, denk je ook niet?'

'Dat bewijst niks.'

'Geloof me, Frank, jij wilt niet met mij in discussie over wat er te bewijzen valt of niet. Bovendien, of het handgemeen nu wordt gewonnen of verloren, is niet relevant. Je hebt het hier over het vinden van een motief, alsof dat vernieuwend of verhelderend is. Jij bent nieuw in deze zaak, Frank, dus ik zal je een eindje op weg helpen. Dan Mercer heeft naaktfoto's gemaakt van het achtjarige zoontje van mijn cliënt. Dat is al motief genoeg, begrijp je? Wanneer een man jouw kind seksueel misbruikt, is dat een motief voor een vergeldingsdaad. Schrijf het op. Ervaren rechercheurs horen dit soort dingen te weten.'

Frank maakte een grommend geluid. 'Daar gaat het niet om.'

'Helaas is dat precies waar het om gaat, Frank. Jullie beweren met die bloedtest tot een grote doorbraak in de zaak gekomen te zijn. Wij worden in het holst van de nacht hiernaartoe gesleept omdat jullie zo onder de indruk van de uitslag zijn. Nou, ik kan je vertellen dat jullie zogenaamde bewijs – en dan ga ik niet eens in op het deel van hoe ik jullie technische recherche door de mangel ga halen en de onrechtmatige manier waarop het bewijs is verkregen, want Walker kan de tape van ons vorige onderonsje voor je afspelen – geen ene bal voorstelt en zo van tafel kan worden geveegd.'

Hester keek naar Walker. 'Ik wil je niet bang maken, maar ben je echt van plan om deze halfbakken bloedtest te gebruiken om mijn cliënt onterecht te arresteren op verdenking van moord?'

'Niet voor moord,' zei Tremont.

Daar keek Hester van op. 'O nee?'

'Nee. Niet voor moord. Voor medeplichtigheid door hulp achteraf.'

Hester keerde zich naar Ed Grayson. Hij haalde zijn schouders op. Ze keek Tremont weer aan. 'Laten we doen alsof ik naar adem heb gehapt en meteen doorgaan met de vraag wat je bedoelt met medeplichtigheid door hulp achteraf.'

'We hebben Dan Mercers motelkamer doorzocht,' zei Frank Tremont. 'We hebben dít gevonden.'

Hij schoof een foto van achttien bij vierentwintig centimeter naar haar toe. Hester keek ernaar… een roze iPhone. Ze liet hem aan Ed Grayson zien en legde haar hand op zijn onderarm als om hem te waarschuwen dat hij niet moest reageren. Hester zei niets. Grayson zei ook niets. Hester was zich bewust van bepaalde basisvaardigheden. Er waren momenten die om de aanval schreeuwden, en er waren momenten die om stilte vroegen. Ze had de neiging – wat een verrassing – te vaak in de aanval te gaan en te veel te praten. Maar nu wílden ze een reactie van haar. Welke reactie ook. En zij wilde die niet geven. Dus wachtte ze in stilte af.

Er ging een volle minuut voorbij voordat Frank Tremont zei: 'Deze telefoon is gevonden onder Mercers bed in zijn motelkamer in Newark, niet ver van de plek waar wij nu zitten.'

Hester en Grayson zeiden nog steeds niets.

'Dit toestel is van een vermist meisje dat Haley McWaid heet.'

Ed Grayson, de gepensioneerde federale marshal die beter had moeten weten, begon hardop te kreunen. Hester draaide zich naar hem om. De kleur trok weg uit zijn gezicht alsof iemand een kraan had opengedraaid en al het bloed uit zijn lijf liep. Hester pakte zijn onderarm vast en kneep erin om hem weer bij de les te krijgen.

Hester probeerde tijd te rekken. 'Jullie willen toch niet beweren dat mijn cliënt…'

'Weet je wat ik denk, Hester?' onderbrak Frank Tremont haar. Zijn zelfvertrouwen was toegenomen, net als het volume van zijn stem. 'Ik denk dat jouw cliënt Dan Mercer heeft vermoord omdat Mercer vrijuit ging voor wat hij de zoon van je cliënt had aangedaan. Dát denk ik. Ik denk dat jouw cliënt heeft besloten het recht in eigen hand te nemen... en tot op zekere hoogte kan ik hem niet eens ongelijk geven. Als iemand dit met mijn kind had gedaan, ja, natuurlijk was ik dan achter hem aan gegaan. Echt, ik zweer het. En daarna zou ik de allerbeste advocaat in de arm nemen, want de waarheid is dat het slachtoffer in dit geval zo onsympathiek is – zo'n ongelofelijke smeerlap – dat hij inderdaad in een propvol Giantsstadion doodgeschoten kan worden zonder dat ook maar iemand de dader zou veroordelen.'

Hij keek naar Hester. Ze had haar armen over elkaar geslagen en wachtte af.

'Maar dat is het probleem wanneer je het recht in eigen hand neemt. Je weet namelijk nooit waar het toe zal leiden. Want nu – o, en we zijn nog steeds hypothetisch bezig, nietwaar? – heeft jouw cliënt de enige persoon vermoord die ons misschien had kunnen vertellen wat er met dit meisje van zeventien is gebeurd.'

'O, god,' zei Grayson. Hij sloeg zijn handen voor zijn gezicht.

Hester zei: 'Ik wil mijn cliënt even onder vier ogen spreken.'

'Waarom?'

'Schiet op, ga verdomme de kamer uit.' Toen scheen ze zich te bedenken, boog zich naar Grayson en fluisterde in zijn oor: 'Weet jij hier iets van?'

Grayson deinsde achteruit en keek haar vol afgrijzen aan. 'Nee, natuurlijk niet.'

'Oké.'

'Luister,' vervolgde Frank. 'We denken niet dat jouw cliënt Haley McWaid iets heeft aangedaan. Maar we zijn er verdomde zeker van dat Dan Mercer haar wel iets heeft gedaan. Dus nu moeten we alles uit de kast trekken om Haleys verblijfplaats te vinden. Alles. Ook waar Mercers lijk verborgen is. En we lopen in dit geval een race tegen de klok. Want voor zover we weten hield Dan haar ergens vast. Dus misschien zit Haley opgesloten op een of andere geheime plek, is ze doodsbang, gewond... wie zal het zeggen? Op dit moment wordt zijn tuin omgespit. We informeren bij buren, collega's, vrienden, zelfs bij zijn ex-vrouw, naar plaatsen waar hij wel eens kwam. Maar de klok tikt door en ondertussen zit dat meisje daar helemaal alleen, vastgebonden, zonder eten en drinken, of erger nog.'

'En jullie denken,' zei Hester, 'dat Mercers lijk ons kan vertellen waar ze is?'

'Dat is mogelijk, ja. Misschien draagt zijn lijk of zijn kleding sporen of aanwijzingen over haar verblijfplaats. Kortom, wij willen dat jouw cliënt ons vertelt waar we het lijk van Dan Mercer kunnen vinden.'

Hester schudde haar hoofd. 'Verwachten jullie nu echt dat ik mijn cliënt toesta een voor hemzelf belastende verklaring af te leggen?'

'Ik verwacht dat jouw cliënt doet wat juist is.'

'Misschien zuigen jullie het hele verhaal wel uit je duim.'

Frank Tremont stond op. 'Pardon?'

'Ik heb eerder met de politie en hun trucs te maken gehad. Beken en we kunnen het meisje redden.'

Hij boog zich over de tafel. 'Kijk eens goed naar mijn gezicht. Denk je echt dat dit een truc is?'

'Dat kan.'

Walker zei: 'Het is geen truc.'

'En ik moet jullie maar op je woord geloven?'

Walker en Tremont bleven haar aankijken. Ze wisten het allemaal... dit was echt. Robert De Niro had het niet beter kunnen spelen.

'Toch,' zei Hester, 'sta ik niet toe dat mijn cliënt een belastende verklaring aflegt.'

Tremont kreeg een rood gezicht en stond op. 'Denk jij er ook zo over, Ed?'

'Praat met mij, niet met mijn cliënt.'

Frank trok zich niets van haar aan. 'Je bent een oud-politieman.' Hij leunde op de tafel, bracht zijn gezicht vlak bij dat van Ed Grayson. 'Door Dan Mercer te vermoorden, ben je misschien verantwoordelijk voor de dood van Haley McWaid.'

'Laat hem met rust,' zei Hester.

'Kun je daarmee leven, Ed? Wil je dat op je geweten hebben? Als je denkt dat ik tijd ga verspillen aan allerlei juridische afleidingsmanoeuvres...'

'Wacht,' zei Hester, en haar stem klonk opeens weer kalm en beheerst. 'Baseren jullie dit verband alleen op die mobiele telefoon?'

'Hoe bedoel je?'

'Is dit alles wat jullie hebben? De telefoon die jullie in zijn motelkamer hebben gevonden?'

'Hoezo? Vind je dat niet genoeg?'

'Dat vraag ik niet, Frank. Wat ik vraag is: wat hebben jullie nog meer?'

'Wat maakt het uit?'

'Vertel het me nou maar.'

Frank Tremont keek Walker aan. Walker knikte. 'Zijn ex-vrouw,' zei Frank. 'Mercer kwam regelmatig bij haar thuis. Haley McWaid is ook bij haar thuis geweest, is gebleken.'

'En jullie denken dat Mercer haar daar heeft ontmoet?'

'Ja, dat denken we.'

Hester knikte. 'Ik verzoek jullie vriendelijk mijn cliënt nú te laten gaan.'

'Dat meen je toch niet, hè?'

'Nu meteen.'

'Je cliënt heeft ons enige spoor om zeep geholpen!'

'Fout,' zei Hester op scherpe toon. Haar stem galmde door de verhoorkamer. 'Als het waar is wat jullie zeggen, heeft Ed Grayson jullie je enige spoor gegéven.'

'Waar heb je het verdomme over?'

'Hoe hebben jullie halfzachte stumperds die telefoon gevonden?'

Niemand antwoordde.

'Jullie hebben Dan Mercers motelkamer doorzocht. Waarom? Omdat jullie dachten dat mijn cliënt hem had vermoord. Dus zónder dat vermoeden zouden jullie niks hebben gehad. Drie maanden politieonderzoek en jullie hadden niks gevonden. Tot vandaag. Totdat mijn cliënt jullie je enige aanwijzing heeft gegeven.'

Stilte. Maar Hester was nog niet klaar.

'En nu we het daar toch over hebben, Frank, ik weet wie jij bent. Rechercheur Frank Tremont van de politie van Essex County, die een paar jaar geleden een belangrijke moordzaak heeft verprutst. De uitgerangeerde flutrechercheur die door zijn baas Loren Muse van de zaak werd gehaald omdat hij zowel aartslui als incompetent was, dat was het toch? En nu zit je hier, werk je aan je laatste zaak, en wat gebeurt er? In plaats van jezelf en je meelijwekkende loopbaan nog enige glans te geven, neem je niet eens de moeite om te onderzoeken of de wegen van een beruchte pedofiel en een vermist meisje elkaar nooit hebben gekruist. Hoe is het verdomme mogelijk dat je daar nooit aan hebt gedacht, Frank?'

Nu was het Frank Tremont wiens gezicht lijkbleek werd.

'En nu, luie smeris die je bent, heb je het lef om mijn cliënt van medeplichtigheid door hulp achteraf te beschuldigen? Je zou hem dankbaar moeten zijn. Je werkt al maanden aan deze zaak en je hebt geen bal gevonden. Je bent nu dichter bij het terugvinden van dat arme kind juist door waar je mijn cliënt van beschuldigt.'

Frank Tremont liep ten overstaan van iedereen leeg als een luchtballon.

Hester knikte naar Grayson. Ze maakten aanstalten om op te staan.

'Wat zijn jullie van plan?' vroeg Walker.

'Wij gaan weg.'

Walker keek of Tremont protesteerde. Maar Tremont was zich nog aan het herstellen van de dreun die hij had gekregen. Walker nam het woord. 'Helemaal niet. Je cliënt staat onder arrest.'

'Luister goed naar me,' zei Hester. Haar stem klonk nu zachter, bijna verontschuldigend. 'Je verspilt je tijd.'

'Hoezo?'

Ze keek hem recht in de ogen. 'Als we iets wisten wat jullie zou helpen dat meisje te vinden, zouden we het heus wel zeggen.'

Stilte.

Walker koos voor bravoure, maar daar had hij niet veel meer van over. 'Waarom laat je ons niet bepalen wat haar kan helpen of niet?'

'Ja,' zei Hester terwijl ze helemaal opstond, een blik in de richting van Tremont wierp en Walker weer aankeek. 'Dankzij je doortastende aanpak is mijn vertrouwen in jullie groter dan ooit. Als ik je een goede raad mag geven: concentreer je op het opsporen van dat arme kind, niet op het aanklagen van de man die tot nu toe in deze zaak de enige held is.'

Er werd op de deur geklopt. Een jonge hulpsheriff stak zijn hoofd naar binnen. Alle blikken werden op hem gericht. Walker vroeg: 'Wat is er, Stanton?'

'Ik heb iets in haar telefoon gevonden. Ik denk dat jullie dit moeten zien.'

19

Frank Tremont en Mickey Walker volgden Stanton door de gang. 'Hester Crimstein is een immorele haai met de scrupules waar een straathoer zich voor zou schamen,' zei Walker tegen Frank. 'Je weet dat die onzin over jouw incompetentie alleen maar was bedoeld om ons op de kast te jagen.'

'Hm.'

'Je hebt met hart en ziel aan deze zaak gewerkt. Je hebt er meer aan gedaan dan wie ook.'

'Ja.'

'Net als de FBI en al die bigshot profilers en iedereen van je bureau. Niemand had dit kunnen voorzien.'

'Mickey?'

'Ja?'

'Als ik behoefte heb aan een aai over mijn bol,' zei Frank, 'ga ik wel op zoek naar iemand die wat vrouwelijker en sexyer is dan jij, oké?'

'Ja, oké.'

Stanton ging hen voor naar een hoekkamer in het souterrain, waar de technische jongens hun werk deden. Ze hadden de iPhone van Haley McWaid aangesloten op een computer. Stanton wees naar het scherm. 'Wat jullie hier zien, is haar telefoon, maar dan uitvergroot.'

'Oké,' zei Frank Tremont. 'En wat heb je voor ons?'

'Ik heb iets in een van de "apps" gevonden.'

'De wat?'

'De apps. De applicaties van het toestel.'

Tremont hees zijn broek op aan de riem. 'Doe maar alsof ik een of ander fossiel ben en dat ik nog steeds niet weet hoe ik mijn Betamax moet programmeren.'

Stanton sloeg een toets aan. Het scherm werd zwart en er verscheen een reeks icoontjes in beeld, in drie nette rijtjes. 'Dit hier zijn de applicaties van de iPhone. Kijk, Haley had iCal, waarin ze haar afspraken bijhield, haar lacrossewedstrijden en haar huiswerk, een soort agenda... ze had Tetris, een spelletje, en Moto Chaser, ook een spelletje... Safari is haar browser voor internet, en met iTunes kon ze muziek downloaden. Haley is dol op muziek. Ze had nog een muziekprogrammaatje, dat heet Shazam. Daarmee kon ze...'

'We hebben nu wel een idee, denk ik,' zei Walker.

'Oké, sorry.'

Frank staarde naar Haleys iPhone. Wat, vroeg hij zich af, was het laatste liedje dat ze had beluisterd? Hield ze van pittige rock of van hartverscheurende ballades? Frank, als oude brombeer, had vaak de draak gestoken met dit soort apparaten, met jongelui die sms'ten en e-mailden, en die de hele dag met oordopjes in liepen, maar in feite gaf het toestel een beeld van een heel leven. Al haar vrienden en vriendinnen zouden in het adresboek staan, haar schoolrooster in de agenda, haar lievelingsliedjes in een of andere lijst, foto's die een glimlach op haar gezicht brachten – zoals die met Mickey Mouse – in haar fotoarchief...

Hij dacht weer aan Hester Crimsteins verwijt. Oké, Dan Mercer had zich in het verleden niet schuldig gemaakt aan geweld en verkrachting, hij gaf de voorkeur aan meisjes die veel jonger waren dan Haley, en – zeg nou zelf – het feit dat zijn ex-vrouw in dezelfde grote stad woonde had ook geen alarmbellen doen rinkelen. Maar Crimsteins woorden over zijn incompetentie gonsden na in zijn hoofd, want in die woorden had Frank de echo van de waarheid gehoord.

Hij had het verband moeten zien.

'Maar goed,' zei Stanton, 'ik wil niet te veel op de details ingaan, maar hier is iets wat toch wel opvalt. Haley downloadde muziek van het net, zoals elke tiener, maar geen enkel liedje sinds haar verdwijning. Hetzelfde geldt voor surfen op het net. Ik bedoel, we weten op welke websites ze is geweest, want die worden vastgelegd door haar browser. En wat ik daar vond was weinig verrassend. Ze heeft een paar zoekopdrachten gedaan naar de universiteit van Virginia... volgens mij had ze aardig de pest in dat ze daar niet was toegelaten, kan dat?'

'Klopt.'

'En een zoekopdracht naar een meisje, ene Lynn Jalowski uit West Orange, een lacrossespeelster die wel op de universiteit van Virginia werd toegelaten, dus ik neem aan dat ze die als een soort rivaal beschouwde.'

'Dat weten we allemaal al,' zei Frank.

'Goed dan, de geschiedenis... dus dan weten jullie ook dat alle teksten van chats en sms'jes bewaard zijn gebleven, hoewel ik moet zeggen dat Haley er veel minder gebruik van maakte dan de meesten van haar leeftijdgenoten. Maar kijk, we hebben hier nog iets, een aparte applicatie die deel uitmaakt van Google Earth. Jullie weten waarschijnlijk wel wat dat is.'

'Kom maar op,' zei Frank.

'Kijk hier. In feite is dit een ingebouwd GPS-zendertje.'

Stanton pakte Haleys iPhone en klikte de globe aan. Een grote wereldbol verscheen draaiend in beeld en toen begon een satellietcamera in te zoomen, de bol werd groter en groter, eerst de Verenigde Staten, toen de Oostkust, toen New Jersey... totdat hij stopte, ongeveer honderd meter boven het gebouw waar ze nu waren, met daaronder de tekst: 50 W MARKET STREET, NEWARK, NJ.

Franks mond viel open. 'Dus we kunnen alle plaatsen nagaan waar deze iPhone is geweest?'

'Was het maar waar,' zei Stanton. 'Nee. Want je moet de applicatie wel aanzetten. Haley heeft dat niet gedaan. Maar hiermee kun je dus elk adres of elke plek opzoeken en er een satellietfoto van zien. Ik laat nu een paar experts uitzoeken hoe het precies in elkaar zit, maar ik ga ervan uit dat Google Earth een soort privacy heeft ingebouwd waardoor eerdere zoekopdrachten niet naar de server worden gestuurd. En de geschiedenis kan ons niet vertellen wanneer een zoekopdracht is gegeven, maar wel dát die is gegeven, en waarnaar is gezocht.'

'En hééft Haley dingen opgezocht?'

'Maar twee sinds ze de applicatie had gedownload.'

'En?'

'De eerste was haar eigen huis. Ik neem aan dat ze hem, nadat ze hem had gedownload, heeft aangezet om te zien waar ze was en of het werkte. Dus die telt niet mee.'

'En de tweede?'

Stanton raakte het icoontje aan en de reusachtige wereldbol van Google Earth begon weer te draaien. Ze zagen hoe er weer werd ingezoomd op New Jersey. Het beeld kwam tot stilstand boven een bebost gebied met een enkel gebouw in het midden.

'Ringwood State Park,' zei Stanton. 'Een kleine zeventig kilometer hiervandaan. Midden in de Ramapo Mountains. Het gebouw heet Skylands Manor en het staat midden in het park. Eromheen is bos, minstens tweeduizend hectare.'

Eén of twee seconden was het doodstil. Frank voelde zijn hart bonzen in zijn borstkas. Hij keek Walker aan. Er werd niets gezegd. Ze wisten het. Wanneer je iets als dit in de schoot geworpen krijgt, wéét je het gewoon. Het park was flink groot. Frank herinnerde het zich van een paar jaar geleden, toen een of andere survivalidioot zich meer dan een maand in het bos had verschanst. Je kon er een kamp maken, onder de bomen, tussen het groen, en daar iemand vasthouden.

Of je kon er natuurlijk iemand begraven, op een plek waar ze nooit zou worden gevonden.

Tremont was de eerste die op zijn horloge keek. Middernacht. Urenlang duisternis voor de boeg. Een gevoel van paniek laaide in hem op. Snel belde hij Jenna Wheeler. Als ze niet opnam, zou hij in zijn auto stappen en door de voordeur haar huis binnenrijden om antwoord op zijn vraag te krijgen.

'Hallo?'

'Dan ging graag joggen, hè?'

'Ja.'

'Had hij vaste routes?'
'Ik weet dat hij vaak in Watchung liep.'
'En in Ringwood State Park?'
Stilte.
'Jenna?'
Het duurde even voordat ze antwoord gaf.
'Ja,' zei ze, met een stem die van ver weg kwam. 'Ik bedoel, jaren geleden, toen we pas waren getrouwd, kwamen we er vaak om de Cupsaw Brook-route te lopen.'
'Kleed je aan. Ik stuur een auto om je op te halen.' Frank Tremont verbrak de verbinding en wendde zich tot Walker en Stanton. 'Ik wil helikopters, speurhonden, bulldozers, schijnwerpers, reddingsteams, boswachters, iedere beschikbare man die je kunt vinden, plus vrijwilligers uit de buurt. Kom op, aan de slag.'
Walker en Stanton knikten.
Frank Tremont klapte zijn telefoon weer open. Hij haalde diep adem, dacht aan Hester Crimsteins verwijt van zo-even en zocht het nummer van Ted en Marcia McWaid op.

Om vijf uur in de ochtend schrok Wendy wakker van de telefoon. Ze was pas twee uur daarvoor in slaap gevallen. Ze was opgebleven, had op internet gezocht en geprobeerd de stukjes in elkaar te passen. Nog steeds niets over Kelvin Tilfer. Was hij de uitzondering die de regel bevestigde? Dat kon ze nog niet zeggen. Maar hoe meer research ze naar de andere vier had gedaan – hoe dieper ze in hun verleden was gedoken – hoe vreemder ze de schandalen van de flatgenoten van Princeton was gaan vinden.
Wendy vond haar telefoon op de tast en kreunde: 'Hallo?'
Vic had blijkbaar geen tijd voor beleefdheden. 'Weet je waar Ringwood State Park is?'
'Nee.'
'Dat is in Ringwood.'
'Je zou een geweldige reporter geweest zijn, Vic.'
'Ga ernaartoe.'
'Waarom?'

'Omdat de politie daar nu naar het lijk van dat meisje zoekt.'

Ze ging rechtop zitten. 'Van Haley McWaid?'

'Yep. Ze denken dat Mercer haar in het bos heeft gedumpt.'

'Hoe zijn ze daar terechtgekomen?'

'Mijn bron zei iets over Google Earth in haar iPhone. Ik stuur een camerateam naar je toe.'

'Vic?'

'Ja?'

Wendy streek door haar warrige haar, probeerde haar duizelende geest tot staan te brengen. 'Ik weet niet of mijn maag dit wel aankan.'

'Boe-hoe-hoe. Zeur niet en schiet op.'

Hij hing op. Wendy stapte uit bed, douchte en kleedde zich aan. Ze had haar make-upkoffer altijd klaarstaan, wat tamelijk obsceen was als je nadacht over waar ze naartoe ging. Welkom in de wereld van het tv-nieuws. Zoals Vic het zo poëtisch had geformuleerd: zeur niet en schiet op.

Ze kwam langs Charlies kamer. Een chaos, met zijn kleren van gisteren in hoopjes op de vloer. Wanneer je je man kwijtraakt, leer je dat je aan dat soort dingen niet te veel aandacht moet besteden. Ze keek erlangs, naar haar slapende zoon, en dacht aan Marcia McWaid. Marcia was ook op deze manier wakker geworden, had net als zij in de kamer van haar kind gekeken en had een onbeslapen bed aangetroffen. Nu, drie maanden later, was Marcia McWaid in afwachting van nieuws van de politie, die in een staatspark op zoek was naar haar vermiste dochter.

Dat was wat mensen als Ariana Nasbro niet beseften. Dat alles zo kwetsbaar is. Dat één ramp zo veel naschokken kan hebben. Dat elke onzorgvuldigheid je in dat ravijn van ellende kan storten. Dat er schade wordt aangericht die onherstelbaar is.

Opnieuw prevelde ze in gedachten het gebedje dat iedere ouder kende: laat hem niets overkomen. Zorg er alsjeblieft voor dat hem niets gebeurt.

Daarna stapte ze in haar auto en reed naar het staatspark waar de politie op zoek was naar het meisje dat 's morgens niet meer in haar bed had gelegen.

20

Om kwart voor zes kwam de zon op.

Patricia McWaid, Haleys jongere zusje, stond in het centrum van de orkaan van activiteiten en verroerde zich niet. Vanaf het moment dat de politie Haleys iPhone had gevonden, had ze weer dat verdoofde gevoel dat ze de eerste paar dagen na Haleys verdwijning had gehad, toen ze posters had geplakt, al haar vriendinnen had gebeld, was gaan kijken op de plekken waar Haley graag kwam, haar 'wordt vermist'-website had bijgewerkt en haar foto had rondgedeeld in de plaatselijke malls.

Rechercheur Tremont, die zo aardig voor haar ouders was geweest, leek de afgelopen paar dagen tien jaar ouder te zijn geworden. Hij deed zijn best naar haar te glimlachen en zei: 'Hoe gaat het, Patricia?'

'Goed, dank u.'

Hij klopte haar zachtjes op de schouder en liep door. Dat deden de mensen de laatste tijd vaak bij haar. Zij viel niet op. Zij was niet bijzonder. Maar dat gaf niet. De meeste mensen waren niet bijzonder, hoewel ze misschien dachten van wel. Patricia was tevreden met wie ze was, tenminste, dat was ze geweest. Ze miste Haley. Patricia had geen behoefte aan aandacht. In tegenstelling tot haar grote zus was ze niet competitief en bleef ze het liefst ver van de schijnwerpers. Op school was ze nu een 'zielige beroemdheid', deden de populaire meisjes aardig tegen haar en wilden ze graag met haar worden gezien, om op feestjes te kunnen zeggen: 'O, dat vermiste meisje? Nou, ik ben bevriend met haar zusje!'

Patricia's moeder hielp mee met de organisatie van de zoekacties.

Mama was zo sterk, net als Haley, had een soort roofdierenkracht in haar manier van lopen, alsof ze zelfs met een simpele wandeling de hele wereld wilde uitdagen. Haley ging voorop. Altijd. En Patricia volgde. Er waren mensen die dachten dat ze daaronder leed. Dat was niet zo. Soms zat haar moeder haar op de nek en zei ze: 'Je moet besluitvaardiger zijn.' Maar Patricia zag er de noodzaak niet van in. Ze nam niet graag besluiten. Ze keek net zo lief naar de film op tv die Haley wilde zien. Het maakte haar niet uit of ze chinees of pizza aten. Wat maakte het allemaal uit? Wat was er, als je erover nadacht, zo geweldig aan besluitvaardigheid?

De busjes van het tv-nieuws stonden bij elkaar in een met lint afgezette kring, een soort kraal, zoals ze cowboys in films met koeien had zien doen. Patricia herkende een vrouw van het tv-nieuws, die met dat gebeeldhouwde haar en die schelle stem. Een van de andere reporters, een man, was onder het lint door geglipt en riep haar naam. Hij wierp haar een onechte glimlach toe en liet haar zijn microfoon zien alsof die van snoepgoed was en hij haar naar zich toe wilde lokken. Tremont liep op de man af en zei dat hij 'als de sodemieter' moest maken dat hij wegkwam.

Een filmploeg van een andere nieuwszender was een camera aan het klaarzetten. Patricia herkende de beeldschone reporter die bij hen hoorde. Haar zoon, Charlie Tynes, zat bij haar op school. Charlies vader was doodgereden door een dronken automobilist toen hij jong was. Dat had haar moeder haar verteld. Als ze mevrouw Tynes tegenkwamen, bij het sportveld of in de supermarkt of waar ook, dan werden mama en Haley en zij altijd even stil, uit respect of misschien uit angst, alsof ze zich alle drie afvroegen, vermoedde Patricia, hoe hun leven eruit zou zien wanneer een dronken automobilist hun vader en echtgenoot had doodgereden.

Er arriveerden meer politiemensen. Haar vader begroette ze allemaal, forceerde een glimlach om zijn mond en schudde ze de hand alsof hij met een of andere politieke campagne bezig was. Patricia leek meer op haar vader... dreef met de stroom mee, net als hij. Maar haar vader was veranderd. Ze waren allemaal veranderd, nam ze aan, maar in haar vader was er iets geknakt, en ze was er niet zeker van of dat, zelfs als Haley ongedeerd thuiskwam, ooit nog goed zou komen. Hij zag er nog hetzelfde uit, glimlachte hetzelfde, probeerde vrolijk of gek te doen, al die kleine dingen waardoor hij, nou ja, *híj* was, maar het leek alsof hij vanbinnen leeg was, alsof alles eruit was gelepeld door buitenaardse wezens, zoals in films, en hij alleen nog een zielloos omhulsel was.

Er waren politiehonden, Deense doggen, en Patricia liep naar ze toe.

'Mag ik ze aaien?' vroeg ze.

'Ja hoor,' zei de begeleider na een korte aarzeling.

Patricia krabde een van de honden achter zijn oren. Zijn bek ging open en hij liet zijn tong eruit hangen alsof hij het wel lekker vond.

Mensen zeggen dat je alles van je ouders meekrijgt, maar Haley was altijd de belangrijkste persoon in haar leven geweest. Toen de meisjes in de tweede klas Patricia hadden geplaagd, had Haley een van hen een flink pak slaag gegeven om de anderen te waarschuwen. Toen ze in Madison Square Garden waren – Haley had haar zusje meegenomen naar een concert van Taylor Swift – en een paar jongens vervelende dingen naar hen riepen, was Haley voor haar gaan staan en had tegen de jongens gezegd dat ze verdomme hun kop moesten houden. Toen ze in Disney World waren, hadden hun ouders het goed gevonden dat Haley en zij samen een avond uitgingen. Ze hadden een paar oudere jongens ontmoet en waren dronken geworden in het All-Star Sports Resort. Haley, als braaf meisje, kon dat soort dingen maken. Niet dat ze er misbruik van maakte – dat deed Haley niet – maar ze was tenslotte nog maar een tiener. Die avond, na hun eerste biertje, had Patricia gezoend met een jongen die Parker heette, en had Haley ervoor gezorgd dat Parker niet verder ging.

'We beginnen diep in het bos,' hoorde ze rechercheur Tremont tegen de hondenbegeleider zeggen.

'Waarom diep in het bos?'

'Als ze nog in leven is en die schoft heeft een kamp gebouwd waar hij haar vasthoudt, zal dat ver van de voetpaden zijn, anders had iemand het allang opgemerkt. Maar als de honden ons naar een plek vlak langs de paden leiden...'

Hij slikte de rest in toen hij merkte, daar was Patricia zeker van, dat ze binnen gehoorsafstand stond. Ze staarde naar het bos, bleef de hond aaien en deed alsof ze het niet had gehoord. In de afgelopen drie maanden had Patricia al haar gevoelens geblokkeerd. Haley was sterk. Ze zou het overleven. Het was alsof haar grote zus deelnam aan een of ander dwaas avontuur en dat ze snel weer zou thuiskomen.

Maar nu, terwijl ze het bos in tuurde en deze speurhond aaide, zag ze opeens een ander beeld: Haley, alleen, doodsbang, gewond, huilend. Patricia kneep haar ogen dicht. Frank Tremont kwam naar haar toe. Hij ging voor haar staan, schraapte zijn keel en wachtte tot ze haar ogen opendeed. Na een paar seconden deed ze dat. Ze wachtte tot hij geruststellende woorden tegen haar zou zeggen. Maar dat deed hij niet. Hij stond daar alleen maar, machteloos, besluiteloos te draaien op zijn voeten.

Dus deed Patricia haar ogen weer dicht en bleef ze de hond over zijn kop aaien.

21

Wendy stond bij de afzettingstape en praatte in de microfoon met het NTC *News*-logo. 'En dus kunnen we alleen maar wachten op nieuws,' zei ze, met ernst in haar stem, maar zonder te melodramatisch te klinken. 'Vanuit Ringwood State Park in het noorden van New Jersey is dit Wendy Tynes, NTC *News*.'

Ze liet de microfoon zakken. Sam, haar cameraman, zei: 'Dat moeten we overdoen.'

'Waarom?'

'Een lok haar van je paardenstaart is losgeraakt.'

'Die zit prima.'

'Kom op. Doe het elastiekje er opnieuw omheen. Zo gebeurd. Vic zal een tweede *take* verlangen.'

'Vic kan de pest krijgen.'

Sam rolde met zijn ogen. 'Dat meen je toch niet, hè?'

Wendy zei niets.

'Hé, jij bent degene die moord en brand schreeuwt als we iets uitzenden en je make-up zit niet goed,' vervolgde hij. 'Wat is er? Ben je opeens principieel geworden? Kom op, laten we nog een take doen.'

Wendy gaf hem de microfoon en liep weg. Sam had natuurlijk gelijk. Ze was tv-reporter. Iedereen die denkt dat uiterlijk er in deze business niet toe doet, is naïef of niet goed snik. Natuurlijk doet uiterlijk ertoe... en Wendy had in grimmige situaties als deze al zo vaak geëist dat ze meer dan één take deden. Kortom, hypocrisie kon worden toegevoegd aan haar lijst met tekortkomingen.

'Waar ga je naartoe?' vroeg Sam.

'Ik heb mijn telefoon bij me. Bel me als er iets gebeurt.'

Ze liep naar haar auto. Ze was eigenlijk van plan geweest Phil Turnball thuis te bellen, maar ze herinnerde zich dat zijn vrouw Sherry had gezegd dat Phil elke ochtend de personeelsadvertenties doornam in de Suburban Diner aan Route 17. Dat was maar twintig minuten rijden vanaf hier.

De klassieke wegrestaurants van weleer in New Jersey hadden van die mooie, zacht glanzende aluminium buitenwanden gehad. De nieuwere – met 'nieuw' wordt bedoeld: van na 1968 – hadden nepstenen voorgevels die zo lelijk waren dat Wendy terugverlangde naar – jawel – aluminium zodra ze ze zag. Binnen was er echter nauwelijks iets veranderd. Bij elk tafeltje nog steeds een mini-jukebox, een counter met draaiende krukken, donuts onder stolpen in Batphone-stijl, gesigneerde, door de zon verbleekte foto's van lokale beroemdheden van wie je nog nooit had gehoord, een norse man met harige oren achter de kassa en een serveerster die je 'honey' noemde, wat je geweldig vond.

De jukebox speelde de jaren tachtig hit 'True' van Spandau Ballet, een opmerkelijke keuze zo vroeg op de ochtend. Phil Turnball zat op de bank in de hoek. Hij was gekleed in een grijs pak met een krijtstreepje, met een goudgele das die daadkracht uitstraalde. De kranten lagen op tafel maar hij las er niet in. Hij staarde in zijn koffiekop alsof die het antwoord op alles bevatte.

Wendy liep naar hem toe en wachtte tot hij opkeek. Dat deed hij niet.

Hij bleef naar zijn koffie kijken en vroeg: 'Hoe wist je dat ik hier was?'

'Dat heeft je vrouw me verteld.'

Hij glimlachte, maar zonder enige blijdschap. 'O ja, joh?'

Wendy zei niets.

'Vertel eens, hoe ging dat gesprek precies? "Die zielige Phil zit elke ochtend in een wegrestaurant medelijden met zichzelf te hebben"?'

'Nee, helemaal niet,' zei Wendy.

'Dat zal wel.'

Dit was niet het gespreksonderwerp waarvoor ze was gekomen. 'Vind je het goed als ik bij je kom zitten?'

'Ik heb je niks te zeggen.'

De krant lag opengeslagen bij het artikel over Haleys iPhone die in Dan Mercers motelkamer was gevonden. 'Heb je het gelezen, over Dan?'

'Yep. Kom je hem nog steeds verdedigen? Of was dat vanaf het eerste begin een truc?'

'Ik kan je niet volgen.'

'Wist je gisteren al dat Dan dit meisje had gekidnapt? Dacht je dat ik niks zou zeggen als je me je ware bedoelingen kenbaar maakte, en heb je daarom gedaan alsof je zijn naam wilde zuiveren?'

Wendy schoof op de bank aan de andere kant van de tafel. 'Ik heb nooit beweerd dat ik zijn naam wilde zuiveren. Ik heb gezegd dat ik de waarheid wil achterhalen.'

'Edelmoedig van je,' zei hij.

'Waarom doe je zo vijandig?'

'Ik heb je gisteravond met Sherry zien praten.'

'Ja, nou en?'

Phil Turnball pakte zijn koffiekopje met beide handen vast, de ene met zijn vinger door het oortje, de andere om het recht te houden. 'Ze moest me overhalen met je mee te werken.'

'Dan zeg ik weer: ja, nou en?'

Hij nam een slokje en zette voorzichtig zijn kopje neer. 'Ik wist niet wat ik ervan moest denken. Ik bedoel, wat je zei over dat Dan erin was geluisd, daar zat wel iets in. Maar nu...' Hij gebaarde met zijn kin naar het artikel over Haleys iPhone. '... wat maakt het nog uit?'

'Misschien kun je helpen een vermist meisje terug te vinden.'

Hij schudde zijn hoofd en deed zijn ogen dicht.

De serveerster, die door Wendy's vader zou worden omschreven als een 'dragonder', een grote vrouw met slecht geblondeerd haar en een potlood achter haar oor, vroeg: 'Iets bestellen?'

Verdorie, dacht Wendy, ze noemt me geen 'honey'.

'Nee, bedankt,' zei Wendy.

De serveerster slofte weg. Phil had nog steeds zijn ogen dicht.

'Phil?'

'Off the record?' vroeg hij.

'Oké.'

'Ik weet niet hoe ik het moet zeggen zonder het anders te laten klinken dan het is.'

Wendy wachtte, gaf hem de tijd.

'Kijk, Dan en dit seksgedoe...'

Zijn stem stierf weg. Wendy had de neiging hem meteen op zijn nek te springen. Seksgedoe? Op bezoek gaan bij een minderjarig meisje en mogelijk een ander meisje kidnappen... dat was niet iets wat je kon afdoen als 'seksgedoe'. Maar het was nu niet het moment om de moraalridder uit te hangen. Dus hield ze haar mond en wachtte af.

'Begrijp me niet verkeerd. Ik zeg niet dat Dan pedofiel was. Zo was het niet.'

Hij stopte weer met praten, en deze keer was Wendy er niet zeker van dat hij zou doorgaan als ze hem niet aanmoedigde. 'Hoe was het dan wel?' vroeg ze.

Phil opende zijn mond, deed hem weer dicht en schudde zijn hoofd. 'Laten we zeggen dat Dan het niet erg vond om ze te versieren als ze wat jonger waren, als je begrijpt wat ik bedoel.'

Wendy's hoop vervloog.

'En als je zegt "ze te versieren als ze wat jonger waren..."'

'Af en toe – vergeet niet dat we het over meer dan twintig jaar geleden hebben, oké? – waren er momenten dat Dan de voorkeur gaf aan het gezelschap van jongere meisjes. Dat had niks te maken met pedofilie of zoiets. Geen pervers gedoe. Maar hij ging graag naar feestjes en andere activiteiten van de middelbare school waar hij jongere meisjes kon ontmoeten.'

Wendy's mond werd kurkdroog. 'Hoe jong?'

'Dat weet ik niet. Ik heb ze nooit om een legitimatie gevraagd.'

'Hoe jong, Phil?'

'Echt, dat weet ik niet.' Hij kreeg het benauwd. 'Hou in gedachten dat wij eerstejaars op de universiteit waren, allemaal een jaar of achttien, negentien. En volgens mij zaten die meisjes nog op de middelbare school. Het had niks te betekenen, oké? Ik denk dat Dan toen achttien was. En dat die meisjes twee of drie, misschien vier jaar jonger waren dan hij.'

'Vier jaar jonger? Dan zouden ze veertien zijn.'

'Dat weet ik niet. Ik vertel het gewoon zoals het was. En je weet hoe het gaat. Sommige meisjes van veertien zien er veel ouder uit. Zoals ze zich kleden en dat soort dingen. Alsof ze door oudere jongens gezien willen worden.'

'Onzin, Phil. Niet doen.'

'Je hebt gelijk.' Hij wreef met zijn handen over zijn gezicht. 'God, ik heb dochters van die leeftijd. Ik praat het niet goed. Ik probeer het uit te leggen. Dan was geen viezerik of een verkrachter, maar toch... het idee dat hij voor een jonger meisje zou kunnen vallen? Ik sluit het niet uit. Maar dat hij er een zou kidnappen, dat hij een jong meisje zou overmeesteren en misschien kwaad zou doen... nee, dat wil er bij mij echt niet in.'

Hij stopte met praten en leunde achterover. Wendy verroerde zich niet. Ze dacht aan wat ze wist over Haley McWaids verdwijning. Geen inbraak. Geen geweld. Geen telefoontjes. Geen sms'jes. Geen e-mails. Geen sporen van een overmeestering. Niet eens een onopgemaakt bed.

Misschien zaten ze er helemaal naast.

Er begon zich een theorie te vormen in haar hoofd. Die was nog niet compleet en voornamelijk gebaseerd op geruchten en veronderstellingen, maar ze moest die verder uitwerken. Volgende stap: ga terug naar het bos om met sheriff Walker te praten. 'Ik moet gaan.'

Hij keek haar aan. 'Denk jij dat Dan zich aan dat meisje heeft vergrepen?'

'Ik ben nergens meer zeker van. Ik weet het echt niet.'

22

Wendy belde Walker vanuit de auto. Ze werd drie keer doorgeschakeld voordat ze hem aan de lijn kreeg.

'Waar zijn jullie?' vroeg ze.

'Nog in het bos.'

Stilte.

'Al iets gevonden?'

'Nee.'

'Heb je vijf minuten tijd voor me?'

'Ik ben nu op weg naar het landhuis. We hebben hier een rechercheur, Frank Tremont. Hij heeft de leiding over de zaak van Haley McWaid.'

De naam deed een belletje rinkelen. Ze had verslag gedaan van een paar zaken die hij in het verleden had onderzocht. Een oudgediende, redelijk intelligent, heel erg cynisch. 'Ik weet wie hij is.'

'Cool. We kunnen hier praten.'

Ze beëindigde het gesprek. Ze reed terug naar Ringwood, zette haar auto bij die van de andere reporters en liep naar de agent bij de afzetting. Sam greep de camera en kwam haar achterna. Wendy keek om en schudde haar hoofd. Sam bleef staan, verbaasd. Wendy zei tegen de agent wie ze was en werd doorgelaten. Dat vonden de andere persmensen niet leuk. Ze bestormden de agent en eisten ook doorgelaten te worden. Wendy liep door zonder om te kijken.

Toen ze bij de tent kwam, zei een andere agent: 'Sheriff Walker en rechercheur Tremont zeiden dat u hier moest wachten.'

Wendy knikte en nam plaats op een canvas klapstoeltje, zo een dat je vaak zag langs sportvelden, waarin ouders vanaf de zijlijn de wedstrijden van hun kinderen volgden. Er stonden meer dan tien politiewagens – een paar patrouillewagens, een paar neutrale dienstauto's – kriskras geparkeerd. Ze zag uniformagenten, politiemensen in burger en diverse FBI-agenten in hun protserige blauwe windjacks. Veel van hen waren op een laptop aan het werk. In de verte hoorde Wendy het doffe geklapwiek van een helikopter.

Aan de rand van het bos, helemaal alleen, stond een meisje dat Wendy herkende als Patricia McWaid, Haleys jongere zusje. Wendy vroeg zich af of dit het juiste moment was, maar lang dacht ze er niet over na. Je moest je kans grijpen als die zich voordeed. Ze stond op, liep naar het meisje toe en hield zichzelf voor dat ze niet op zoek was naar haar grote nieuwsverhaal, maar dat ze gewoon wilde weten wat er écht met Haley en Dan was gebeurd.

Haar nieuwe theorie had wortel geschoten in haar hoofd. Misschien beschikte Patricia McWaid over informatie waarmee ze die kon bevestigen of ontkrachten.

'Hallo,' zei Wendy tegen het meisje.

Het meisje schrok op. Ze draaide zich om en keek Wendy aan. 'O, hallo.'

'Ik ben Wendy Tynes.'

'Dat weet ik,' zei Patricia. 'U woont in de stad. U bent van de tv.'

'Dat klopt.'

'En u hebt een programma gedaan over de man die Haleys telefoon had.'

'Ja.'

'Denkt u dat hij haar kwaad heeft gedaan?'

Wendy werd verrast door de directheid van het meisje. 'Dat weet ik niet.'

'Stel dat u zou moeten raden… zou u dan denken dat hij haar kwaad heeft gedaan?'

Wendy dacht erover na. 'Nee, dat denk ik niet.'

'Waarom niet?'

'Dat denk ik gewoon. Ik heb geen reden om te geloven dat hij haar kwaad zou doen. Maar zoals ik al zei, ik weet het niet zeker.'

Patricia knikte. 'Klinkt redelijk.'

Wendy vroeg zich af hoe ze dit moest aanpakken. Eerst een inleidende vraag, zoals: 'Kon je goed met je zus opschieten?' Normaliter was dat de manier om interviews aan te pakken. Openen met kleine dingen. Stel ze op hun gemak, neem ze aan de hand en zorg dat ze in hun ritme komen. Maar zelfs ondanks de beperkte tijd die ze had – Tremont en Walker konden elk moment terugkomen – leek dit haar niet de juiste aanpak. Het meisje was heel direct tegen haar geweest. Misschien moest zij dat ook maar tegen haar zijn.

'Heeft je zus het wel eens over Dan Mercer gehad?'

'Dat heeft de politie me al gevraagd.'

'En?'

'Nee. Haley heeft het nooit over hem gehad.'

'Had Haley een vriend?'

'Ook dat heeft de politie me al gevraagd,' zei Patricia, 'op de dag nadat ze was verdwenen. Daarna heeft rechercheur Tremont het nog een miljoen keer gevraagd. Alsof ik iets verzweeg.'

'Was dat zo?'

'Nee.'

'Dus ze had een vriend.'

'Dat denk ik, ja. Maar zeker weet ik het niet. Het moest geheim blijven, geloof ik. Haley kon heel geheimzinnig doen als het om dat soort dingen ging.'

Wendy voelde haar hartslag iets versnellen. 'Op welke manier geheimzinnig?'

'Dat ze 's avonds soms stiekem wegging om hem ergens te ontmoeten.'

'Hoe kan het dan dat jij ervan wist?'

'Omdat ze het tegen me zei. Om, u weet wel, haar in te dekken als onze ouders iets vroegen.'

'Hoe vaak heeft ze dat gedaan?'

'Twee of drie keer, geloof ik.'

'En de avond voordat ze vermist raakte, had ze toen ook gevraagd of je haar wilde indekken?'

'Nee. De laatste keer was ongeveer een week daarvoor.'

Wendy dacht erover na. 'Heb je dit allemaal aan de politie verteld?'

'Natuurlijk. Op de eerste dag al.'

'Hebben ze die vriend gevonden?'

'Ik geloof het wel. Tenminste, dat zeiden ze.'

'En? Wie was het?'

'Kirby Sennett. Een jongen van onze school.'

'Geloof jij dat het Kirby was?'

'Hoe bedoelt u? Dat hij haar vriend was?'

'Ja.'

Patricia haalde haar schouders op. 'Ik denk het, ja.'

'Je klinkt niet overtuigd.'

'Zoals ik net al zei, ze heeft me er nooit iets over verteld. Ik moest haar alleen indekken.'

De helikopter vloog over. Patricia schermde haar ogen af met haar hand en keek omhoog. Ze slikte een brok in haar keel weg. 'Het lijkt zo onecht,' zei ze. 'Het is net alsof ze op vakantie is en binnenkort gewoon weer thuiskomt.'

'Patricia?'

Het meisje keek haar aan.

'Denk jij dat Haley van huis is weggelopen?'

'Nee.' Zonder enige aarzeling.

'Je lijkt nogal zeker van je zaak.'

'Waarom zou ze van huis weglopen? Oké, ze dronk wel eens stiekem een biertje, of ze was een avondje weg. Maar Haley was gelukkig thuis. Ze had het naar haar zin op school. Ze was gek op lacrosse. Ze had leuke vriendinnen. Ze hield van ons. Waarom zou ze weglopen?'

Wendy dacht daarover na.

'Mevrouw Tynes?' zei Patricia.

'Ja?'

'Wat denkt u dat er is gebeurd?'

Wendy wilde niet tegen haar liegen. Ze wilde haar ook niet vertellen wat ze echt dacht. Ze tuurde in de verte en aarzelde, net lang genoeg, zo bleek.

'Wat is hier aan de hand?' Ze draaiden zich allebei om. Rechercheur Frank Tremont en sheriff Walker kwamen het bos uit. Tremont oogde niet blij. Hij keek Walker aan. Walker knikte en zei: 'Patricia, ga jij met mij mee?'

Walker en Patricia liepen naar de politietent, zodat Tremont en Wendy samen achterbleven. Hij keek haar boos aan. 'Ik hoop van harte dat dit geen truc was om de familie te spreken te krijgen.'

'Dat was het niet.'

'Nou, wat wilde je me vertellen?'

'Dan Mercer hield van jongere meisjes.'

Tremont keek haar met een lege blik aan. 'Wow, daar hebben we iets aan.'

'Er zit iets in deze hele Dan Mercer-zaak wat me vanaf de allereerste dag heeft dwarsgezeten,' vervolgde Wendy. 'Ik wil nu niet op de details ingaan, maar ik heb hem nooit kunnen zien als de kwaadaardige kinderverkrachter waarvoor iedereen hem houdt. Ik heb net een van zijn vroegere studiegenoten van Princeton gesproken. Hij kon ook niet geloven dat Dan iemand zou kidnappen.'

'Wow, ook dat is groot nieuws.'

'Maar hij bevestigde wel dat Dan van jongere meisjes hield. Ik beweer niet dat Dan geen viespeuk was. Zo te horen was hij dat wel. Maar wat ik wil zeggen is dat hij meer – hoe zeg je dat? – met wederzijds goedvinden handelde, dan op een gewelddadige manier.'

Tremont leek niet onder de indruk. 'En?'

'En Patricia vertelde me dat Haley in het geheim een vriendje had.'

'Niks geheim. Een of andere neppunker die Kirby Sennett heet.'

'Daar zijn jullie zeker van?'

'Waarvan?' Tremont dacht even na. 'Hoor eens, wat wil je nu eigenlijk zeggen?'

'Volgens Patricia is Haley een paar keer 's avonds stiekem weggegaan... voor het laatst een week voordat ze vermist raakte. Haley had Patricia gevraagd haar in te dekken voor als hun ouders iets vroegen, zei ze.'

'Dat klopt.'

'En jullie zijn ervan overtuigd dat ze dan naar die Kirby toe ging?'

'Ja.'

'Heeft Kirby dat bevestigd?'

'Niet helemaal, nee. Maar luister, er zijn bewijzen dat ze met elkaar gingen. Een paar sms'jes, e-mails, dat soort dingen. Het heeft er alle schijn van dat Haley het stil wilde houden, waarschijnlijk omdat die jongen een punker was. Zo vreemd is dat niet. Die jongen heeft zich achter een advocaat verscholen. Ook dat is niet ongebruikelijk, zelfs niet wanneer je onschuldig bent. Rijke ouders, een verwend kreng van een joch, je kent het wel.'

'En hij was Haleys vriend?'

'Daar lijkt het op, ja. Maar Kirby heeft ons wel verteld dat ze het hadden uitgemaakt, een week voordat Haley verdween. Dat komt overeen met de laatste keer dat ze stiekem de deur uit is gegaan.'

'En jullie hebben die Kirby grondig nagetrokken?'

'Ja, maar die jongen is alleen maar een kleine etterbak. Begrijp me niet verkeerd. We hebben hem grondig en langdurig nagetrokken. Hij was in Kentucky toen Haley verdween. Zijn alibi is waterdicht. We zijn al zijn gangen nagegaan, echt, maar het bestaat niet dat hij er iets mee te maken heeft, als jij die kant op wilt.'

'Die kant wil ik helemaal niet op,' zei Wendy.

Tremont hees zijn broek op aan de riem. 'Wees dan zo goed me te vertellen welke kant je wél op wilt.'

'Dan Mercer valt op jongere meisjes. Haley McWaid gaat 's avonds stiekem op stap... geen sporen van geweld, geen inbraak, niks. Wat ik wil zeggen is dat haar mysterieuze vriend misschien niet Kirby Sennett was. Misschien was het Dan Mercer.'

Tremont nam de tijd om dit te verwerken. Hij kauwde op iets wat hij in zijn mond had, iets wat zo te zien vies smaakte. 'Dus jij wilt beweren dat Haley er uit vrije wil met deze viespeuk vandoor is gegaan?'

'Zo ver wil ik nog niet gaan.'

'Gelukkig maar,' zei Tremont, met een stalen overtuiging in zijn stem. 'Want we hebben het hier over een weldenkend, net meisje.

Ik wil niet dat haar ouders dit soort onzin te horen krijgen. Dat hebben ze niet verdiend.'

'Ik was niet van plan het openbaar te maken.'

'Mooi. Als we op dat punt maar duidelijkheid hebben.'

'Maar als we even doorgaan op deze theorie,' zei Wendy, 'en aannemen dat Haley er met Mercer vandoor is... Het zou verklaren waarom er nergens sporen van vuil spel zijn gevonden. En het zou misschien ook verklaren hoe haar iPhone in die motelkamer terecht is gekomen.'

'Hoe dan?'

'Haley is ervandoor met Dan Mercer. Mercer wordt doodgeschoten. Dus ze vertrekt overhaast uit die motelkamer, maakt zonder om te kijken dat ze wegkomt. Ik bedoel, denk na. Want als Dan Mercer haar had overmeesterd en had vermoord, waarom zou hij haar iPhone dan bij zich houden?'

'Als aandenken?'

Wendy fronste haar wenkbrauwen. 'Geloof je dat echt?'

Tremont zei niets.

'Jullie hebben dit park gevonden met behulp van haar Google Earth, hè?'

'Ja.'

'Stel je voor dat je Haley bent. Zou je dan de plek opzoeken waar je kidnapper van plan was je vast te houden, of je te begraven? Nee toch?'

'Maar,' maakte Tremont voor haar af, 'je zou misschien wel de plek opzoeken waar je je vriendje zou ontmoeten om er samen vandoor te gaan.'

Wendy knikte.

Tremont slaakte een zucht. 'Het is een weldenkend, net meisje.'

'We vellen geen moreel oordeel.'

'Nee?'

Wendy ging er niet op in.

'Stel dat je gelijk hebt,' zei Tremont, 'waar zou Haley nu dan zijn?'

'Dat weet ik niet.'

'En waarom zou ze haar telefoon in een motelkamer laten liggen?'

'Misschien moest ze er onmiddellijk vandoor, of kon ze om de een of andere reden niet teruggaan naar dat motel. Misschien was ze doodsbang omdat Dan was vermoord en is ze ergens ondergedoken.'

'Dus ze moet er overhaast vandoor,' zei Tremont, en hij hield zijn hoofd schuin, 'en dan gooit ze haar iPhone onder het bed?'

Wendy dacht erover na. Er kwam geen antwoord.

'Laten we het stap voor stap doen,' zei Tremont. 'Ten eerste zal ik een paar van mijn mannen naar het motel sturen – en naar alle andere vlooienten waar Dan heeft gelogeerd – en ze laten vragen of iemand Dan met een jong meisje heeft gezien.'

'Oké,' zei Wendy. En daarna: 'Er is nog iets.'

'Wat?'

'Toen ik Dan zag voordat hij werd doodgeschoten, had iemand hem flink afgetuigd.'

Tremont begreep waar ze naartoe wilde. 'Dus jij denkt dat Haley McWaid, als ze bij hem was, misschien heeft gezien wie dat heeft gedaan?' Hij knikte. 'Dat ze er daarom vandoor is gegaan?'

Maar nu Tremont het hardop uitsprak, vond Wendy het opeens ongeloofwaardig klinken. Er zat iets in wat niet klopte. Ze probeerde te bedenken wat het was. Trouwens, er was nog veel meer, bijvoorbeeld: hoe pasten de schandalen van Stearns House flat 109 in dit plaatje? Ze overwoog deze invalshoek aan Tremont voor te leggen, maar dat leek haar voor dit moment te veel van het goede. Ze moest er eerst zelf dieper in duiken. Dat hield in dat ze terug moest naar Phil en Sherry Turnball, dat ze Farley Parks en Steven Miciano misschien moest bellen en Kelvin Tilfer moest opsporen.

'Dus misschien zou je je moeten concentreren op de vraag wie Dan Mercer in elkaar heeft geslagen,' zei ze.

Er kwam een vage glimlach om Tremonts mond. 'Hester Crimstein had daar een interessante theorie over.'

'Hester Crimstein de tv-rechter?'

'Ja, die. En ze is ook Ed Graysons advocaat. Volgens haar hypothese was het haar cliënt die Dan Mercer dat pak slaag heeft gegeven.'

'Hoe ziet ze dat?'

'Nou, we hebben Dan Mercers bloed in Graysons auto gevonden. We hebben gezegd dat dit, tezamen met jouw getuigenverklaring, het duidelijke bewijs is dat Grayson Mercer heeft vermoord.'

'Oké.'

'Maar Crimstein – god, wat is dat mens goed – zij zegt dat onze ooggetuige – jij dus – heeft gezegd dat Mercer flink was toegetakeld. Dus, stelt ze, misschien waren Grayson en Mercer wel één of twee dagen daarvoor met elkaar op de vuist geweest. En misschien is het bloed zó in die auto terechtgekomen.'

'En jij slikt dat?'

Tremont haalde zijn schouders op. 'Nee, niet echt, maar daar gaat het niet om.'

'Wel een briljante zet van haar kant,' zei Wendy.

'Yep. Crimstein en Grayson hebben op dezelfde manier uitgedokterd hoe ze al het andere bewijs onderuit kunnen halen. We hebben het DNA van het bloed, maar een handgemeen geeft er een plausibele verklaring voor. Ja, Grayson had kruitsporen op zijn hand, maar de baas van de Gun-O-Rama-schietclub heeft bevestigd dat Grayson daar was, een uur nadat jij hem Mercer had zien doodschieten. De baas zegt dat Grayson een van de beste schutters is die daar komt, dus hij kent hem goed. Jij was er getuige van dat hij Dan Mercer doodschoot, maar we hebben geen lijk, geen wapen, en hij droeg een bivakmuts.'

Er knaagde iets aan de achterkant van Wendy's brein. Het was er wel, maar net buiten bereik, zodat ze er niet bij kon.

Tremont zei: 'Je weet wat ik je nu ga vragen, hè?'

'Ik denk het wel.'

'De McWaids maken een ellendige tijd door. Ik wil niet dat ze nog meer voor hun kiezen krijgen. Je kunt dit nog niet uitzenden.'

Wendy zei niets.

'We hebben trouwens niks, afgezien van een paar halfzachte theorieën,' vervolgde hij. 'Ik beloof je dat jij het als eerste te horen krijgt als we iets ontdekken. Maar in het belang van het onderzoek... én om Haleys ouders te sparen, vraag ik je dit nog even stil te houden. Deal?'

Het knagen in haar hoofd ging maar door. Tremont wachtte op antwoord. 'Deal,' zei ze.

Toen Wendy weer achter de afzetting kwam, was ze niet echt verbaasd toen ze Ed Grayson tegen haar auto geleund zag staan. Hij probeerde er ongeïnteresseerd uit te zien, maar dat lukte maar half. Hij had een brandende sigaret tussen zijn vingers en speelde ermee. Ten slotte stak hij hem in zijn mond en zoog eraan alsof hij onder water was en door een rietje moest ademen.

'Kom je weer een GPS-zendertje onder mijn bumper plakken?' zei ze.

'Ik weet niet waar je het over hebt.'

'Nee, dat zal best. Je kwam zeker alleen kijken of ik een lekke band had, hè?'

Grayson nam weer een lange trek van zijn sigaret. Hij was ongeschoren, maar dat gold voor de helft van de mannen die vanochtend vroeg hiernaartoe waren gekomen. Zijn ogen waren bloeddoorlopen. Hij zag er een stuk slechter uit dan de man die haar kort geleden zijn theorieën over vergelding had voorgelegd. Daar moest ze nu aan denken, aan zijn bezoek aan haar huis.

'Dacht je echt dat ik je zou helpen hem om te brengen?' vroeg ze.

'Wil je de waarheid horen?'

'Dat zou leuk zijn, ja.'

'Ik dacht dat je het misschien eens zou zijn met mijn theorie. Je begon zelfs een beetje te twijfelen toen ik de naam Ariana Nasbro noemde. Maar nee, ik had nooit verwacht dat je me zou helpen.'

'Dus het was maar een gok?'

Hij gaf geen antwoord.

'Of was je bezoek alleen bedoeld om dat GPS-zendertje onder mijn auto te plakken?'

Ed Grayson schudde langzaam zijn hoofd.

'Wat is er?' vroeg ze.

'Je hebt echt geen idee, hè, Wendy?'

Ze liep naar het portier aan de bestuurderskant. 'Wat kom je hier doen, Ed?'

Hij draaide zijn hoofd om, tuurde naar het bos. 'Ik wilde helpen met zoeken.'

'En dat vonden ze niet goed?'

'Wat denk je zelf?'

'Het lijkt wel of je je schuldig voelt.'

Hij nam nog een trek van zijn sigaret. 'Doe me een lol, Wendy. Probeer niet de psychiater uit te hangen.'

'Wat wil je van me?'

'Je mening.'

'Waarover?'

Hij nam de sigaret tussen zijn vingertoppen en keek ernaar alsof die het antwoord bevatte. 'Denk jij dat Dan haar heeft vermoord?'

Ze vroeg zich af wat ze daarop moest antwoorden. 'Wat heb je met Dans lijk gedaan?'

'Jij eerst. Heeft Dan Haley McWaid vermoord?'

'Dat weet ik niet. Misschien heeft hij haar alleen ergens opgesloten en komt ze dankzij jou om van de honger.'

'Leuk geprobeerd.' Hij krabde aan zijn wang. 'Maar de politie heeft al een beroep op mijn geweten gedaan.'

'Zonder succes?'

'Yep.'

'En? Ga je míj vertellen wat je met het lijk hebt gedaan?'

'Ach, ach, ach.' En met monotone stem vervolgde hij: 'Ik. Heb. Geen. Idee. Waar. Je. Het. Over. Hebt.'

Dit bracht haar niet verder, en ze had meer te doen. Het knagen in haar hoofd had iets te maken met haar research naar de groep van Princeton. Dan en Haley er samen vandoor… oké, misschien. Maar hoe zat het met al die schandalen van zijn vroegere flatgenoten? Misschien hadden die niets te betekenen. Waarschijnlijk niet. Of ze zag iets heel belangrijks over het hoofd.

'Nou, wat wil je van me?' vroeg ze weer.

'Ik probeer te weten te komen of Dan haar echt heeft gekidnapt.'

'Waarom?'

'Om het onderzoek vooruit te helpen, denk ik.'

'Zodat je 's nachts beter kunt slapen?'

'Misschien wel.'

'En van welk antwoord zul je beter kunnen slapen?'

'Ik kan je niet volgen.'

'Nou, als Dan Haley heeft vermoord, heb je dan een beter gevoel over wat je hebt gedaan? Je hebt zelf gezegd dat het er dik in zat dat hij meer slachtoffers zou maken. Jij hebt dat voorkomen... hoewel een beetje laat. En als Dan haar niet heeft vermoord, nou, dan ben je er nog steeds van overtuigd dat hij zich aan anderen zou vergrijpen, waar of niet? Dus in beide gevallen was hem uit de weg ruimen de enige oplossing. Er is maar één optie die je nachtrust kan bederven: als Haley nog in leven is en jij haar verder in gevaar hebt gebracht.'

Ed Grayson schudde zijn hoofd. 'Laat maar zitten.' Hij draaide zich om en liep weg.

'Ontgaat me iets?' vroeg ze.

'Zoals ik al zei...' Grayson schoot de sigarettenpeuk weg en liep door. '... je hebt geen idee.'

23

Wat nu?

Wendy kon blijven zoeken naar aanwijzingen die onderschreven dat Dan en Haley een relatie hadden gehad, met wederzijds goedvinden maar desalniettemin verkeerd, maar wat had het voor zin? De politie was nu op de hoogte van die optie. Ze konden er zelf mee aan de slag. Zij moest het mysterie vanuit een andere hoek benaderen.

De vijf flatgenoten van Princeton.

Vier van de vijf waren in het afgelopen jaar geveld door een schandaal. Nummer vijf misschien ook, maar dat stond niet op internet net. Dus ging ze terug naar Starbucks in Englewood om haar onderzoek voort te zetten. Toen ze binnenkwam, al voordat ze de Vadersclub had gesignaleerd, schalde een nieuwe rap van Ten-A-Fly uit de speakers in het plafond.

Charisma Carpenter, ik hou van jou
Je bent geen timmermansdroom, niet plat als een plank
En niet in voor een douw...

'Yo, hé.'

Het was Ten-A-Fly. Ze bleef staan. 'Hallo.'

Ten-A-Fly was uitgedost in een blauw Grass Roots-sweatvest met capuchon en ritssluiting. Hij droeg de capuchon over een rode pet met een klep zo groot dat een trucker er in 1978 niet mee naar hun jaarlijkse truckersdag had gedurfd. Achter hem zag Wendy de knaap in de witte tennisoutfit. Hij zat als een bezetene op een laptop te typen. De jonge vader met de babydraagband liep heen en weer en maakte sussende geluidjes tegen zijn kind.

Ten-A-Fly rammelde met een polsketting zo dik dat je er een brug mee kon ophalen. 'Ik zag je gisteravond op mijn gig.'

'Yep.'

'Vond je het wat?'

Wendy knikte. 'Het was, eh... vet, man.'

Daar was hij blij mee. Hij hield haar zijn gebalde vuist voor. Ze voldeed aan zijn verzoek en tikte haar knokkels tegen de zijne. 'Jij bent tv-reporter, hè?' vroeg Ten-A-Fly.

'Yep.'

'Ben je hier om me te interviewen?'

Tennisoutfit keek op van zijn laptop en zei: 'Zou je moeten doen.' Hij wees naar het beeldscherm. 'Een hoop actie hier.'

Wendy ging achter hem staan en keek. 'Zit je op eBay?'

'Daar verdien ik tegenwoordig mijn brood mee,' zei Tennisoutfit. 'Sinds ik weg ben bij...'

'Doug hier werkte bij Lehman Brothers,' onderbrak Ten-A-Fly hem. 'Hij zag de bui aankomen, maar niemand wilde naar hem luisteren.'

'Zoiets,' zei Doug, en hij wuifde bescheiden met zijn hand. 'Maar goed, nu hou ik me in leven met eBay. Eerst heb ik ongeveer alles verkocht wat ik had. Daarna ben ik dingen gaan opkopen, op veilingen en van particulieren, om ze op te knappen en weer te verkopen.'

'Kun je daarvan leven?'

Hij haalde zijn schouders op. 'Nee, niet echt. Maar het geeft me iets te doen.'

'Net als tennis?'

'Eh, ik tennis niet.'

Wendy keek hem aan en zei niets.

'Mijn vrouw tennist. Mijn tweede vrouw, moet ik zeggen. Mijn zogenaamde verovering, die me de oren van mijn kop zeurt dat ze haar prachtige baan heeft moeten opgeven om bij de kinderen te blijven, terwijl ze in werkelijkheid de hele dag op de tennisbaan staat. Toen ik mijn baan kwijtraakte, heb ik voorgesteld dat zij weer ging werken. Daar was het nu te laat voor, zei ze. Dus tennist ze de hele dag. En ze haat me. Ze kan mijn aanblik nauwelijks verdragen. Dus draag ik nu ook tenniskleding.'

'Omdat...?'

'Weet ik veel. Uit protest, denk ik. Ik heb een goede vrouw gedumpt – en haar veel verdriet gedaan – voor een lekker jong ding. Nu heeft die goede vrouw haar leven weer op orde en heeft ze niet eens het fatsoen om kwaad op me te zijn. Maar ik neem aan dat ik dat heb verdiend, denk je niet?'

Wendy had geen interesse in het vervolg van het verhaal. Ze keek naar het beeldscherm. 'Wat verkoop je nu?'

'Ten-A-Fly-souvenirs. En zijn cd, natuurlijk.'

Er lag een stapeltje cd's op tafel. Ten-A-Fly gekleed als Snoop Dogg leunend tegen een auto, met handgebaren die meer als reumatisch dan als cool overkwamen. De titel van de cd was *Unsprung in Suburbia*.

'"Unsprung"?' vroeg Wendy.

'Gettoslang,' legde Doug de Tennisoutfit uit.

'Voor wat?'

'Dat wil je niet weten. Maar goed, we verkopen dus de cd's, T-shirts, petten, sleutelhangers en posters. Maar ik heb nu een paar unieke items te koop gezet. Hier, kijk maar, de *bandana* die Ten-A-Fly gisteravond op het podium omhad.'

Wendy keek en kon haar ogen niet geloven. 'Is er zeshonderd dollar voor geboden?'

'Zes-twintig inmiddels. Een hoop actie, zoals ik al zei. Het slipje dat een fan op het podium gooide, doet het ook heel goed.'

Wendy keek Fly aan. 'Die fan was jouw vrouw toch?'

'Nou, wat wil je daarmee zeggen?'

Goeie vraag. 'Niks. Helemaal niks. Is Phil hier?'

Op het moment dat ze het vroeg zag ze hem bij de counter met een serveerster praten. Hij glimlachte nog toen hij zijn hoofd omdraaide. Toen hij haar zag, verdween de glimlach abrupt van zijn gezicht. Phil haastte zich naar haar toe. Wendy liep hem tegemoet.

'Wat doe jíj hier?'
'We moeten praten.'
'We hebben al gepraat.'
'We zijn nog niet uitgepraat.'
'Ik weet niks.'
Ze ging dichter bij hem staan. 'Begrijp je dan niet dat dat meisje nog steeds wordt vermist?'
Phil deed zijn ogen dicht. 'Ja, dat weet ik,' zei hij. 'Het is alleen... ik weet niks.'
'Vijf minuten. Doe het voor Haley.'
Phil knikte. Ze liepen naar een tafeltje in de hoek. Er zat een sticker op met de tekst LAAT DEZE TAFEL VRIJ VOOR ONZE GEHANDICAPTE KLANTEN.
'In je eerste jaar op Princeton,' zei Wendy, 'wie woonden er toen nog meer in die flat van Dan en jou?'
Phil fronste zijn wenkbrauwen. 'Wat heeft dat in godsnaam met deze zaak te maken?'
'Geef nou maar antwoord, oké?'
'We waren met z'n vijven. Dan en ik, en Farley Parks, Kelvin Tilfer en Steve Miciano.'
'Hebben jullie in de jaren daarna ook samengewoond?'
'Is dit nou echt nodig?'
'Alsjeblieft.'
'Ja. Tenminste, in het derde jaar, of misschien het tweede, heeft Steve een semester in Spanje gezeten. In Barcelona of Madrid. En in het tweede jaar, geloof ik, woonde Farley in een studentenhuis.'
'Waren jullie lid van een studentencorps?'
'Nee. O, en ik was er niet in het eerste semester van het laatste jaar. Toen deed ik een project in Londen. Tevreden?'
'Hebben jullie contact met elkaar gehouden?'
'Nee, niet echt.'
'En Kelvin Tilfer?'
'Nooit meer iets van gehoord nadat we waren afgestudeerd.'
'Weet je waar hij woont?'
Phil schudde zijn hoofd. De serveerster kwam naar hun tafeltje

en zette een kop koffie voor hem neer. Phil keek Wendy aan om te vragen of ze ook iets wilde, maar ze bedankte. 'Kelvin kwam uit de Bronx. Misschien is hij daar weer naartoe gegaan, ik weet het niet.'

'En de anderen? Sprak je die nog wel eens?'

'Ik hoor af en toe wat van Farley, hoewel de laatste keer al een tijd geleden is. Sherry en ik hebben vorig jaar een fondsenwervingsavond voor hem georganiseerd. Hij had zich verkiesbaar gesteld voor het Congres, maar er kwam iets tussen.'

'Nou, Phil, en dáár gaat het nu net om.'

'Wat?'

'Dat er voor jullie allemaal iets tussen is gekomen.'

Hij pakte zijn koffiekop vast, maar tilde die niet op. 'Ik kan je niet volgen.'

Ze pakte de eerste dossiermap, haalde de prints eruit en legde ze op tafel.

'Wat zijn dat?' vroeg hij.

'Laten we met jou beginnen.'

'Wat is er met mij?'

'Een jaar geleden word je betrapt op het verduisteren van twee miljoen dollar.'

Zijn ogen werden groot. 'Hoe kom je aan dat bedrag?'

'Ik heb mijn bronnen.'

'Die beschuldiging sloeg nergens op. Ik heb het niet gedaan.'

'Ik beweer ook niet dat je het hebt gedaan. Laat me even mijn verhaal afmaken, wil je? Eerst word jij beschuldigd van verduistering.' Ze sloeg de volgende map open. 'Twee maanden later gaat Farley voor schut door een politiek schandaal met een prostituee.' De volgende map. 'Ongeveer een maand daarna loopt Dan Mercer tegen de lamp in mijn tv-programma. En dan, nog eens twee maanden daarna, wordt dokter Steve Miciano gearresteerd voor verboden bezit van een grote hoeveelheid medicijnen op recept.'

Alle mappen met informatie van internet lagen nu opengeslagen op tafel. Phil staarde ernaar, met zijn handen in zijn schoot alsof hij de papieren niet durfde aan te raken.

'Vind je dat niet verdomde toevallig?' vroeg Wendy.

'En Kelvin?'

'Over hem heb ik niks kunnen vinden.'

'En je hebt al deze informatie in één dag verzameld?'

'Zo moeilijk is dat niet. Alles staat op internet.'

Achter haar zei Ten-A-Fly: 'Mag ik die papieren eens zien?'

Wendy draaide zich om. Ze stonden er allemaal, de hele Vadersclub. 'Staan jullie mee te luisteren?'

'Neem ons niet kwalijk,' zei Doug. 'De mensen die hier komen, praten op vol volume over de meest persoonlijke dingen. Alsof ze denken dat ze zich in een of andere geluiddichte cocon bevinden. Het gaat vanzelf, dat meeluisteren. Phil, was die zogenaamde beschuldiging van verduistering de reden dat ze je hebben ontslagen?'

'Nee. Het was een excuus. Ik ben gewoon wegbezuinigd, net als jullie.'

Ten-A-Fly boog zich over de tafel en pakte de prints. Hij zette een leesbril op en begon de informatie door te nemen.

Phil zei: 'Ik zie nog steeds niet wat dit met het vermiste meisje te maken kan hebben.'

'Misschien niks,' zei Wendy. 'Maar laten we het stap voor stap doen. Jij raakt verzeild in een schandaal en je beweert dat je onschuldig bent.'

'Ik bén onschuldig. Waarom denk je dat ik nog steeds op vrije voeten ben? Als mijn kantoor echte bewijzen had gehad, zou ik nu in de gevangenis zitten. Ze weten zelf heel goed dat die beschuldiging nergens op slaat.'

'Maar zie je het dan niet? Er zijn overeenkomsten. Neem Dan. Ook hij is uiteindelijk niet veroordeeld. En voor zover ik weet Steve Miciano en Farley Parks evenmin. Geen van de beschuldigingen tegen jullie is bewezen... het waren de beschuldigingen zelf die jullie de das om hebben gedaan.'

'Ja, en?'

Doug zei: 'Dat meen je toch niet, Phil?'

Wendy knikte. 'Vier mannen, jaargenoten op Princeton, wonen met elkaar in dezelfde flat, en binnen een jaar raken ze alle vier bij een schandaal betrokken.'

Phil dacht erover na. 'Alleen Kelvin niet.'

Owen, met zijn babydraagband, zei: 'Misschien is Kelvin degene die jullie dit kunstje heeft geflikt.'

'Wat voor kunstje?' zei Phil. Hij keek Wendy aan. 'Je kunt dit niet menen. Waarom zou Kelvin ons iets willen aandoen?'

'Ho, wacht eens,' zei Doug. 'Ik heb ooit een film gezien die daarover ging. Hé, Phil, waren jullie lid van een of andere sekte, of een geheim genootschap of zo?'

'Wat? Nee.'

'Misschien hebben jullie wel een meisje vermoord en het lijk begraven, en is ze opgestaan uit de dood om wraak op jullie te nemen. Tenminste, zo ging het in de film.'

'Hou op, Doug.'

'Toch zit er iets in, in wat Doug zegt,' zei Wendy. 'Ik bedoel, zonder al het melodrama... maar kan er toch op Princeton iets gebeurd zijn?'

'Zoals?'

'Zoals iets wat erg genoeg was om er vele jaren later wraak voor te nemen.'

'Nee.'

Hij zei het te snel. Ten-A-Fly, met zijn halfronde leesbrilletje – voor een rapper bood hij een bizarre aanblik – was nog steeds de prints aan het lezen. 'Owen,' zei Fly.

De man met de babydraagdoek kwam naar hem toe. Fly scheurde een strookje van de print af. 'Dit is een videoblog. Kijk eens op internet wat je erover te weten kunt komen.'

'Oké,' zei Owen.

'Waar denk je aan?' vroeg Wendy aan Fly.

Maar Ten-A-Fly ging door met lezen. Ze keek weer naar Phil. Zijn blik was op de vloer gericht.

'Denk na, Phil.'

'Er was niks.'

'Hadden jullie vijanden?'

Phil fronste zijn wenkbrauwen. 'We waren maar een stel studentjes.'

'Maar toch. Een vechtpartij misschien? Of een van jullie had de vriendin van iemand afgepikt?'

'Nee.'

'Kun je echt niks bedenken?'

'Er was niks. Geloof me. Je zoekt in de verkeerde richting.'

'En Kelvin Tilfer?'

'Wat is er met hem?'

'Heeft hij zich ooit door jullie benadeeld gevoeld?'

'Nee.'

'Hij was de enige kleurling in de groep.'

'Nou en?'

'Ik doe maar een slag in het duister,' zei Wendy. 'Is hém misschien iets overkomen?'

'Op de universiteit? Nee. Kelvin was een rare, een wiskundig genie, maar we mochten hem allemaal graag.'

'Wat bedoel je met "rare"?'

'Raar... anders, van een andere planeet. Hij hield er vreemde uren op na. Ging midden in de nacht een eindje wandelen. Praatte hardop als hij met zijn wiskundige problemen bezig was. Gewoon, raar... de gestoorde geleerde. Dat deed het trouwens goed op Princeton.'

'Dus je kunt geen enkel incident bedenken?'

'Wat Kelvin ertoe zou brengen om nú wraak op ons te nemen? Nee, niks.'

'En iets uit het meer recente verleden?'

'Ik heb Kelvin niet meer gesproken nadat we waren afgestudeerd. Dat heb ik al gezegd.'

'Waarom niet?'

Phil beantwoordde de vraag door er zelf een te stellen. 'Waar heb jij gestudeerd, Wendy?'

'Tufts.'

'Spreek jij je jaargenoten nog regelmatig?'

'Nee.'

'Nou, ik ook niet. We waren bevriend. We zijn elkaar uit het oog verloren. Net zoals we negenennegentig procent van onze studiegenoten uit het oog verliezen.'

‘Kwam hij ook niet naar reünies en dat soort dingen?’

‘Nee.’

Wendy dacht hierover na. Ze kon proberen de administratie van Princeton te bellen. Misschien konden ze haar daar verder helpen.

Ten-A-Fly zei: ‘Ik heb iets gevonden.’

Wendy draaide zich om. Goed, hij zag er nog steeds bespottelijk uit met die afgezakte spijkerbroek, die pet met een klep zo groot als een putdeksel, en dat sweatvest met capuchon, maar het is verbazingwekkend wat ernst met het uiterlijk van iemand kan doen. Ten-A-Fly was er niet meer. Hij had plaatsgemaakt voor Norm. ‘Wat?’ vroeg Wendy.

‘Voordat ik de zak kreeg, deed ik de marketing voor diverse starters. Onze voornaamste taak was het op een positieve manier onder de aandacht brengen van die bedrijven. Belangstelling creëren, met name op internet. Dus leunden we zwaar op virale marketing. Weet je wat dat is?’

‘Nee,’ zei ze.

‘Het is steeds populairder aan het worden, waardoor het aan kracht zal inboeten, want als iedereen het gaat doen, moet je hard schreeuwen wil je nog boven het rumoer uit komen. Maar tot nu toe werkt het. We hebben het zelfs gebruikt om mij als rapper op de kaart te zetten. Stel, er komt een film uit. Onmiddellijk zie je op internet geweldige recensies, trailers op YouTube, positieve reacties op forums en blogs, en nog veel meer. Het merendeel van die eerste reacties is nep. Die worden op internet gezet door een marketingbureau, in opdracht van de filmstudio.’

‘Oké, maar hoe sluit dat aan bij ons probleem?’

‘Wat hier gebeurt, in het kort, met die Miciano-knul en die Farley Parks, is het omgekeerde. Ze zijn blogs en Tweets begonnen. Ze hebben zoekmachines geld toegeschoven om ervoor te zorgen dat, als je een zoekopdracht voor deze jongens invoert, jouw virale links het eerst en heel duidelijk worden gezien... helemaal boven aan de lijst. Het is hetzelfde als virale marketing, maar dan om iemand af te breken in plaats van hem aan te prijzen.’

‘Dus,’ zei Wendy, ‘als ik bijvoorbeeld iets over dokter Steve

Miciano wil weten en hem opzoek op internet...'

'Krijg je een stortvloed van negatieve berichten,' vulde Ten-A-Fly voor haar aan. 'De ene pagina na de andere. Om nog maar te zwijgen van Tweets, items op forums, anonieme e-mails...'

'We hebben het meegemaakt toen ik nog bij Lehman zat,' zei Doug. 'Dan gingen mensen internet op en zeiden ze positieve dingen over een of andere beursintroductie... anoniem of onder een valse naam, maar altijd om een goede stemming te creëren. En het omgekeerde gebeurde natuurlijk ook. Je verspreidde geruchten over een dreigend faillissement van een sterke concurrent. O, en er was een keer een financiële columnist op internet, herinner ik me, die had geschreven dat Lehman ten onder zou gaan, en raad eens? Opeens werden er op de blogs allerlei valse beschuldigingen tegen de man geuit.'

'Dus al deze beschuldigingen zijn ook nep?' vroeg Wendy. 'Miciano ís helemaal niet gearresteerd?'

'Jawel,' zei Fly. 'Dat bericht is wel echt. Uit een respectabele krant op een legitieme website. Maar de rest over hem, ik bedoel, moet je deze blog van die drugsdealer zien. En deze, van die prostituee met wie Farley Parks iets zou hebben gehad. Allebei blogs zomaar uit het niets, van auteurs die geen enkel ander bericht hebben geschreven, alleen deze waarin die twee worden zwartgemaakt.'

'Dus het zijn alleen maar verdachtmakingen,' zei Wendy.

Ten-A-Fly haalde zijn schouders op. 'Ik zeg niet dat ze het niet hebben gedaan. Ze kunnen best schuldig zijn... jij niet, Phil, we weten wel beter. Maar wat ik wel zeg is dat iemand graag wilde dat de hele wereld van deze schandalen wíst.'

Wat, wist Wendy, aansloot bij haar theorie van een samenzwering om met behulp van schandalen hun reputatie om zeep te helpen.

Ten-A-Fly keek achterom. 'Heb jij al iets, Owen?'

Zonder op te kijken van de laptop zei Owen: 'Bijna, misschien.'

Ten-A-Fly ging door met het lezen van de prints. Een serveerster riep een ingewikkelde bestelling van Venti's, Misto's, halfcafs en één procent decafs. Een andere serveerster maakte aantekeningen op een stel bekertjes. Het espressoapparaat klonk als een fluit van een stoomlocomotief en overstemde de titelsong van *Unsprung*.

'En hoe zit het met die pedofiel die jij hebt ontmaskerd?' vroeg Ten-A-Fly.

'Wat is er met hem?'

'Hebben ze voor hem ook virale marketing gedaan?'

'Dat heb ik nooit gecheckt.'

'Owen?' zei Ten-A-Fly.

'Wordt aan gewerkt. Dan Mercer, hè?' Wendy knikte. Owen sloeg een paar toetsen aan. 'Niet veel, maar een paar links naar Dan Mercer. Is ook niet nodig. Die gast is uitgebreid in het nieuws geweest.'

'Goed punt,' zei Ten-A-Fly. 'Wendy, hoe ben jij Mercer op het spoor gekomen?'

Wendy dacht er al aan terug toen hij het vroeg, en ze was niet blij met de richting die haar gedachten kozen. 'Ik kreeg een anonieme e-mail.'

Phil schudde langzaam zijn hoofd. De drie anderen keken haar aan en zeiden niets.

'Wat stond erin?' vroeg Ten-A-Fly.

Ze haalde haar BlackBerry tevoorschijn. Ze had de e-mail opgeslagen. Ze zocht hem op, opende hem en gaf het toestel aan Ten-A-Fly.

Hallo. Ik heb uw programma al een paar keer gezien. Ik vind dat u moet weten dat ik een enge man op internet ben tegengekomen. Ik ben dertien jaar en ik was in de SocialTeen-chatroom. Hij deed alsof hij zo oud was als ik, maar later bleek hij veel ouder te zijn. Minstens veertig, denk ik. Hij is net zo groot als mijn vader en die is 1.80, hij heeft groene ogen en krullend haar. Hij leek heel aardig, dus ben ik met hem naar de film geweest. Daarna dwong hij me mee te gaan naar zijn huis. Het was afschuwelijk. Nu ben ik bang dat hij dit ook met andere kinderen zal doen, want hij werkt met kinderen. Helpt u me alstublieft, want hij mag niet nog meer kinderen kwaaddoen.

Ashlee (niet mijn echte naam – sorry!)
PS Hier is de link van de SocialTeen-chatroom. Zijn gebruikersnaam is DrumLover17.

Ze lazen de e-mail allemaal, zonder iets te zeggen. Wendy stond er wezenloos bij. Toen Ten-A-Fly haar de telefoon teruggaf, zei hij: 'Ik neem aan dat je hebt geprobeerd haar terug te mailen?'

'Ja, maar ik kreeg geen antwoord. We hebben geprobeerd uit te vinden waar hij vandaan kwam, maar dat is niet gelukt. Maar ik ben niet alleen van deze e-mail uitgegaan,' vervolgde Wendy, en ze deed haar best niet te defensief te klinken. 'Ik bedoel, het was een begin, meer niet. We zijn ermee aan de slag gegaan, want zo werken we. We worden lid van chatrooms en forums, doen alsof we jonge meisjes zijn en kijken wat voor viezeriken uit het struikgewas komen kruipen. Dus dat hebben we in de SocialTeen-chatroom ook gedaan. DrumLover17 was daar. Hij zei dat hij een zeventienjarige drummer was. We hebben met hem aangepapt en een afspraak gemaakt. En toen kwam Dan Mercer opdraven.'

Ten-A-Fly knikte. 'Ik heb het in de krant gelezen, herinner ik me. Mercer beweerde dat hij een afspraak met een ander meisje had, was het niet zoiets?'

'Dat klopt. Hij werkte in een opvanghuis. Hij beweerde dat een van zijn pupillen hem had gebeld en hem had gevraagd naar het adres van ons lokhuis te komen. Maar vergeet niet dat we over concrete bewijzen beschikten: de logs van de chats en de sterk seksueel getinte e-mails naar ons zogenaamd dertienjarige meisje, allemaal afkomstig van de laptop die in Dan Mercers huis is gevonden.'

Niemand reageerde hierop. Doug deed een swing met zijn denkbeeldige tennisracket. Phil zag eruit alsof iemand hem een hengst met een eind hout had gegeven. Ten-A-Fly hield de radertjes in zijn hoofd draaiende. Hij keek om naar Owen. 'Heb je al wat?'

'Ik heb mijn desktopcomputer nodig voor een verdere analyse van de video's,' zei Owen.

Wendy wilde graag overgaan op een nieuw onderwerp. 'Waar ben je naar op zoek?'

De baby lag tegen Owens borst en sliep, met het hoofdje zo ver achterover dat ze er een beetje angstig van werd. Wendy had weer een flashback: John die Charlie in de draagband droeg. Voor de zoveelste keer vroeg ze zich af wat John nu zou denken van zijn zoon, al bijna een man, en ze kon wel janken als ze dacht aan wat hij allemaal had moeten missen. Dat was wat haar altijd het meest aangreep, op elke verjaardag en schoolreünie, maar ook als ze 's avonds gewoon tv zaten te kijken of iets anders deden: niet alleen wat Ariana Nasbro haar en Charlie had afgenomen, maar juist wat ze John allemaal had afgenomen. Wat hij door haar allemaal had moeten missen.

'Owen werkte als technicus bij een tv-station dat dagprogramma's maakte,' legde Phil uit.

'Ik zal proberen het zo eenvoudig mogelijk te houden,' zei Owen. 'Je weet dat een digitale camera met megapixels werkt, hè?'

'Ja.'

'Oké. Stel dat je een foto hebt gemaakt en dat je die op internet wilt zetten. Laten we zeggen dat die foto tien bij vijftien centimeter groot is. Hoe meer megapixels, hoe groter het bestand. Maar voor het overige zal de ene foto van – bijvoorbeeld – vijf megapixels even groot zijn als de andere... zeker als ze met dezelfde camera zijn gemaakt.'

'Oké.'

'Hetzelfde gaat op voor digitale video's die op internet zijn gezet. Als ik straks thuis ben, kan ik zoeken naar meer specifieke eigenschappen en overeenkomsten. Nu, hier, kan ik alleen de bestandsgrootte zien en die delen door de tijdsduur van de video. Om het simpel te houden, kan ik zeggen dat voor het maken van deze twee video's hetzelfde type videocamera is gebruikt. Op zich heeft dat niet veel te betekenen. Er gaan honderdduizenden videocamera's over de toonbank die aan deze voorwaarden voldoen. Maar toch is het de moeite waard om het in gedachten te houden.'

Daar zaten ze dan, de voltallige Vadersclub... Norm, alias Ten-A-Fly de rapper, Doug, de tennisser die nooit tenniste, Owen met zijn babydraagband en Phil in zijn mooie pak.

Ten-A-Fly zei: 'We willen helpen.'
'Hoe?' vroeg Wendy.
'We gaan bewijzen dat Phil onschuldig is.'
'Norm...' zei Phil.
'We zijn je vrienden, Phil.'
De anderen mompelden instemmend.
'Ga nou maar akkoord, oké? We hebben niks beters te doen. We zitten hier alleen maar medelijden met onszelf te hebben. Als iemand van ons een loser is, ben ik het wel. Laten we weer eens iets constructiefs doen... laten we ieder onze expertise uit de kast halen.'
'Dat kan ik niet van jullie vragen,' zei Phil.
'Je hóéft het niet te vragen,' vervolgde Norm. 'Je weet dat we het graag willen. Shit, misschien hebben wij er wel meer behoefte aan dan jij.'
Phil zei niets.
'We kunnen om te beginnen de virale marketing onder de loep nemen, kijken of we erachter kunnen komen waar dit spul vandaan komt. En we kunnen je helpen je laatste flatgenoot, die Kelvin, op te sporen. We hebben allemaal kinderen, Phil. Als mijn dochter werd vermist, zou ik alle hulp aannemen die ik kon krijgen.'
Phil knikte. 'Goed dan.' En daarna: 'Bedankt.'
We hebben allemaal onze talenten. Dat was wat Ten-A-Fly zei. Doe iets met je expertise. Er zat iets in die woorden wat Wendy raakte. Expertise. We hebben de neiging de nadruk te leggen op waar we goed in zijn, nietwaar? Wendy zag de schandalen door de ogen van een tv-reporter. Ten-A-Fly zag ze door de ogen van een marketingman, en Owen door een cameralens...
Een paar minuten later bracht Ten-A-Fly haar naar de deur. 'We houden contact,' zei hij.
'Ik zou niet te hard over mezelf oordelen als ik jou was,' zei ze.
'Hoe bedoel je?'
'Dat je zei dat je een loser was.' Wendy knikte naar de laptop. 'Losers krijgen geen bod van zeshonderd dollar op een oude bandana.'

Ten-A-Fly glimlachte. 'Daar ben je van onder de indruk, hè?'

'Ja.'

Hij boog zich naar haar toe en fluisterde: 'Zal ik je een geheimpje verklappen?'

'Graag.'

'De bieder is mijn vrouw. Sterker nog, ze heeft twee gebruikersnamen en biedt tegen zichzelf op om de prijs op te drijven. Ze denkt dat ik het niet weet.'

Wendy knikte. 'Dat bewijst mijn gelijk,' zei ze.

'Hoe dat zo?'

'Een man met een vrouw die zo veel van hem houdt,' zei Wendy, 'die kun je toch geen loser noemen?'

24

Grijze wolken pakten zich samen boven Ringwood State Park. Marcia McWaid liep door het dichte bos, en Ted, haar man, liep een paar meter voor haar. Ze hoopte dat er geen regen op komst was, maar het wolkendek was een hele verbetering na de bloedhete zon van die ochtend.

Marcia en Ted waren geen mensen voor boswandelingen of kamperen of al het andere wat onder de noemer 'de vrije natuur' valt. Vóór Haleys verdwijning – er was nu altijd een 'voor', een uiteengespatte wereld van onwetendheid uit een ver verleden – gingen de McWaids liever naar musea en boekwinkels, of uit eten in trendy restaurants.

Toen Ted naar rechts keek en Marcia zijn gezicht van opzij zag, zag ze iets wat haar verbaasde. Ondanks het feit dat ze zich overgaven aan de grimmigste taak die je je kunt bedenken, zag ze een vage glimlach op het knappe gezicht van haar man.

'Waar denk je aan?' vroeg Marcia.

Hij bleef doorlopen. De glimlach bleef waar hij was. De tranen stonden in zijn ogen, zoals dat de afgelopen drie maanden vrijwel voortdurend het geval was geweest. 'Herinner je je Haleys dansuitvoering?'

Er was er maar één geweest. Haley was toen zes. Marcia zei: 'Volgens mij de laatste keer dat we haar in het roze hebben gezien.'

'Weet je nog wat ze aanhad?'

'Natuurlijk,' zei Marcia. 'Ze moesten suikerspinnen voorstellen. Rare herinnering. Ik bedoel, het was zó... on-Haleys.'

'Absoluut.'

'En?'

Ted bleef aan de voet van een heuveltje staan. 'Maar de uitvoering zelf, herinner je je die nog?'

'Ja zeker. In de aula van de school.'

'Precies. Wij, de ouders, zaten in het publiek. Het hele optreden duurde een uur of drie en was eerlijk gezegd zo saai als het maar kan, maar het enige waarop je zat te wachten waren die twee minuten dat je eigen kind op het podium staat. Ik herinner me dat Haleys suikerspinnendansje het achtste of negende van de – hoeveel? – vijfentwintig tot dertig acts was en dat wij, zodra ze het podium op kwam, hand in hand zaten. Ik herinner me mijn glimlach, dat ik mijn dochter daar zie staan en dat ik die paar minuten een immense blijdschap voel. Het is alsof er een fel licht in mijn borstkas begint te schijnen als ik zie dat haar gezichtje helemaal verkrampt is van inspanning, want je weet hoe ze is... zelfs op zo'n moment is Haley Haley. Ze wil niets fout doen. Elke stap die ze doet is geoefend en precies. Ik bedoel, ritme en expressie zitten er niet in, maar fouten maakt Haley niet. En ik aanschouw dit kleine wonder en barst bijna uit elkaar van geluk.'

Ted keek haar aan alsof hij zijn herinnering bevestigd wilde zien. Marcia knikte, en toen, ondanks de inktzwarte taak die op hun schouders rustte, brak er ook op haar gezicht een vage glimlach door.

'En,' vervolgde Ted, 'je zit daar, met de tranen in je ogen, je denkt aan de pure schoonheid van het moment, en dan – en dat is het meest wonderbaarlijke – kijk je om je heen, zie je alle andere ouders en besef je dat die stuk voor stuk precies hetzelfde voelen als jij zodra hún kind het podium op komt. Ik bedoel, dat ligt voor de hand, is volkomen logisch, maar toch zit er iets in wat me overdondert. Ik kan niet bevatten dat dit heerlijke gevoel, deze vloedgolf van liefde, niet alleen aan ons toebehoort, dat het niet uniek is wat wij ervaren... en op de een of andere manier maakt juist dát het nog fantastischer. Ik herinner me dat ik de andere ouders in het publiek heb geobserveerd. Wat je ziet zijn betraande ogen en stralende gezichten. Je ziet de moeders de hand van hun man vastpakken en er wordt geen woord gezegd. En ik herinner me hoeveel indruk het op me maakte. Alsof, ik weet het niet, alsof ik niet kon geloven dat die ene plek, die aula van de school, zo vol van pure liefde, niet van de grond loskwam en opsteeg.'

Marcia wilde iets zeggen, maar ze kon geen woorden vinden. Ted haalde zijn schouders op, draaide zich om en begon de heuvel te beklimmen. Hij perste zijn voet in de zachte bodem, pakte een dunne boomstam vast en trok zich omhoog. Ten slotte zei Marcia: 'Ik ben zo bang, Ted.'

'Het komt allemaal goed,' zei hij.

Ze glimlachten niet meer. De wolken werden steeds donkerder. De helikopter vloog over. Ted stak zijn hand naar haar uit. Marcia pakte hem vast en hij trok haar omhoog. En samen zetten ze de zoektocht naar hun dochter voort.

Twee dagen later, in een ondiep graf aan de rand van Ringwood State Park, vond een speurhondenteam het stoffelijk overschot van Haley McWaid.

Deel twee

25

Begrafenisplechtigheden zijn in zekere zin altijd hetzelfde. Dezelfde gebeden, de gebruikelijke Bijbelteksten, de veronderstelde woorden van troost die, zeker in situaties als deze, een buitenstaander in de oren moeten klinken als de meest belachelijke rationalisering óf een ronduit obscene rechtvaardiging van de dood. Wat op de preekstoel gebeurt is min of meer een constante; alleen de reacties van de nabestaanden hebben invloed op de stemming.

De begrafenis van Haley McWaid lag als een grauwe, loodzware deken over de hele gemeenschap. Verdriet ligt als een last op je schouders, het maakt je ledematen zwaar en stopt piepkleine glasscherfjes in je longen waardoor zelfs ademhalen pijn doet. Iedereen in de gemeenschap was nu aangeslagen, maar Wendy wist dat dit niet zou blijven duren. Ze had het meegemaakt na Johns voortijdige dood. Verdriet is alles verwoestend en afmattend, maar bij vrienden, zelfs je allerbeste vrienden, komt het maar een beperkte tijd op bezoek. Veel langer, waarschijnlijk altijd, blijft het bij de familie, en eigenlijk hoort het ook zo.

Wendy had achter in de kerk gestaan. Ze was laat binnengekomen en vroeg weggegaan. Ze had Marcia of Ted niet in de ogen gekeken. Haar geest stond dat niet toe… 'dacht niet die kant op', zoals Charlie, haar levende, ademende zoon, het formuleerde. Het was een beschermingsmechanisme, niet meer en niet minder. En ook dat was oké.

De zon stond stralend aan de hemel. Dat leek altijd zo te zijn wanneer er een begrafenis was. Haar gedachten wilden terug naar

John, naar zijn gesloten kist, maar opnieuw verzette Wendy zich ertegen. Ze liep de straat in. Op de hoek stopte ze, deed haar ogen dicht, keerde haar gezicht naar de zon en bleef zo even staan. Haar horloge gaf aan dat het elf uur was. Het was tijd voor haar afspraak met sheriff Walker.

Het mortuarium, gevestigd in een pand in een deprimerend deel van Norfolk Street in Newark, deed de lijkschouwingen voor de county's Essex, Hudson, Passaic en Somerset. Newark had in de afgelopen jaren inderdaad een lichte opleving meegemaakt, maar die was pas een paar straten ten oosten van hier te zien. Trouwens, wat had het voor zin om een mortuarium in een trendy deel van de stad te huisvesten? Sheriff Walker wachtte haar voor de deur op. Zoals altijd leek hij zich een beetje ongemakkelijk te voelen met zijn grote lichaam en stond hij iets voorovergebogen. Het zou haar niet hebben verbaasd als hij voor haar op zijn hurken was gaan zitten om tegen haar te praten, zoals je een klein kind geruststelt, en alleen al het idee maakte hem innemender.

'Het zijn voor ons allebei een paar drukke dagen geweest, denk ik zo,' zei Walker.

De dood van Haley McWaid had Wendy inderdaad een hoop werk bezorgd. Vic had haar weer in dienst genomen en haar gepromoveerd tot nieuwslezer in de weekends. De andere nieuwszenders hadden haar geïnterviewd, haar uitgehoord over Dan Mercer en met haar gepraat over hoe zij, als heldhaftige tv-reporter, niet alleen een pedofiel maar ook een moordenaar had ontmaskerd.

'Waar is rechercheur Tremont?' vroeg ze.

'Met pensioen.'

'Maakt hij de zaak dan niet af?'

'Wat valt er af te maken? Haley McWaid is vermoord door Dan Mercer en Mercer is dood. Dat maakt een eind aan de zaak, denk je ook niet? We blijven wel naar Mercers lijk zoeken, maar ik heb meer zaken te doen... en wie zal Ed Grayson willen zien boeten omdat hij die vuile schoft heeft opgeruimd?'

'Ben je er zeker van dat Dan Mercer het heeft gedaan?'

Walker fronste zijn wenkbrauwen. 'Jij niet?'

'Het is maar een vraag.'

'Ten eerste is het mijn zaak niet. Het was Frank Tremonts zaak. Hij lijkt er redelijk zeker van. Maar het is nog niet helemaal afgelopen. We zijn aan het graven in Dan Mercers verleden. We zoeken naar andere gevallen van vermiste meisjes. Ik bedoel, als we Haleys telefoon niet in die motelkamer hadden gevonden, hadden we vermoedelijk nooit de link tussen haar en Dan gelegd. Het is mogelijk dat hij dit al jaren doet, dat hij zich ook aan andere meisjes heeft vergrepen. Misschien heeft hij wel een spoor van vermiste meisjes achtergelaten, dat weten we gewoon niet. Ten tweede, ik ben maar de sheriff van deze county en de misdaden zijn niet eens in mijn jurisdictie gepleegd. De FBI kijkt er nu naar.'

Ze werden binnengelaten in het nogal alledaagse kantoor van Tara O'Neill, de patholoog-anatoom. Wendy was allang blij dat het meer deed denken aan het kantoor van een schoolhoofd dan dat het met stoffelijke overschotten van mensen van doen had. De twee vrouwen hadden elkaar al vaker ontmoet toen Wendy verslag deed van plaatselijke moorden. Tara O'Neill was gekleed in een elegante zwarte jurk – zo veel beter dan lichtgroene operatiekleding – maar wat Wendy altijd het meest opviel aan Tara, was dat ze zo verpletterend mooi was, hoewel ze tegelijkertijd iets van Morticia Addams had. Tara was lang en slank, had lang, stijl ravenzwart haar en een bleek, vredig gezicht dat licht leek uit te stralen... kortom, het uiterlijk dat aan een soort goth deed denken.

'Hallo, Wendy.'

Ze boog zich over haar bureau om hen de hand te schudden. Haar handdruk was stijf en formeel.

'Hallo, Tara.'

'Ik heb me afgevraagd waarom we dit privé moeten bespreken,' zei Tara.

'Beschouw het als een gunst aan ons,' zei Walker.

'Maar, sheriff, je bevindt je buiten je jurisdictie.'

Walker spreidde zijn armen. 'Wil je echt dat ik alles via de officiele kanalen doe?'

'Nee, dat is niet nodig,' zei Tara. Ze ging zitten en gebaarde naar de twee bezoekersstoelen. 'Wat kan ik voor jullie doen?'

De stoelen waren van hout en ontworpen om alles behalve comfort te verschaffen. Tara zat rechtop en wachtte af, kalm, professioneel en vriendelijk, de manier die altijd het beste werkte wanneer het om de doden ging. Het kantoor kon wel een lik verf gebruiken, maar zoals de oude grap luidt klaagden Tara's patiënten nooit.

'Zoals ik al zei toen ik je belde,' zei Walker, 'willen we graag alles horen wat je over Haley McWaid te weten bent gekomen.'

'Natuurlijk.' Tara keek Wendy aan. 'Zal ik de uitkomst van het identificatieproces beschrijven?'

'Dat lijkt me een goed idee,' zei Wendy.

'Om te beginnen: er bestaat geen twijfel over dat het stoffelijk overschot, gevonden in Ringwood State Park, van het vermiste meisje Haley McWaid is. Het was in verregaande staat van ontbinding, maar het skelet was nog intact, net als het haar. Kortom, ze zag er nog min of meer uit zoals toen ze nog in leven was, maar dan zonder huid en weefsel. Willen jullie een foto van de menselijke resten zien?'

Wendy wierp een korte blik in de richting van Walker. De sheriff zag eruit alsof hij zich niet helemaal goed voelde.

'Ja,' zei Wendy.

Tara schoof een paar foto's over haar bureaublad alsof het restaurantmenu's waren. Wendy zette zich schrap. Ze had geen sterke maag als het om dit soort dingen ging. Zelfs van griezelfilms werd ze soms al onwel. Ze wierp een vluchtige blik op de foto's en keek snel de andere kant op, maar zelfs in die ene fractie van een seconde, hoe gruwelijk het ook was, herkende ze de gelaatstrekken van Haley McWaid op het vergane gezicht dat ze zag.

'De beide ouders, Ted en Marcia McWaid, wilden het stoffelijk overschot van hun dochter per se zien,' vervolgde O'Neill op volmaakt neutrale toon. 'Ze hebben haar allebei herkend en positief geïdentificeerd. Zelf zijn we nog een paar stappen verder gegaan. De lengte en bouw van het skelet kwamen overeen. Haley McWaid had haar hand gebroken toen ze twaalf was, het middenhandsbeentje van de ringvinger. De breuk was geheeld, maar nog wel zichtbaar op de röntgenfoto. En natuurlijk hebben we een DNA-test gedaan, met behulp van een monster dat is afgestaan door haar zusje Patricia. De match was een feit. Kortom, er bestaan geen twijfels over de identiteit.'

'En de doodsoorzaak?'

Tara O'Neill vouwde haar handen en legde ze op het bureaublad. 'Die is tot nu toe niet vastgesteld.'

'Wanneer gaat dat gebeuren, denk je?'

Tara O'Neill stak haar hand uit en schoof de foto's terug. 'Als ik eerlijk ben,' zei ze, 'waarschijnlijk nooit.'

Ze deed de foto's terug in het dossier, sloeg de map dicht en legde die rechts van haar.

'Wacht eens, denk je echt dat de doodsoorzaak niet vastgesteld kan worden?'

'Ja, dat denk ik.'

'Is dat niet ongewoon?'

Eindelijk kwam er een glimlach op Tara's gezicht. Een stralende en tegelijkertijd ontnuchterende glimlach. 'Nee, niet echt. Onze generatie is helaas grootgebracht met tv-programma's waarin lijkschouwers wonderen verrichten. Ze kijken door een microscoop en vinden alle antwoorden. Jammer genoeg strookt dat niet met de realiteit. Bijvoorbeeld de vraag: is Haley McWaid doodgeschoten? Ten eerste – en dat heb ik van de technische recherche – zijn er geen kogels op de plaats delict aangetroffen. Er zijn ook geen kogels in het lijk gevonden. Ik heb diverse röntgenfoto's gemaakt om te zien of de botten van het skelet beschadigingen of sporen vertonen die wijzen op een kogelwond. Ik heb ze niet gevonden. En toch, om het nog gecompliceerder te maken, kunnen we ook niet uitsluiten dat ze is doodgeschoten. Een kogel hoeft namelijk geen bot te raken. Aangezien het lijk in verregaande staat van ontbinding verkeerde, is ook niet duidelijk vast te stellen waar en óf een kogel het weefsel heeft doorboord. Dus het enige wat ik kan zeggen is dat er geen sporen van kogels zijn aangetroffen en dat het daarom onwaarschijnlijk is dat ze is doodgeschoten. Kunnen jullie me volgen?'

'Ja.'

'Mooi. Hetzelfde geldt voor een dodelijke steek met een mes, dat we het gewoon niet met zekerheid kunnen zeggen. Als de dader bijvoorbeeld een ader heeft doorgesneden...'

'Ja, ik denk dat ik wel begrijp wat je bedoelt.'

'En er zijn natuurlijk meer mogelijkheden. Het slachtoffer kan gestikt zijn... door de klassieke methode van het kussen op het gezicht. Zelfs in gevallen waarin het lijk na een paar dagen wordt gevonden is dood door verstikking al moeilijk met zekerheid vast te stellen. Maar in dit geval, waarin het lijk hoogstwaarschijnlijk drie maanden begraven heeft gelegen, is het ronduit onmogelijk. Ik heb ook enkele specifieke tests gedaan om te zien of er drugs in de bloedsomloop zaten, maar als een lijk zo ver ontbonden is, komen er bloedenzymen vrij. Die kunnen veel tests flink ontregelen. Simpel gezegd, door de ontbinding veranderen alle vloeistoffen in het lichaam in een soort alcohol. Dus ook die tests op het overgebleven weefsel zijn niet echt betrouwbaar. Haleys glaslichaam – dat is de gelei-achtige massa in de oogbol – was te zeer uitgedroogd om dat op sporen van drugs te testen.'

'Dus je kunt niet eens met zekerheid zeggen dat het hier om moord gaat?'

'Nee, in mijn functie van patholoog-anatoom kan ik dat niet.'

Wendy keek naar Walker. Hij knikte. 'Wij wel. Ik bedoel, van Dan Mercer hebben we helemaal geen lijk gevonden. Toch heb ik moordzaken zonder lijk voor de rechter gebracht zien worden, of met een lijk waaraan, zoals Tara zei, niets meer te zien valt. Zo ongebruikelijk is dat niet.'

Tara O'Neill stond op om aan te geven dat het onderhoud ten einde was. 'Verder nog vragen?'

'Was ze seksueel misbruikt?'

'Hetzelfde antwoord: we weten het gewoon niet.'

Wendy stond ook op. 'Bedankt voor je tijd, Tara.'

Opnieuw die stijve, formele handdruk en even later liepen Wendy en sheriff Walker weer in Norfolk Street.

'Had je daar iets aan?' vroeg Walker aan haar.

'Nee.'

'Ik had je al gezegd dat ze niks hadden.'
'Dus dit was het? De zaak is gesloten?'
'Officieel voor deze sheriff wel, ja.'
Wendy liet haar blik door de straat gaan. 'Ik heb gehoord dat ze Newark aan het opwaarderen zijn.'
'Alleen hier niet,' zei Walker.
'Nee.'
'En voor jou, Wendy?'
'Wat?'
'Is deze zaak voor jou gesloten?'
Ze schudde haar hoofd. 'Nee, nog niet helemaal.'
'Wil je erover praten?'
Opnieuw schudde ze haar hoofd. 'Nee, nog niet.'
'Oké.' De grote man schuifelde onhandig heen en weer op zijn voeten en keek naar de stoeptegels. 'Mag ik je iets anders vragen?'
'Natuurlijk.'
'Ik voel me echt een stomme hufter. Ik bedoel, wat de timing betreft.'
Ze wachtte af.
'Als dit allemaal voorbij is, over een paar weken, bedoel ik...' Walkers blik kwam langzaam omhoog totdat die de hare ontmoette, '... zou je het vervelend vinden als ik je dan eens opbel?'
De straat leek opeens nog meer uitgestorven dan een minuut geleden. 'Wat slechte timing betreft heb je in ieder geval gelijk.'
Walker propte zijn handen in zijn broekzakken en haalde zijn schouders op. 'Ik ben nooit een mooiprater geweest.'
'Je onderschat jezelf,' zei Wendy, en ze moest haar best doen niet te glimlachen. Want dit was het leven, nietwaar? De dood deed je het leven omarmen. De wereld was niets anders dan een stel dunne lijntjes waarvan we denken dat het extremen zijn. 'Nee, ik zou het helemaal niet erg vinden als je me belde.'

Hester Crimsteins advocatenkantoor, Burton & Crimstein, was gevestigd in het hartje van Manhattan, in een van de wolkenkrabbers die een fantastisch uitzicht boden op de stad en op de Hudson River. Wanneer ze uit het raam keek, zag ze het tot museum omgebouwde vliegdekschip *Intrepid* en de kolossale cruiseschepen volgestouwd met drieduizend toeristen die het 'zo ontzettend naar hun zin hadden', en besloot ze dat ze liever zo'n schip zou baren dan dat ze er zich ooit vrijwillig op zou begeven. De waarheid was dat het uitzicht, net als alle uitzichten, na een tijdje gewoon een uitzicht was geworden. Haar bezoekers vonden het indrukwekkend, maar wanneer je het elke dag zag, hoe moeilijk het ook was om het toe te geven, werd zelfs het meest bijzondere doodgewoon.

Ed Grayson stond nu bij het raam. Hij keek naar buiten, maar als hij van het uitzicht genoot, liet hij daar weinig van merken. 'Ik weet niet wat ik moet doen, Hester.'

'Ik wel,' zei ze.

'Ik ben een en al oor.'

'Mijn vakkundige juridische advies is het volgende: doe niks.'

Grayson, die nog steeds naar buiten keek, glimlachte. 'Geen wonder dat je zo veel geld verdient.'

Hester spreidde haar armen.

'Dus zo simpel is het?'

'In dit geval wel, ja.'

'Je weet dat mijn vrouw bij me weg is. Ze is met E.J. terug naar Québec.'

'Vervelend voor je.'

'Deze hele puinhoop is mijn schuld.'

'Ed, vat het niet verkeerd op, maar je weet dat ik niet goed ben in handje vasthouden en valse sentimenten, hè?'

'En of ik dat weet.'

'Dan zal ik het duidelijk voor je samenvatten: je hebt er een grandioze klerezooi van gemaakt.'

'Ik heb nog nooit van mijn leven iemand in elkaar geslagen.'

'En nu wel.'

'Ik heb ook nog nooit iemand doodgeschoten.'

'En nu wel. En?'

Beiden zwegen. Ed Grayson kon goed tegen de stilte. Hester Crimstein niet. Ze begon op en neer te wippen in haar bureaustoel, speelde met haar pen en slaakte een theatrale zucht. Ten slotte stond ze op en liep naar de andere kant van het kantoor.

'Zie je dit?'

Ed draaide zich om. Ze wees naar een beeld van Vrouwe Justitia. 'Ja.'

'Weet je wat dit is?'

'Natuurlijk.'

'Wat dan?'

'Maak je een grapje?'

'Wie is dit?'

'Vrouwe Justitia.'

'Ja en nee. Ze staat onder allerlei namen bekend. Vrouwe Justitia, Blinde Gerechtigheid, de Griekse godin Themis, de Romeinse godin Justitia, de Egyptische godin Ma'at, en zelfs als dochter van Themis, Dike en Astraea.'

'Ja, eh... en?'

'Heb je dat beeld wel eens goed bekeken? De meeste mensen kijken het eerst naar de blinddoek, die natuurlijk refereert aan onpartijdigheid. Wat trouwens onzin is, want iedereen is in enige mate partijdig. Daar kun je gewoon niks aan doen. Maar kijk eens naar haar rechterhand. Dat is een zwaard. Een no-nonsense zwaard. Het staat symbool voor het vonnis, voor gerechtigheid, of soms zelfs voor de doodstraf. Maar weet je, alleen zij – het systeem – mag dat vonnis voltrekken. Het systeem, hoe beperkt het ook is, heeft het recht dat zwaard te hanteren. En jij, goede vriend, hebt dat niet.'

'Probeer je me duidelijk te maken dat ik het recht niet in eigen hand had mogen nemen?' Grayson trok zijn ene wenkbrauw op. 'Wow, Hester, diepzinnig, hoor.'

'Kijk naar de weegschaal, domkop. In haar linkerhand. Er zijn mensen die denken dat de weegschaal beide kanten van het proces symboliseert... de aanklacht en de verdediging. Anderen zeggen dat die staat voor redelijkheid of onpartijdigheid. Maar denk nou eens na. Waar die weegschaal echt voor staat, is voor evenwicht, waar of niet? Kijk, ik ben advocaat en ik weet wat voor reputatie ik heb. Ik weet dat de mensen van me denken dat ik de wet verdraai en allerlei smerige trucjes toepas. Dat is allemaal waar. Maar ik doe dat binnen de grenzen van het systeem.'

'En dan mag het?'

'Ja. Want het evenwicht blijft intact.'

'En ik, om bij jouw metafoor te blijven, heb dat evenwicht verstoord?'

'Precies. Dat is het mooie van ons rechtssysteem. Het kan gestuurd en verdraaid worden – God weet dat ik dat voortdurend doe – maar zolang je binnen de grenzen blijft, werkt het op de een of andere manier. Doe je dat niet en verstoor je het evenwicht, ook al zijn je bedoelingen nog zo goed, dan leidt dat tot chaos en rampen.'

'Dat,' zei Ed Grayson met een licht hoofdknikje, 'klinkt mij in de oren als een gigantische portie zelfrechtvaardiging.'

Hester glimlachte. 'Misschien is het dat ook wel. Maar je weet ook dat ik gelijk heb. Jij hebt een fout willen rechtzetten. Maar nu is het evenwicht verstoord.'

'Dus misschien moet ik iets doen om het goed te maken.'

'Zo werkt het niet, Ed. Dat weet je nu. Laat het met rust, dan krijgt het evenwicht de kans zich te herstellen.'

'Zelfs als dat inhoudt dat de slechterik vrijuit gaat?'

Ze hield haar handen op en glimlachte naar hem. 'Wie is dat nu, Ed, de slechterik?'

Stilte.

Hij wist niet goed wat hij daarop moest antwoorden, dus zei hij: 'De politie heeft geen idee wat er precies met Haley McWaid is gebeurd.'

Hester dacht daar even over na. 'Dat weet je niet,' zei ze. 'Misschien zijn wij degenen die geen idee hebben.'

26

De woning van Frank Tremont, de gepensioneerde rechercheur van de politie van Essex County, was een huis in koloniale stijl, met twee slaapkamers en aluminium buitenpanelen, een kleine maar keurig verzorgde voortuin en een vlag van de New York Giants rechts van de deur. De pioenrozen in de bloembakken waren zo fel van kleur dat Wendy zich afvroeg of ze van plastic waren.

Wendy deed de tien stappen van de stoep naar de voordeur en klopte. Het gordijn van het erkerraam bewoog. Even later werd er opengedaan. Hoewel de begrafenis al enige uren achter de rug was, had Frank Tremont nog steeds zijn zwarte pak aan. Zijn das was een stukje losgetrokken en de twee bovenste knoopjes van zijn overhemd waren los. Hij was een paar plekjes vergeten bij het scheren. Zijn ogen stonden troebel en Wendy rook de drankwalm die van hem af kwam.

Zonder een woord te zeggen deed hij een stap opzij, slaakte een diepe zucht en gaf met een hoofdknik aan dat ze binnen mocht komen. Ze liep het huis in. Er brandde maar één lamp in de woonkamer. Op de oude salontafel stond een halflege fles Captain Morgan. Rum. Gadver. De bank lag bezaaid met opengeslagen kranten. Op de vloer stond een kartonnen doos, zo te zien met de inhoud van zijn bureau op het politiebureau. Op tv werd een of ander fitnessapparaat gedemonstreerd door een overenthousiaste instructeur en een stel jonge, mooie mensen met buiken als wasborden. Wendy keek naar Tremont. Hij haalde zijn schouders op.

'Nu ik met pensioen ben, heb ik tijd om iets aan mijn buik te doen.'

Ze probeerde te glimlachen. Op het tafeltje naast de bank stonden een paar foto's van een tienermeisje. Het haar van het meisje was geknipt volgens de mode van vijftien of twintig jaar geleden, maar het eerste wat opviel was haar glimlach... die was breed en stralend, werkelijk beeldschoon, het soort glimlach dat het hart van de ouders doet gloeien van geluk. Wendy kende het verhaal. Het meisje was ongetwijfeld Franks dochter, die was overleden aan kanker. Wendy's blik ging weer naar de fles Captain Morgan en ze vroeg zich af of hoe hij er ooit overheen moest gekomen.

'Wat kom je doen, Wendy?'

'Dus,' begon ze, in een poging wat tijd te rekken, 'je bent nu echt met pensioen?'

'Yep. Als een nachtkaars uitgegaan, vind je ook niet?'

'Dat spijt me voor je.'

'Bewaar je medeleven maar voor de familie van het slachtoffer.'

Ze knikte.

'Je hebt veel in de krant gestaan,' zei hij. 'Deze zaak heeft een soort beroemdheid van je gemaakt.' Hij hief zijn glas in een cynische toost. 'Gefeliciteerd.'

'Frank?'

'Ja?'

'Zeg geen dingen waar je later misschien spijt van krijgt.'

Tremont knikte. 'Ja, je hebt gelijk.'

'Is de zaak nu officieel gesloten?' vroeg ze.

'Vanuit ons perspectief wel. De dader is dood... ligt waarschijnlijk ook begraven in het bos, wat iemand die slimmer is dan ik behoorlijk ironisch zal vinden.'

'Heb je Ed Grayson onder druk gezet om te vertellen waar het lijk ligt?'

'Zo veel als maar mogelijk was.'

'En?'

'Hij wil niks zeggen. Ik wilde hem juridische onschendbaarheid aanbieden als hij ons vertelde waar Mercers lijk lag, maar dat vond de grote baas, Paul Copeland, niet goed.'

Wendy dacht aan Ed Grayson, vroeg zich af of ze hem nog een

keer moest benaderen, om te zien of hij nu misschien met haar wilde praten. Tremont veegde de kranten van de bank en gebaarde Wendy te gaan zitten. Zelf liet hij zich in zijn tv-fauteuil vallen en pakte de afstandsbediening.

'Weet je wat er straks op tv komt?'

'Nee.'

'*Crimstein's Court*. Weet je dat zij Ed Graysons advocaat is?'

'Dat heb je me verteld.'

'O, dat was ik vergeten. Maar goed, ze bracht wel een paar interessante punten te berde toen we hem verhoorden.' Hij pakte de fles Captain Morgan en deed nog een scheutje in zijn glas. Hij hield haar de fles voor, maar ze schudde haar hoofd.

'Wat voor punten?'

'Ze zei dat we Ed Grayson een onderscheiding zouden moeten geven omdat hij Dan Mercer had vermoord.'

'Omdat het gerechtigheid was?'

'Nee, dat zou slechts een detail zijn. Hester doelde op iets anders.'

'En dat was?'

'Als Grayson Mercer niet had vermoord, zouden wij Haleys iPhone nooit hebben gevonden.' Hij richtte de afstandsbediening op de tv en zette hem uit. 'Zij stelde dat wij na drie maanden politieonderzoek geen enkele vooruitgang hadden geboekt en dat Ed Grayson ons door zijn daad de enige aanwijzing had geleverd voor de vraag waar Haley was. Verder stelde ze dat een goede rechercheur aandacht zou hebben besteed aan een bekende seksmaniak die banden had met de woonomgeving van het slachtoffer. En zal ik je eens iets zeggen?'

Wendy knikte.

'Hester had gelijk... hoe heb ik een ontmaskerde pedofiel die banden had met Haleys woonomgeving over het hoofd kunnen zien? Misschien heeft hij Haley de eerste paar dagen in leven gehouden. Misschien had ik haar het leven kunnen redden.'

Wendy keek naar de zelfverzekerde, zo niet beangstigende afbeelding van Captain Morgen op het etiket van de fles. Wat een onaangename metgezel om mee samen te zijn wanneer je zat te drinken. Ze opende haar mond om Franks opmerking tegen te spreken, maar hij stak zijn hand op.

'Zeg alsjeblieft niet dat het niet zo is. Je zou me beledigen.'

Hij had gelijk.

'Maar ik betwijfel of je hiernaartoe bent gekomen om me te zien zwelgen in zelfmedelijden.'

'Nou, dat weet ik niet, Frank. Ik vind het best amusant.'

Het bracht bijna een glimlach op zijn gezicht. 'Wat wil je weten, Wendy?'

'Waarom denk jij dat Dan Mercer haar heeft vermoord?'

'Een motief, bedoel je?'

'Ja, dat is precies wat ik bedoel.'

'Wil je een lijst in alfabetische volgorde? Zoals je zelf min of meer hebt aangetoond, was hij seksueel gevaarlijk.'

'Oké, dat begrijp ik. Maar in déze zaak, bedoel ik. Haley McWaid was zeventien. De leeftijdsgrens voor het bedrijven van seks is zestien.'

'Misschien was hij bang dat ze zou praten.'

'Waarover? Ze had de leeftijd.'

'Maar toch. Voor hem zou het fataal kunnen zijn.'

'Dus hij heeft haar vermoord om iets stil te houden?' Ze schudde haar hoofd. 'Heb je aanwijzingen gevonden die duiden op een eerdere relatie tussen Mercer en Haley?'

'Nee. Ik weet dat jij in die richting hebt gezocht... dat ze elkaar misschien hadden ontmoet in het huis van zijn ex en iets met elkaar waren begonnen. Het kan, maar er is geen enkel bewijs van, en ik voel er weinig voor om de ouders daar nu mee lastig te vallen. De beste optie is dat hij haar inderdaad in het huis van de Wheelers heeft gezien, door haar geobsedeerd is geraakt, haar heeft gegrepen, dingen met haar heeft gedaan en haar toen heeft vermoord.'

Wendy fronste haar wenkbrauwen. 'Dat wil er bij mij gewoon niet in.'

'Waarom niet? Herinner je je dat zogenaamde vriendje, Kirby Sennett?'

'Ja.'

'Nadat we het stoffelijk overschot hadden gevonden, heeft Kirby's advocaat hem aangespoord iets... openhartiger tegen ons te zijn. Ja, ze gingen in het geheim met elkaar om, maar het was dan weer wel, dan weer niet. Hij vertelde dat ze heel opgefokt kon zijn, zoals toen ze had gehoord dat ze niet naar Virginia zou gaan. Hij dacht dat ze misschien onder invloed van iets was.'

'Drugs?'

Hij haalde zijn schouders op. 'Ook dit hoeven de ouders niet te weten.'

'Maar ik begrijp het niet. Waarom heeft Kirby deze dingen niet meteen tegen je gezegd?'

'Omdat zijn advocaat bang was dat wij, als we de aard van zijn relatie met haar kenden, een meer diepgaand onderzoek naar hem zouden doen. Wat natuurlijk ook zo is.'

'Maar als Kirby niks te verbergen had?'

'Wie zegt dat hij niks te verbergen had? Ten eerste dealde hij drugs. Op kleine schaal, maar toch. Als zij onder invloed van iets was, had ze dat waarschijnlijk van hem. Ten tweede houden de meeste advocaten je voor dat onschuld je niet per se tegen alles beschermt. Als Kirby ons had verteld: ja, we hadden een losvaste relatie en misschien slikte of rookte ze wel eens iets wat ik haar had gegeven, dan zouden we onmiddellijk in zijn reet zijn gekropen en hadden we daar ons kamp opgeslagen. En nadat het lijk was gevonden, nou, dan zou het wroeten pas echt beginnen, als je begrijpt wat ik bedoel. Maar nu Kirby vrijuit gaat, is het logisch dat hij tot praten bereid is.'

'Lekker systeem,' zei Wendy. 'Om nog maar te zwijgen van die anale analogie.'

Hij haalde zijn schouders op.

'Weet je zeker dat die Kirby niks met de zaak te maken heeft?'

'En dat hij – wat? – haar telefoon in Dan Mercers motelkamer heeft neergelegd?'

Ze dacht erover na. 'Goed punt.'

'En hij heeft een waterdicht alibi. Kijk, Kirby is zo'n typisch rijkeluiskind… zo'n verwend joch dat zichzelf heel stoer vindt omdat hij ooit 's nachts ergens wc-papier op de ramen heeft geplakt. Maar in deze zaak heeft hij niks gedaan.'

Wendy leunde achterover. Haar blik ging weer naar de foto van Tremonts overleden dochter, maar bleef er niet lang op rusten. Snel, misschien iets te abrupt, keek ze de andere kant op. Frank zag het.

'Mijn dochter,' zei hij.

'Ik weet het.'

'En we gaan er niet over praten, oké?'

'Oké.'

'Wat is nou echt jouw probleem met deze zaak, Wendy?'

'Ik mis het "waarom", denk ik.'

'Kijk nog eens naar die foto. Zo gaat het niet in het leven.' Hij ging rechtop zitten. Zijn blik boorde zich in de hare. 'Soms – of misschien wel meestal – ís er helemaal geen waarom.'

Toen Wendy weer in de auto zat, zag ze dat ze een sms van Ten-A-Fly had. Ze belde hem terug.

'We hebben misschien iets over Kelvin Tilfer.'

De Vadersclub had de afgelopen paar dagen research gedaan naar Phils flatgenoten van Princeton. Het gemakkelijkst te vinden, natuurlijk, was Farley Parks. Wendy had de mislukte politicus al zes keer gebeld. Ze had boodschappen ingesproken, maar Farley had haar niet teruggebeld. Weinig verrassend. Farley woonde in Pittsburgh, wat het moeilijk maakte om even bij hem langs te rijden. Dus voor hem gold voorlopig een status quo.

Nummer twee was dokter Steve Miciano. Ze had hem aan de lijn gekregen en gevraagd of ze een afspraak met hem kon maken. Ze had zich voorgenomen hem niet over de telefoon te vertellen waar het over ging, als het niet nodig was. Miciano had er niet naar gevraagd. Hij had nu dienst, zei hij, maar morgenmiddag had hij tijd voor haar. Wendy nam aan dat het wel zo lang kon wachten.

Maar nummer drie, en volgens Wendy de belangrijkste van allemaal, was de onvindbare Kelvin Tilfer. Over hem hadden ze tot nu toe niets kunnen vinden. Wat internet betrof bestond de man niet.

'Wat heb je?' vroeg ze.

'Een broer. Ronald Tilfer rijdt bestellingen voor UPS in Manhattan. Hij is het enige familielid dat we hebben kunnen traceren. De ouders leven niet meer.'

'Waar woont hij?'

'In Queens, maar we hebben iets beters voor je. Want zie je, toen Doug nog bij Lehman werkte, deden ze dagelijks zaken met UPS. Doug heeft zijn vroegere contact daar gebeld en van hem de bezorgroute van de broer gekregen. Dat is tegenwoordig helemaal gedigitaliseerd, dus we kunnen min of meer op internet volgen waar hij is, als je hem wilt vinden.'

'Ja, dat wil ik.'

'Oké, rij naar de stad, naar de Upper West Side. Ik mail je straks waar je hem kunt treffen.'

Drie kwartier later zag ze de bestelbus dubbel geparkeerd voor restaurant Telepan in West Sixty-ninth Street bij Columbus staan. Ze parkeerde haar auto, deed een paar muntjes in de meter en ging op de motorkap zitten wachtten. Ze keek naar de bus en dacht aan de UPS-commercial waarin een man met lang haar iets op een whiteboard schreef en dat zij, hoewel de woorden 'UPS' en 'bruin' inderdaad overkwamen, geen idee had waar die knaap het over had. Charlie schudde altijd zijn hoofd als hij de commercial zag, meestal in een cruciale fase van een American footballwedstrijd, en dan zei hij: 'Die gast moet een paar rammen voor zijn kop hebben.'

Merkwaardig, wat de menselijke geest onthoudt.

Ronald Tilfer – tenminste, ze ging ervan uit dat de man in het bruine UPS-uniform Ronald Tilfer was – kwam glimlachend en zwaaiend het restaurant uit. Hij was klein van stuk, had kort peper-en-zoutkleurig haar en, wat door dit soort uniformen wordt benadrukt, korte, gespierde benen. Wendy maakte zich los van haar auto en sneed hem de pas af voordat hij bij zijn bus was.

'Ronald Tilfer?'

'Ja.'

'Mijn naam is Wendy Tynes. Ik werk als reporter voor NTC *News*. Ik ben op zoek naar je broer, Kelvin.'

Er kwam een scherpere blik in zijn ogen. 'Waarvoor?'

'Ik ben bezig met een reportage over zijn groep oud-studenten van Princeton.'

'Ik kan je niet helpen.'

'Ik hoef hem maar een paar minuten te spreken.'

'Dat gaat niet.'

'Waarom niet?'

Hij wilde langs haar heen lopen. Wendy deed een stapje opzij en bleef tussen hem en de bus staan. 'Laten we zeggen dat Kelvin niet bereikbaar is,' zei hij.

'En wat mag dat dan wel betekenen?'

'Hij kan niet met je praten. Hij kan je niet helpen.'

'Meneer Tilfer?'

'Ik moet nu echt weer aan het werk.'

'Nee, dat moet je niet.'

'Pardon?'

'Dit was je laatste bestelling van vandaag.'

'Hoe weet jij dat?'

Laat hem maar spartelen, dacht Wendy. 'Laten we ophouden met vage antwoorden als "hij is niet bereikbaar" en "hij kan niet met je praten" en weet ik veel. Het is buitengewoon belangrijk dat ik hem spreek.'

'Over een clubje oud-studenten van Princeton?'

'Het is meer dan dat. Er is iemand die het op zijn oude jaargenoten heeft gemunt.'

'En jij denkt dat Kelvin dat is?'

'Dat zeg ik niet.'

'Hij kán het niet zijn.'

'Bewijs het en help me op die manier. Er worden privélevens en reputaties geruïneerd. Misschien loopt je broer ook gevaar.'

'Dat kan niet.'

'Misschien kan hij dan een paar oude vrienden helpen.'

'Kelvin? Die is niet in staat wie dan ook te helpen.'

Weer dat vage. Wendy begon de pest in te krijgen. 'Je praat over hem alsof hij dood is.'

'Het scheelt niet veel.'

'Ik wil niet melodramatisch doen, meneer Tilfer, maar het gaat hier om een zaak van leven of dood. Als u weigert me te helpen, schakel ik de politie in. Ik ben hier nu alleen, maar ik kan terugkomen met een compleet reportageteam... camera's, geluid, de hele mikmak.'

Ronald Tilfer slaakte een diepe zucht. Het was natuurlijk een loos dreigement, maar dat hoefde hij niet te weten. Hij beet op zijn onderlip. 'Dus je gelooft me niet als ik zeg dat hij je niet kan helpen?'

'Nee. Sorry.'

Hij haalde zijn schouders op. 'Oké.'

'Oké wat?'

'Ik zal je naar Kelvin toe brengen.'

Wendy keek naar Kelvin Tilfer door het dikke, gewapende glas.

'Hoe lang is hij hier al?'

'Deze keer?' Ronald Tilfer haalde zijn schouders op. 'Een week of drie, denk ik. Over een week laten ze hem waarschijnlijk weer gaan.'

'En waar gaat hij dan naartoe?'

'Hij leeft op straat, totdat hij weer iets gevaarlijks doet. Dan sluiten ze hem hier op. De staat New York gelooft niet meer in langdurige behandelingen in een psychiatrisch ziekenhuis. Dus laten ze hem elke keer weer gaan.'

Kelvin Tilfer zat furieus in een notitieboekje te schrijven, met zijn neus een paar centimeter van het papier. Wendy kon hem door het glas dingen horen roepen. Geen van die dingen sloeg ergens op. Kelvin zag er een stuk ouder uit dan zijn jaargenoten. Zijn haar en baard waren grijs. In zijn mond ontbraken een paar tanden.

'Hij was de intelligente broer,' vertelde Ronald. 'Het genie van de familie, met name in wiskunde. Daar staat dat boekje vol mee. Wiskundige problemen. Hij schrijft ze de hele dag op. Hij heeft zijn hersenen nooit kunnen uitschakelen. Onze moeder heeft haar uiterste best gedaan om hem normaal te leren zijn, begrijp je wat ik bedoel? De school wilde hem klassen laten overslaan. Zij vond dat niet goed. Ze heeft hem gedwongen te gaan sporten... heeft alles geprobeerd om hem zo normaal mogelijk te krijgen. Maar ik denk dat we altijd hebben geweten dat het deze kant op zou gaan. Ze heeft alles geprobeerd om zijn gekte terug te dringen. Maar het was alsof je met je blote handen de zee probeerde tegen te houden.'

'Wat scheelt hem precies?'

'Hij is ernstig schizofreen. Hij heeft periodes waarin hij zwaar psychotisch is.'

'Maar, ik bedoel, wat is er met hem gebeurd?'

'Hoe bedoel je, "gebeurd"? Hij is gewoon ziek. Er is geen waarom.' Geen waarom. Dat was vandaag al de tweede keer dat iemand dit tegen haar zei. 'Waarom krijgt iemand kanker? Het was niet zo dat mama hem elke avond voor zijn hoofd sloeg en dat hij daarom zo is geworden. Het is een chemische disbalans in zijn hersenen. Hij heeft het altijd in zich gehad. Als kind al sliep hij nooit. Hij kon zijn hersenen niet stopzetten.'

Wendy dacht aan wat Phil had gezegd. Apart. De gestoorde geleerde. 'Helpen medicijnen niet?'

'Jawel, om hem rustig te houden. Zoals ze met een verdovingsgeweer een olifant neerleggen. Dan weet hij helemaal niet meer waar of wie hij is. Toen hij was afgestudeerd aan Princeton ging hij bij een farmaceutisch bedrijf werken, maar hij was voortdurend spoorloos. Hij werd ontslagen. Ging op straat leven. Acht jaar lang hebben we niet geweten waar hij was. Uiteindelijk vonden we hem in een kartonnen doos, in zijn eigen ontlasting. Kelvin had gebroken botten die niet goed waren geheeld. Hij was een deel van zijn tanden kwijtgeraakt. Ik durf er niet eens aan te denken hoe hij het heeft overleefd, waar hij zijn eten vandaan haalde, en wat hij allemaal had doorgemaakt.'

Kelvin schreeuwde weer. 'Himmler houdt van tonijnsteaks!'

Ze keek Ronald aan. 'Himmler? De oude nazi?'

'Geen idee. Er komt alleen maar wartaal uit.'

Kelvin keek weer in zijn notitieboekje en begon er nóg sneller in te schrijven.

‘Kan ik met hem praten?’ vroeg Wendy.

‘Dat meen je toch niet, hè?’

‘Jawel.’

‘Het heeft geen zin.’

‘En het kan ook geen kwaad?’

Ronald Tilfer keek door de ruit. ‘Meestal weet hij niet eens wie ik ben. Dan kijkt hij dwars door me heen. Ik wilde hem in huis nemen, maar ik heb een vrouw en een kind…’

Wendy zei niets.

‘Ik zou iets moeten doen om hem tegen zichzelf te beschermen, denk je ook niet? Maar als ik hem laat opsluiten, wordt hij boos. En als ik hem zijn gang laat gaan, maak ik me voortdurend zorgen om hem. Vroeger gingen we samen naar wedstrijden van de Yankees. Kelvin kende de statistieken van alle spelers. Hij kon je zelfs vertellen wie er na wie aan slag kwam. Mijn theorie: genialiteit is een vloek. Zo denk ik erover. Er zijn mensen die denken dat genieën het universum begrijpen op een manier waarvan gewone mensen geen weet hebben. Dat ze de wereld zien zoals die werkelijk is… en dat die werkelijkheid zo gruwelijk is dat ze de kluts kwijtraken. Dat die duidelijkheid tot waanzin leidt.’

Wendy bleef recht voor zich uit kijken. ‘Heeft Kelvin het nog wel eens over Princeton gehad?’

‘Mijn moeder was zo trots op hem. Ik bedoel, we waren allemaal trots op hem. Kinderen uit onze buurt gingen niet naar Ivy League-scholen. We waren eerst bang dat hij buiten de boot zou vallen, maar hij had al snel vrienden gemaakt.’

‘Die vrienden zijn nu in moeilijkheden.’

‘Moet je hem zien, mevrouw Tynes. Geloof je echt dat hij ze kan helpen?’

‘Ik zou het in ieder geval willen proberen.’

Hij haalde zijn schouders op. De administrateur van de inrichting liet haar een paar formulieren ondertekenen en gaf hun het advies niet te dicht bij hem te komen. Na een paar minuten werden Wendy en Ronald naar een kamer met glazen wanden gebracht. Bij de deur stond een verpleger. Kelvin zat achter een tafel nog steeds in zijn boekje te schrijven. De tafel was breed, waardoor Wendy en Ronald op een veilige afstand van hem zaten.

'Hallo, Kelvin,' zei Ronald.

'Vliegtuigen begrijpen de essentie niet.'

Ronald keek Wendy aan. Hij gebaarde met een hoofdknikje dat ze haar vragen kon stellen.

'Je hebt aan Princeton gestudeerd, hè, Kelvin?'

'Ik zei het toch? Himmler houdt van tonijnsteaks.'

Hij bleef in zijn notitieboekje kijken. 'Kelvin?'

Hij hield niet op met schrijven.

'Weet je nog wie Dan Mercer is?'

'Blanke jongen.'

'Ja. En Phil Turnball?'

'De filantroop krijgt hoofdpijn van loodvrije benzine.'

'Je vrienden op Princeton.'

'Ivy Leagues, man. Sommige van die gasten hadden groene schoenen. Ik haat groene schoenen.'

'Ik ook.'

'De Ivy Leagues.'

'Precies. Je vrienden van de Ivy League. Dan, Phil, Steve en Farley. Weet je nog wie dat zijn?'

Eindelijk hield Kelvin op met schrijven. Hij keek op. Zijn ogen waren als blanco schoteltjes. Hij staarde Wendy aan maar leek haar niet te zien.

'Kelvin?'

'Himmler houdt van tonijnsteaks,' zei hij, op dwingende fluistertoon. 'En de burgemeester? Het zal hem een zorg zijn.'

Ronald slaakte een moedeloze zucht. Wendy probeerde Kelvin zover te krijgen dat hij haar weer aankeek.

'Ik wil graag met je praten over je flatgenoten op de universiteit.'

Kelvin begon te lachen. 'Flatgenoten?'

'Ja.'

'Leuk woord.' Hij begon kakelend te lachen, als een, nou ja, een gestoorde. 'Flatgenoten. Alsof je geniet van een flat. Dat je daar opgewonden van raakt en met die flat naar bed gaat. Dat die flat dan zwanger wordt van een klein flatje, begrijp je wel?'

Hij lachte weer. Nou, dacht Wendy, dit is in ieder geval beter dan Himmlers visvoorkeur.

'Denk je nog wel eens aan je oude flatgenoten?'

Het lachen hield op alsof iemand een schakelaar had omgezet.

'Ze zitten in de problemen, Kelvin,' zei ze. 'Dan Mercer, Phil Turnball, Steve Miciano, Farley Parks. Ze zitten alle vier in de problemen.'

'Problemen?'

'Ja.' Ze noemde de vier namen weer op. En daarna nog een keer. Er begon iets aan Kelvins gezicht te veranderen. Het schrompelde voor hun ogen ineen. 'O god, o nee...'

Kelvin begon te huilen.

Ronald was al opgestaan. 'Kelvin?'

Ronald wilde naar zijn broer toe lopen, maar Kelvins schreeuw bracht hem tot staan. De schreeuw ging door merg en been. Wendy deinsde achteruit.

Zijn ogen waren heel groot geworden. 'Scarface!'

'Kelvin?'

Hij stond opeens op en zijn stoel viel om. De verpleger kwam zijn kant op lopen. Kelvin slaakte nog een kreet en rende naar de hoek van het vertrek. De verpleger riep om hulp.

'Scarface!' schreeuwde Kelvin weer. 'Hij pakt ons allemaal. Scarface.'

'Wie is Scarface?' riep Wendy naar hem.

Ronald zei: 'Laat hem met rust.'

'Scarface!' Kelvin kneep zijn ogen dicht. Hij drukte zijn handen tegen zijn slapen alsof hij bang was dat zijn hoofd in tweeën zou splijten. 'Ik heb het ze gezegd. Ik heb ze gewaarschuwd!'

'Wat bedoel je daarmee, Kelvin?'

'Hou op!' riep Ronald.

Kelvins stoppen waren al doorgeslagen. Zijn hoofd zwiepte van links naar rechts. Er kwamen twee verplegers binnen. Toen Kelvin ze zag, riep hij: 'Stop de jacht! Stop de jacht!' Hij viel op de grond en probeerde op handen en knieën weg te kruipen. Ronald had tranen in zijn ogen. Hij probeerde zijn broer te kalmeren. Kelvin krabbelde overeind. De verplegers tackelden hem alsof het een footballwedstrijd was. De ene veegde zijn benen onder hem vandaan en de andere sprong boven op hem.

'Doe hem geen pijn!' riep Ronald. 'Alsjeblieft!'

Kelvin lag te spartelen op de vloer. De verplegers probeerden hem een soort dwangbuis aan te trekken. Ronald riep weer dat ze hem geen pijn mochten doen. Wendy probeerde dichter bij Kelvin te komen... op de een of andere manier weer contact met hem te krijgen.

Uiteindelijk vond Kelvins blik de hare. Wendy kroop naar de kronkelende man op de vloer. De ene verpleger riep naar haar: 'Uit de weg!'

Ze sloeg er geen acht op. 'Wat was het, Kelvin?'

'Ik heb het ze gezegd,' fluisterde hij. 'Ik heb ze gewaarschuwd.'

'Waarvóór heb je ze gewaarschuwd, Kelvin?'

Kelvin begon weer te huilen. Ronald greep haar bij de schouders en probeerde haar achteruit te trekken. Ze rukte zich los.

'Waarvoor heb je ze gewaarschuwd, Kelvin?'

Een derde verpleger kwam het vertrek binnen. Hij had een injectiespuit in zijn hand. Hij stak de naald in Kelvins schouder en spoot hem iets in. Kelvin keek haar nu recht in de ogen.

'Niet te gaan jagen,' zei Kelvin, opeens met kalme stem. 'We hadden niet meer op jacht moeten gaan.'

'Op jacht waarop?'

Maar het kalmerende middel had al effect. 'We hadden nooit op jacht moeten gaan,' zei hij, heel zacht en beheerst. 'Dat had Scarface je kunnen vertellen. We hadden nooit op jacht moeten gaan.'

27

Ronald Tilfer had geen idee wie of wat 'Scarface' was, of wat zijn broer bedoelde met de jacht waarover hij het had. 'Hij heeft die dingen eerder gezegd... over dat jagen en over Scarface. Net zoals hij dat over Himmler zei. Volgens mij heeft het niks te betekenen.'

Wendy reed naar huis, vroeg zich af wat ze met deze non-informatie moest en had het gevoel dat ze minder wist dan toen ze van huis was gegaan. Charlie zat op de bank tv te kijken.

'Hoi,' zei ze.

'Wat eten we?'

'Met mij gaat het goed, dank je. En met jou?'

Charlie zuchtte. 'Ik dacht dat we die plichtplegingen hadden afgeschaft.'

'Algemeen beschaafd gedrag ook, zo te horen.'

Charlie verroerde zich niet.

'Alles oké met je?' vroeg ze, en in haar stem klonk meer ongerustheid door dan ze had bedoeld.

'Met mij? Ja. Hoezo?'

'Haley McWaid was een klasgenoot van je.'

'Ja, maar ik kende haar niet echt.'

'Veel van je klasgenoten en je vrienden waren op de begrafenis.'

'Dat weet ik.'

'Ik heb Clark en James ook gezien.'

'Weet ik.'

'Waarom ben jij dan niet gekomen?'

'Omdat ik haar niet kende.'

'Clark en James wel?'

'Nee,' zei Charlie. Hij ging rechtop zitten. 'Hoor eens, ik vind het afschuwelijk wat er is gebeurd. Echt heel erg. Maar mensen, zelfs mijn beste vrienden, krijgen er een soort kick van als ze hun betrokkenheid kunnen tonen, dat is alles. Ze zijn niet gekomen om hun respect te betuigen. Ze waren daar omdat ze het wel cool vonden staan. Ze wilden ergens bij horen. Ze waren daar niet voor haar maar voor zichzelf, begrijp je wat ik bedoel?'

Wendy knikte. 'Ja.'

'Meestal is dat niet erg,' zei Charlie, 'maar als het om een vermoord meisje gaat... sorry, daar doe ik niet aan mee.' Charlie viel weer achterover in de kussens en ging door met tv-kijken. Ze bleef even naar hem staren.

Zonder zijn hoofd haar kant op te draaien slaakte hij een zucht en vroeg: 'Wat is er nou?'

'Het lijkt wel of ik je vader hoor praten.'

Hij zei niets.

'Ik hou van je,' zei Wendy.

'Hoor je mijn vader ook praten als ik nog een keer vraag: "Wat eten we?"'

Ze lachte. 'Ik zal eens in de koelkast kijken,' zei ze, maar ze wist allang dat ze niets zou vinden en dat ze iets moesten bestellen. Vanavond Japanse loempia's, met bruine rijst om toch nog iets gezonds te doen. 'O, nog één ding. Ken jij Kirby Sennett?'

'Niet echt. Alleen van gezicht.'

'Aardige jongen?'

'Nee, een *weirdo* van de bovenste plank.'

Daar moest ze om lachen. 'Ik heb gehoord dat hij een derderangs dealertje is.'

'En een eersterangs mafkees.' Charlie ging rechtop zitten. 'Maar waarom wil je al die dingen weten?'

'Ik wil de zaak van Haley McWaid vanuit een andere hoek benaderen. Het gerucht gaat dat die twee iets met elkaar hadden.'

'Nou en?'

'Kun je niet eens voor me informeren?'

Hij keek haar vol afgrijzen aan. 'Moet ik als reporterhulpje gaan optreden?'

'Geen goed idee, hè?'

Hij vond het niet nodig om antwoord te geven. Maar op dat moment kreeg Wendy een ander idee, een heel goed idee zelfs. Ze ging naar boven en zette haar computer aan. Ze zocht en vond de perfecte foto met Google 'afbeeldingen'. Het meisje op de foto zag eruit als een jaar of achttien, half Europees, half Aziatisch, bibliothecaressebrilletje, blouse met inkijk, fantastisch lijf.

Yep, succes verzekerd.

Wendy ging snel naar Facebook en maakte een account aan met de foto van het meisje. De naam verzon ze door de voor- en achternamen van haar twee beste vriendinnen van school met elkaar te combineren: Sharon Hait. Oké, klaar. Nu moest ze bevriend raken met Kirby.

'Wat ben je aan het doen?'

Het was Charlie.

'Ik maak een nep Facebook-profiel aan.'

Charlie fronste zijn wenkbrauwen. 'Waarvoor?'

'Om Kirby uit zijn tent te lokken en vriendjes met hem te worden. Misschien kan ik hem aan de praat krijgen.'

'Echt?'

'Hoezo? Denk je dat hij daar niet in trapt?'

'Niet met die foto.'

'Waarom niet?'

'Die griet is veel te mooi. Ze ziet eruit als een spambot.'

'Een wat?'

Hij zuchtte. 'Bedrijven gebruiken dat soort foto's om je e-mailadres los te krijgen en je spam toe te sturen. Kijk, je moet iemand zoeken die er wel goed uitziet maar die écht is. Begrijp je wat ik bedoel?'

'Ja, ik denk het.'

'En dan zeg je dat ze, bijvoorbeeld, uit Glen Rock komt. Want als ze uit Kasselton komt, kent hij haar.'

'Hoezo, ken jij ieder meisje in deze stad?'

'De mooie meiden? Ja, ik denk het wel. Of ik weet in ieder geval van hun bestaan. Dus neem een stad in de buurt, maar niet te dichtbij. En dan zeg je dat je van hem hebt gehoord van een vriendin, of dat je hem hebt gezien in de Garden State Plaza-mall of zoiets. O, misschien moet je die vriendin een echte naam van een meisje uit die stad geven, voor het geval hij naar haar gaat informeren of haar telefoonnummer of zoiets opzoekt. Maar je moet er wel zeker van zijn dat er met een Google-zoekopdracht geen andere foto van haar opduikt. En je zegt dat je nieuw bent op Facebook en op zoek bent naar nieuwe vrienden, anders zal hij zich gaan afvragen waarom je die nog niet hebt. Ten slotte vertel je wat over jezelf. Noem een paar favoriete films en bands.'

'Zoals U2?'

'Zoals bands die minder dan honderd jaar oud zijn.' Hij noemde een paar namen van bands waar ze nog nooit van had gehoord. Wendy schreef ze op.

'Denk je dat het me lukt?' vroeg ze.

'Ik betwijfel het, maar je weet nooit. Hij zal je in ieder geval als vriend toelaten.'

'En dan?'

Weer een zucht. 'Daar hebben we het al over gehad. Het werkt net zoals met die pagina van Princeton. Als hij je als vriend toelaat, kun je zijn hele pagina zien. Al zijn foto's, zijn vrienden, zijn berichten, de games die hij speelt, alles.'

De pagina van Princeton bracht haar op een ander idee. Ze opende hem, vond de link van de 'admin' en klikte op 'e-mail'. De beheerder van de pagina heette Lawrence Cherston, 'jullie voormalige klassenoudste', volgens zijn info. Op zijn profielfoto droeg hij zijn oranjezwarte Princeton-das. Toe maar. Wendy typte een kort bericht voor de man.

Hallo, ik ben een tv-reporter die een item doet over uw klas op Princeton en ik zou u heel graag willen spreken. Neem alstublieft contact met me op, als u wilt.

Toen ze op 'verzenden' klikte, ging haar mobiele telefoon over. Ze keek op het schermpje en zag dat ze een sms had. Van Phil Turnball. IK MOET JE SPREKEN.

Ze toetste een antwoord in. OK, BEL ME.

Er gebeurde enige tijd niets. Toen: NIET PER TELEFOON.

Wendy wist niet wat ze daarvan moest denken, dus antwoordde ze: WAAROM NIET?

OVER 30 MIN IN DE ZEBRABAR?

Wendy vroeg zich af waarom hij de vraag ontweek. WAAROM KUN JE ME NIET BELLEN?

Een langere stilte. VERTROUW TELEFOONS OP DIT MOMENT NIET.

Ze fronste haar wenkbrauwen. Het kwam haar als overdreven geheimzinnig voor, maar aan de andere kant leek Phil Turnball haar niet iemand die zich aanstelde. Speculeren had geen zin. Ze zou het straks wel aan hem vragen. Ze antwoordde OK en keek om naar Charlie.

'Wat is er?' vroeg hij.

'Ik moet even weg. Kun je zelf eten bestellen?'

'Eh, mam?'

'Ja?'

'Vanavond is het Begeleidingsproject Eindexamenfeest, weet je nog?'

Bijna had ze zich voor haar hoofd geslagen. 'Shit, helemaal vergeten.'

'Op school, over, o jee...' Charlie keek demonstratief op zijn pols, hoewel hij geen horloge omhad, '... minder dan een half uur. Je zat in het hapjescomité, of zoiets.'

In werkelijkheid was ze van de koffieattributen: suiker, kunstmatige zoetstoffen, koffiemelk en koemelkvrije alternatieven, een rol zo bescheiden dat ze die maar liever had stilgehouden.

Afbellen was een optie, maar de school nam dit project heel serieus en ze had de laatste tijd, op z'n zachtst gezegd, weinig aandacht aan haar zoon besteed. Ze pakte haar telefoon en sms'te Phil Turnball: MAAK ER 10 UUR VAN, OK?

Ze kreeg niet meteen antwoord. Ze ging naar haar slaapkamer en kleedde zich om in een spijkerbroek en een groene blouse. Ze deed haar contactlenzen uit, zette een bril op en deed haar haar in een paardenstaart. De doodgewone vrouw.

Haar telefoon ging over. Phils antwoord: OK.

Ze ging naar beneden. Pops was in de woonkamer. Hij had een rode bandana om zijn hoofd geknoopt. Bandana's – of 'mandana's', zoals ze soms worden genoemd als ze door mannen worden gedragen – stonden maar weinig mannen. Pops kon het hebben, hoewel maar net.

Hij schudde zijn hoofd toen hij haar zag aankomen. 'Heb je je oudevrouwenbril op?'

Ze haalde haar schouders op.

'Zo kom je nooit aan de man.'

Wat voor het schoolproject precies de bedoeling was. 'Niet dat het je iets aangaat, maar toevallig heeft iemand me vandaag mee uit gevraagd.'

'Na de begrafenis?'

'Ja.'

Pops knikte. 'Verbaast me niks.'

'Hoezo niet?'

'Ik heb de beste seks van mijn leven na een begrafenis gehad. Een ongeëvenaarde vrijpartij achter in een limousine.'

'Wow! Krijg ik binnenkort alle details te horen? Alsjeblieft?'

'Ben je sarcastisch?'

'Ja.'

Ze kuste hem op zijn wang, vroeg of hij erop wilde letten dat Charlie at en liep naar de auto. Ze stopte bij de supermarkt om haar koffieattributen te kopen. Tegen de tijd dat ze bij de school aankwam, stond het hele parkeerterrein vol met auto's. Ze vond een plekje op Beverly Road. Technisch gezien bevond het zich mogelijk binnen een afstand van vijftien meter van een stopbord, maar ze had geen zin om het na te meten. Vanavond waagde Wendy Tynes het erop.

De ouders dromden al samen bij de koffieketel toen Wendy binnenkwam. Ze haastte zich ernaartoe, verontschuldigde zich voor haar late komst en stalde haar koffieattributen uit. Millie Hanover, de voorzitter van de oudervereniging, de moeder die altijd volmaakte naschoolse kunst- en ambachtsactiviteiten organiseerde, keek haar met stilzwijgende afkeuring aan. In contrast daarmee waren de vaders heel vergevingsgezind. Een beetje té vergevingsgezind zelfs. Wat voor een deel de reden was dat ze een hooggesloten blouse, een niet te strakke spijkerbroek, een weinig flatteuze bril en haar haar in een paardenstaart droeg. Ze liet zich nooit verleiden tot uitvoerige gesprekken met getrouwde mannen. Mooi niet. Ze mochten haar uit de hoogte of een kreng noemen, maar dat had ze nog liever dan dat ze over haar dachten als een flirt, een losbandig type of nog erger dan dat. De vrouwen in deze stad bezagen haar al met meer dan genoeg argwaan. Op avonden als deze zou ze het liefst een T-SHIRT aantrekken met de tekst: RUSTIG MAAR, IK PIK HEUS JE MAN NIET AF.

Het hoofdonderwerp van gesprek was 'studeren', of om preciezer te zijn: wie heeft zijn kind op welke universiteit gekregen en wie nog niet. Er waren ouders die opschepten, ouders die er luchthartig over deden, en – deze vond Wendy zelf het leukst – ouders die opeens van mening waren veranderd en dolenthousiast waren over een universiteit die oorspronkelijk hun tweede keus was geweest. Of misschien was ze te hard in haar oordeel. Misschien probeerden die ouders alleen maar het beste te maken van hun teleurstelling.

De bel ging, een barmhartig geluid dat Wendy terugvoerde naar haar eigen schooltijd, en iedereen ging de aula binnen. Er was een stand met stickers voor op de autobumper: MATIG UW SNELHEID A.U.B. – WIJ ❤ ONZE KINDEREN, die Wendy nogal scherp vond omdat werd gesuggereerd dat jij, als automobilist achter deze auto, niet van de jouwe hield. Er was een stand met raamposters die meldden dat jouw huis 'drugsvrij' was, wat leuk was om te vermelden, hoewel misschien een beetje tuttig, op een 'Baby aan boord'-manier. Er was een stand van het Internationaal Instituut voor Alcoholbewustzijn, dat campagne voerde tegen ouders die drankfeestjes in hun huis toelieten, onder het motto: NIET IN ÓNS HUIS. In de stand ernaast kon je anti-alcoholcontracten krijgen. Daarin beloofde de tiener dat hij nooit met drank op zou autorijden of zou meerijden met iemand die had gedronken, en beloofde de ouder op zijn beurt dat de tiener hem dag en nacht kon bellen om opgehaald te worden.

Wendy vond een stoel achter in de aula. Een overdreven vriendelijke vader met een ingehouden buik en de glimlach van een quizmaster kwam naast haar zitten. Hij gebaarde naar de stands. 'Overdreven gedoe,' zei hij. 'We zijn veel te beschermend als het om onze kinderen gaat, vind je ook niet?'

Wendy zei niets. De vrouw van de man, die een argwanende blik in de ogen had, kwam aan de andere kant naast hem zitten. Wendy zei haar gedag, stelde zich aan haar voor en zei dat ze de moeder van Charlie was, waarbij ze nadrukkelijk ieder oogcontact met de glimlachende quizmaster vermeed.

Schoolhoofd Pete Zecher nam achter de microfoon plaats en bedankte de ouders voor hun komst in deze 'heel moeilijke' week. Er werd een minuut stilte gehouden voor Haley McWaid. Sommigen vroegen zich misschien af waarom deze avond niet was afgelast, maar de activiteitenagenda van de school stond zo propvol dat er gewoon geen andere datum beschikbaar was geweest. Trouwens, hoe lang zouden ze moeten wachten? Een paar dagen? Nog een week?

Na deze wat ongemakkelijke introductie gaf Pete Zecher het woord aan Millie Hanover, die vol enthousiasme aankondigde dat het thema van het feest van dit jaar 'superhelden' zou zijn. In het kort kwam het erop neer, legde Millie omstandig uit, dat ze in de grote feestzaal enkele bekende locaties uit stripverhalen zouden nabouwen. De grot van Batman. Het 'fort der stilte' van Superman. De x-Mansion, of hoe het ook heette, van de x-Men. Het hoofdkwartier van de Justice League of America. In de afgelopen jaren hadden ze onder andere Harry Potter als thema gehad, en de bekende tv-serie *Surviver*, hoewel dat volgens Wendy al langer geleden was, en zelfs de Kleine Zeemeermin.

Het idee achter het Begeleidingsproject Eindexamenfeest was dat ze de schoolverlaters na de diploma-uitreiking een veilige omgeving boden om feest te vieren. Ze zouden met busjes naar school worden gebracht, alle ouders en andere begeleiders bleven buiten de feestzaal en alcohol en drugs waren natuurlijk niet toegestaan, hoewel het in de afgelopen jaren diverse leerlingen was gelukt iets naar binnen te smokkelen. Maar toch, met de ouders en begeleiders stand-by en de busjes voor het transport zou het een ouderwets gezellig feest moeten worden.

'Nu wil ik jullie voorstellen aan mijn hardwerkende subcomités,' zei Millie Hanover. 'Als ik je naam opnoem, ga dan staan, alsjeblieft.' En ze noemde al haar subcomités op: decoratie, bevoorrading, voedsel en snacks, transport, publiciteit, en iedereen werd met applaus begroet. 'Voor alle anderen: meld je aan als vrijwilliger, alsjeblieft. We kunnen niet zonder jullie, en het is een prachtige manier om mee te helpen dit afscheid van de school tot een onvergetelijke ervaring voor je kind te maken. Hou in gedachten dat je het voor je eigen kind doet, en dat je dit niet aan anderen zou moeten overlaten.' Millies stem had nog aanmatigender kunnen klinken, hoewel Wendy zich nauwelijks kon voorstellen op welke manier. 'Bedankt voor jullie aandacht. De aanmeldingsformulieren liggen klaar.'

Schoolhoofd Pete Zecher gaf het woord aan Dave Pecora van de afdeling Voorlichting van de plaatselijke politie, die een overzicht gaf van alle gevaren die bij eindexamenfeesten op de loer lagen. Hij vertelde dat heroïne bezig was met een comeback. Hij vertelde over pillenparty's, waar jongeren thuis medicijnen op recept pikten, alles in een grote kom deden en dan aan het experimenteren sloegen. Wendy had er een jaar geleden een reportage over willen maken, maar ze had nergens voorbeelden uit het echte leven kunnen vinden, alleen maar verhalen erover gehoord. Iemand van Narcotica had haar verteld dat pillenparty's meer een mythe uit de grote stad waren dan dat ze echt bestonden. Hoofdagent Pecora vervolgde zijn betoog door te waarschuwen voor alcoholgebruik door minderjarigen. 'Per jaar overlijden vierduizend kinderen aan alcoholvergiftiging,' zei hij, maar hij vertelde er niet bij of dat wereldwijd was of alleen in de vs, of hoe oud die kinderen waren. Hij benadrukte ook het feit dat 'ouders hun kind geen dienst bewijzen' door thuis drankfeestjes toe te staan. Met een strenge blik maakte hij melding van enkele specifieke gevallen waarin de ouders later waren aangeklaagd voor doodslag en tot gevangenisstraf waren veroordeeld. Hij gaf zelfs een gedetailleerde beschrijving van wat die ouders in de gevangenis hadden meegemaakt, alsof hij de aanwezigen flink bang wilde maken.

Wendy's blik ging alsmaar naar de klok aan de muur, zoals ze deed toen ze zelf nog op school zat. Half tien. Drie gedachten bleven door haar hoofd gaan. Eén: ze wilde hier weg en horen wat de opeens zo geheimzinnige Phil Turnball haar te vertellen had. Twee: ze zou zich eigenlijk moeten aanmelden voor een of ander subcomité. Ook al had ze haar twijfels over dit hele begeleidingsproject – deels omdat het haar voorkwam als de zoveelste manier om meteen in te grijpen bij elke kik die je kind gaf, deels omdat het hier meer om de ouders dan om de kinderen leek te gaan – zou het oneerlijk zijn, om de belerende Millie te citeren, anderen al het werk te laten doen voor iets waaraan Charlie zou deelnemen.

En drie, die haar het meest bezighield: zonder het te willen dacht ze aan Ariana Nasbro en aan hoe drank en autorijden John het leven hadden gekost. Ze vroeg zich af, opnieuw zonder het te willen, wat er gebeurd zou zijn als Ariana's ouders vroeger aan een lichtelijk overdreven bijeenkomst als deze hadden deelgenomen, en of de overdosis aan waarschuwingen die ze vanavond te horen hadden gekregen heel misschien in de komende paar weken konden voorkomen dat er iemand om het leven kwam en dat een ander gezin niet zou hoeven meemaken wat Charlie en zij hadden meegemaakt.

Zecher kwam het podium weer op om de bijeenkomst af te sluiten en de aanwezigen te bedanken voor hun komst. Wendy keek om zich heen, zocht naar bekende gezichten en nam het zichzelf kwalijk dat ze zo weinig ouders van Charlies klasgenoten kende. De McWaids waren er natuurlijk niet. Jenna of Noel Wheeler evenmin. Door haar gedemoniseerde ex-man te verdedigen werd Jenna Wheelers gezin al door iedereen met de nek aangekeken, maar door de moord op Haley McWaid was hun leven in de stad vrijwel onmogelijk geworden.

De ouders begaven zich naar de aangewezen plekken om zich als vrijwilliger op te geven. Wendy herinnerde zich dat Brenda Traynor, van het subcomité publiciteit, bevriend was geweest met Jenna Wheeler én dat ze een onovertroffen roddeltante was, in dit geval de ideale combinatie. Wendy liep naar haar stand.

'Hallo, Brenda.'

'Ha, Wendy, leuk je weer te zien. Kom je je opgeven?'

'Eh, ja. Volgens mij kan ik wel iets voor de publiciteit doen.'

'Dat zou geweldig zijn. Ik bedoel, wie kunnen we beter hebben dan een gerenommeerde tv-reporter?'

'Nou, "gerenommeerd" zou ik niet zeggen.'

'O, ik wel, hoor.'

Wendy glimlachte geforceerd. 'Hoe schrijf ik me in?'

Brenda liet haar het formulier zien. 'We vergaderen elke dinsdag en donderdag. Zou jij een van de twee willen voorzitten?'

'Ja hoor, best.'

Ze schreef haar naam op en bleef over de tafel gebogen staan. 'Weet je,' zei Wendy, in een poging subtiel te zijn maar daarin hopeloos falend, 'zou Jenna Wheeler niet goed in het publiciteitsteam passen?'

'Je maakt zeker een grapje.'

'Volgens mij heeft ze in de journalistiek gezeten,' zei Wendy, die dit ter plekke verzon.

'Nou en? Na wat ze heeft gedaan, nadat ze dat monster in onze gemeenschap heeft losgelaten... trouwens, ze gaan hier weg.'

'Weg?'

Brenda knikte en boog zich naar voren. 'Er staat een bord met TE KOOP in hun voortuin.'

'O.'

'Amanda komt niet eens naar de diploma-uitreiking. Voor haar vind ik het wel erg... zij kan er niks aan doen, neem ik aan... maar toch, het is de juiste beslissing. Het zou alles voor iedereen verpesten.'

'Waar gaan ze naartoe?'

'Nou, ik heb gehoord dat Noel een baan heeft gevonden in een ziekenhuis ergens in Ohio. In Columbus of Canton, of was het Cleveland? Verwarrend, al die C's in Ohio. Alhoewel, volgens mij was het Cincinnati. Weer een C. Een zachte C noemen ze dat, toch?'

'Ja. Zijn ze al verhuisd, de Wheelers?'

'Nee, dat geloof ik niet. Maar Talia vertelde me... ken je Talia Norwich? Leuke vrouw? De dochter heet Allie? Een beetje dik? Maar goed, Talia zei dat ze had gehoord dat ze in een Marriott Courtyard logeren totdat ze kunnen verhuizen.'

Bingo.

Wendy dacht aan wat Jenna had gezegd, over Dan, over het deel van hem dat ze nooit had kunnen bereiken... maar meer nog dan dat, hoe had ze het gezegd. Dat hem in zijn studietijd iets was overkomen. Misschien was het tijd om nog eens met Jenna te gaan praten.

Ze nam afscheid, werkte zich knikkend en glimlachend naar de uitgang en ging op weg naar haar afspraak met Phil Turnball.

28

Phil zat op een relatief rustig plekje achter in een sportbar... relatief rustig, natuurlijk, want sportbars zijn niet bedoeld voor privacy, discussies of zelfreflectie. Aan de bar zaten geen kerels met drankneuzen of hangende schouders, geen uitgebluste types die op een kruk hun zorgen zaten te verdrinken. Niemand zat hier wezenloos in zijn lege glas te staren terwijl op een schijnbaar oneindige reeks breedbeeld-tv's een variëteit aan sporten en quasisporten om aandacht vroeg.

De bar heette Love the Zebra. Het rook er meer naar gegrilde kipvleugeltjes en salsa dan naar bier. Er was veel kabaal. Een paar softbalteams van bedrijven genoten van een biertje na de wedstrijd. Op de tv's speelden de Yankees. Er waren diverse jonge vrouwen die een Derek Jeter-shirt aanhadden en die iets te uitbundig hun enthousiasme uitten terwijl hun vriendjes zichtbaar ineenkrompen wanneer ze het zagen.

Wendy schoof op de bank. Phil had een lichtgroen poloshirt aan met beide knoopjes los. Plukjes grijs borsthaar krulden uit de opening. Hij had een vage glimlach om zijn mond en een verre blik in zijn ogen. 'Wij hadden ook een softbalteam op kantoor,' zei hij. 'Jaren geleden. Toen ik er pas werkte. Na de wedstrijd kwamen we in bars als deze. Sherry kwam dan ook. Dan had ze zo'n sexy softbalshirt aan, zo'n strakke witte met driekwart mouwen. Ken je die?'

Wendy knikte. Zijn stem klonk niet helemaal fris meer.

'God, wat zag ze er toen mooi uit.'

Ze wachtte tot hij meer zou zeggen. De meeste mensen deden dat. Het geheim van goed interviewen was dat je de stiltes niet opvulde. Er tikten een paar seconden voorbij. Daarna nog een paar. Oké, nu had het lang genoeg geduurd. Soms moest je je gesprekspartner een handje helpen.

'Sherry is nog steeds mooi,' zei Wendy.

'Zeker, dat is ze.' De vage glimlach bleef als gebeiteld op Phils gezicht staan. Zijn bierflesje was leeg. Zijn ogen stonden troebel en zijn gezicht was rood van de drank. 'Maar ze kijkt anders naar me dan vroeger. Begrijp me niet verkeerd. Ze steunt me. Ze houdt van me. Ze zegt en doet alles goed. Maar ik zie het in haar ogen. Als man heb ik haar teleurgesteld.'

Wendy vroeg zich af hoe ze hierop moest reageren zonder belerend te klinken, maar 'Ik weet zeker dat dat niet zo is', of 'Wat erg voor je', haalden het niet. Opnieuw koos ze voor zwijgen.

'Wil je wat drinken?' vroeg hij.

'Ja, graag.'

'Ik heb Bud Lights zitten hijsen.'

'Klinkt goed,' zei ze. 'Maar ik neem een gewone Budweiser.'

'En een portie nachochips?'

'Heb je al gegeten?'

'Nee.'

Ze knikte, dacht dat het wel goed was als hij iets in zijn maag kreeg. 'Goed idee, nachochips.'

Phil wenkte een serveerster. Ze was gekleed in een scheidsrechtersshirt met een diepe v-hals en de naam LOVE THE ZEBRA op de rug. Op haar naamplaatje stond dat ze Ariel heette. Ze had een scheidsrechtersfluitje om haar nek en – om de look compleet te maken – zwarte schminkstrepen onder haar ogen. Wendy had nog nooit een scheidsrechter met zwarte strepen onder zijn ogen gezien, alleen spelers, maar het detail leek niemand bijzonder dwars te zitten.

Ze bestelden.

'Zal ik je eens iets vertellen?' zei Phil toen de serveerster wegliep.

Opnieuw wachtte Wendy.

'Ik heb in een bar als deze gewerkt. Nou, niet helemaal zoals deze. Het was er zo een van een restaurantketen, met een bar in het midden. Je kent ze wel. Het houtwerk is altijd groen en er hangen ouderwetse prenten, om je terug te voeren naar tijden die onschuldig en zorgeloos waren.'

Wendy knikte. Ze kende ze.

'Daar heb ik Sherry leren kennen. Ik werkte er als barkeeper. En zij was de opgewekte serveerster die zich altijd direct aan de klanten voorstelde en vroeg of ze wilden beginnen met de appetizer die op dat moment werd aanbevolen.'

'Ik dacht dat je rijke ouders had.'

Phil grinnikte, kort en halfslachtig, zette het lege flesje Bud Light aan zijn mond en dronk er de laatste druppels uit. Even leek het erop dat hij het flesje wilde uitwringen. 'Mijn ouders vonden dat we moesten werken, denk ik. Waar was je vanavond?'

'Op de school van mijn zoon.'

'Waarom?'

'De voorbereiding van het eindexamenfeest,' zei ze.

'Is hij al op de universiteit toegelaten?'

'Ja.'

'Welke?'

Ze ging verzitten op de bank. 'Waarom wilde je me spreken, Phil?'

'Een te persoonlijke vraag? Sorry.'

'Ik wil graag ter zake komen. Het is al laat.'

'Ik moest er gewoon aan denken. Je ziet die jongeren van tegenwoordig en ze krijgen dezelfde stompzinnige droom opgedrongen als wij. Werk hard. Haal goeie cijfers. Bereid je voor op de tentamens. Doe er een sport naast, als je kunt. Daar houden universiteiten van. Zorg ervoor dat je genoeg buitenschoolse activiteiten hebt. Doe al deze dingen en misschien word je dan op een prestigieuze universiteit toegelaten. Alsof de eerste zeventien jaar van je leven niet meer dan een aanloop voor de Ivy League zijn.'

Het was waar, wist Wendy. Je woont in een middelgrote stad en gedurende je jaren op de middelbare school wordt je wereld steeds kleiner, tot die ten slotte alleen nog bestaat uit toelatings- of afwijzingsbrieven van de universiteiten.

'Neem mijn oude studievrienden,' vervolgde Phil, en het praten begon hem meer moeite te kosten. 'Princeton University. De crème de la crème. Kelvin was een kleurling, Dan was wees, Steve was straatarm, Farley kwam uit een gezin van acht kinderen... een ouderwets, katholiek arbeidersgezin. We hebben het allemaal gehaald... en we waren allemaal even onzeker en ongelukkig. De gelukkigste man die ik ken zat bij mij op de middelbare school. Hij is er in zijn derde jaar op Montclair State University mee opgehouden en is barkeeper geworden. Dat is hij nog steeds. En hij heeft het nog steeds enorm naar zijn zin.'

De welgevormde jonge serveerster kwam de biertjes brengen. 'De nachochips komen over een minuutje,' zei ze.

'Geen probleem, schatje,' zei Phil met een glimlach. Het was een leuke glimlach. Een paar jaar geleden zou die misschien zijn beantwoord, maar, nee, vandaag niet. Phil bleef het meisje misschien iets te lang aankijken, maar Wendy geloofde niet dat ze het merkte. Toen ze was weggelopen, stak Phil zijn flesje naar Wendy op. Wendy pakte het hare, proostte met hem en besloot dat het lang genoeg had geduurd.

'Phil, wat zegt de naam "Scarface" jou?'

Hij moest erg zijn best doen niets te laten blijken. Hij fronste zijn wenkbrauwen om tijd te winnen en ging zelfs zo ver dat hij 'huh?' zei.

'Scarface.'

'Wat is daarmee?'

'Wat betekent die naam voor je?'

'Niks.'

'Je liegt.'

'Scarface?' Hij deed alsof hij diep nadacht. 'Bedoel je die film? Met Al Pacino?' Hij gaf een uiterst beroerde imitatie met een net zo beroerd accent. '*Say hello to my little friend.*'

Hij probeerde het weg te lachen.

'En wat betekent "op jacht gaan"?'

'Van wie heb je dit, Wendy?'

'Van Kelvin.'

Stilte.

'Ik heb hem vandaag gezien.'

Wat Phil toen zei, verbaasde haar. 'Ja, dat weet ik.'

'Hoe weet je dat?'

Hij boog zich over het tafeltje. Bij de bar barstte gejuich los. Iemand riep: 'Gaan! Gaan!' Twee spelers van de Yankees probeerden te scoren na een niet al te verre slag door het midden. De eerste haalde de thuisplaat met gemak. De bal ging naar de catcher voor de tweede speler, maar ook die haalde het, met een lange sliding, hoewel maar net. Er werd nog een keer gejuicht.

'Ik begrijp niet,' zei Phil, 'wat je wilt bereiken.'

'Hoe bedoel je?'

'Dat arme meisje is dood. Dan is dood.'

'Dus?'

'Dus is het afgelopen. Het is voorbij, of niet soms?'

Ze zei niets.

'Waar ben je nu nog naar op zoek?'

'Phil, heb jij geld verduisterd?'

'Wat maakt dat nog uit?'

'Nou?'

'Is dat wat je probeert te doen... bewijzen dat ik onschuldig ben?'

'Voor een deel.'

'Hou op me te helpen, oké? Voor mijn eigen bestwil. Voor jouw bestwil. Voor ieders bestwil. Laat het zitten, alsjeblieft.'

Hij keek de andere kant op. Zijn hand vond het bierflesje, bracht het naar zijn lippen en hij nam een lange, grote teug. Wendy keek naar hem. Even meende ze te zien wat Sherry misschien in hem zag. Hij was een soort lege huls geworden. Iets wat hij in zich had gehad – wilskracht, vuur of hoe je het ook wilde noemen – was gedoofd. Ze dacht aan wat Pops had gezegd over mannen die hun baan kwijtraken en welke invloed dat op hen had. Ze dacht aan een dialoog in een toneelstuk dat ze ooit had gezien, over een man zonder werk, die niet met geheven hoofd zijn kinderen recht in de ogen kon kijken.

Hij dempte zijn stem tot een dwingend gefluister. 'Alsjeblieft. Ik wil dat je ophoudt met graven.'

'Wil je de waarheid dan niet weten?'

Hij begon het etiket van zijn bierflesje te pulken. Zijn ogen bleven gericht op zijn handwerk alsof hij als beeldhouwer een belangrijk kunstwerk aan het maken was. 'Jij denkt dat ze ons flink te pakken hebben genomen,' zei hij zacht. 'Dat is niet zo. Wat er tot nu toe is gebeurd, was maar een terechtwijzing, een tik op de vingers. Als we het verder met rust laten, gebeurt er niks meer. Als we blijven graven – als jíj blijft graven – wordt het veel en veel erger.'

Het etiket kwam los en dwarrelde naar de vloer. Phil keek het na.

'Phil?'

Langzaam keek hij naar haar op.

'Ik begrijp niet waar je het over hebt.'

'Luister alsjeblieft naar me, oké? Luister goed. Er zullen ergere dingen gebeuren.'

'Door wiens toedoen?'

'Dat doet er niet toe.'

'Om de dooie dood wel.'

De jonge serveerster kwam aanlopen met een bak nachochips die zo overvol was dat het leek alsof ze een kind in haar armen droeg. Ze zette de bak op tafel en vroeg: 'Willen jullie nog iets anders?' Ze bedankten allebei. De serveerster draaide zich om en liep weg. Wendy boog zich over de tafel.

'Wie doet dit, Phil?'

'Zoiets is het niet.'

'Wát is het niet? Misschien hebben ze een jong meisje vermoord.'

Hij schudde zijn hoofd. 'Dat heeft Dan gedaan.'

'Weet je dat zeker?'

'Absoluut.' Hij keek haar recht aan. 'Je moet me op dit punt vertrouwen. Als jij het met rust laat, is het voorbij.'

Wendy zei niets.

'Vertel me wat er aan de hand is,' zei ze. 'Ik zal het aan niemand doorvertellen. Dat beloof ik je. Het blijft tussen jou en mij.'

'Laat het met rust.'

'Vertel me dan alleen wie erachter zit.'

Hij schudde zijn hoofd. 'Dat weet ik niet.'

Daar keek ze van op. 'Hoe is het mogelijk dat je dat niet weet?'

Hij gooide twee biljetten van twintig dollar op tafel en wilde opstaan.

'Waar ga je naartoe?'

'Naar huis.'

'Je kunt zo niet rijden.'

'Ik voel me prima.'

'Nee, Phil, dat is niet waar.'

'Nu?' riep hij, en Wendy schrok ervan. 'Maak je je nu ineens zorgen om mijn welzijn?'

Hij begon te snikken. In een gewone bar zou dit nieuwsgierige blikken hebben getrokken, maar hier, met die blèrende tv's die ieders aandacht trokken, merkte niemand er iets van.

'Wat is er in godsnaam aan de hand?' vroeg ze.

'Laat het rusten. Hoor je me? Ik zeg dit niet alleen voor onze veiligheid, maar ook voor de jouwe.'

'Mijn veiligheid?'

'Ja. Je brengt jezelf in gevaar. En je zoon ook.'

Ze greep zijn arm vast en kneep er hard in. 'Phil?'

Hij probeerde op te staan, maar de drank had hem zijn kracht ontnomen.

'Je hebt zonet min of meer mijn zoon bedreigd.'

'Eerder het tegendeel,' zei hij. 'Jij brengt míjn kinderen in gevaar.'

Ze liet zijn arm los. 'Op welke manier?'

Hij schudde zijn hoofd. 'Het enige wat je hoeft te doen, is dit verder met rust te laten, oké? Wij laten het ook met rust. Hou op met contact te zoeken met Farley en Steve… die willen trouwens toch niet met je praten. Laat Kelvin met rust. Er valt niks te winnen. Het is afgelopen. Dan is dood. En als jij blijft graven, zullen er meer slachtoffers vallen.'

29

Ze deed haar uiterste best om nog meer informatie uit Phil te krijgen, maar er kwam geen woord meer uit. Uiteindelijk gaf ze hem een lift naar huis. Toen ze zelf thuiskwam, zaten Pops en Charlie tv te kijken.

'Bedtijd,' zei ze.

Pops kreunde. 'Ach, mag ik nog heel even opblijven tot de film afgelopen is?'

'Erg grappig.'

Pops haalde zijn schouders op. 'Niet overdrijven, meestal ben ik grappiger, maar het is al laat.'

'Charlie?'

Hij bleef naar het tv-scherm kijken. 'Ik vond het wel grappig.'

Geweldig, dacht ze. Een komisch duo. 'Naar bed.'

'Weet je wel welke film dit is?'

Ze keek. 'Zo te zien is dit die rare *Harold & Kumar Go to White Castle*.'

'Precies,' zei Pops. 'En in deze familie zetten we niet midden in *Harold & Kumar* de tv uit. Dat is gebrek aan respect.'

Hij had gelijk, en ze vond het zelf ook een heerlijke film. Dus ging ze in de fauteuil zitten, lachte mee en probeerde even niet te denken aan vermoorde meisjes, vermeende pedofielen, flatgenoten van Princeton en dreigementen in de richting van haar zoon. Alleen de laatste gedachte, hoe egoïstisch het ook klonk, liet zich niet uit haar hoofd verdrijven. Phil Turnball was tot nu toe niet op haar overgekomen als een paniekzaaier, maar toch had hij – om in Charlies tienerjargon te blijven – 'die kant op' gedacht.

Misschien had Phil voor een deel gelijk. Haar verhaal was over Dan Mercer en misschien een beetje over Haley McWaid gegaan. Dat deel van het verhaal was inderdaad voorbij. Ze had haar baan terug. Ze was zelfs redelijk goed uit het hele gebeuren tevoorschijn gekomen... als de tv-reporter die niet alleen een pedofiel maar ook een moordenaar had ontmaskerd. Misschien moest ze díé weg blijven volgen. Samenwerken met de politie om te zien of er meer slachtoffers waren.

Ze keek naar Charlie, die onderuit op de bank hing. Hij lachte om een grap van Neil Patrick Harris die Neil Patrick Harris speelde. Ze bleef even naar hem kijken en dacht aan Ted en Marcia McWaid, aan hoe zij hun dochter Haley nooit meer zouden horen lachen, en daarna dwong ze zichzelf op te houden met nadenken.

Toen de volgende ochtend de wekker afging – zo te voelen na acht minuten slaap – werd Wendy doodmoe wakker. Ze riep Charlie. Geen antwoord. Ze riep nog een keer. Weer geen antwoord.

Ze sprong uit bed. 'Charlie!'

Nog steeds geen antwoord.

Paniek greep haar bij de keel, benam haar de adem. 'Charlie!' Haar hart ging tekeer in haar borstkas toen ze de gang op rende. Ze liep de hoek om en deed zonder te kloppen zijn deur open.

En daar lag hij, in zijn bed, natuurlijk, met het dekbed over zijn hoofd getrokken.

'Charlie.'

Hij kreunde. 'Ga weg.'

'Je moet opstaan.'

'Mag ik uitslapen?'

'Ik heb je gisteravond gewaarschuwd. Sta op.'

'We hebben gezondheidsleer het eerste uur. Kan ik het niet overslaan? Alsjeblieft?'

'Opstaan. Nu.'

'Gezondheidsleer,' zei hij nog een keer. 'Ze praten uitsluitend over seks, tegen ons, beïnvloedbare jongeren. Daar worden we alleen maar onrustig van. Echt, voor mijn morele welzijn is het beter als ik nog even in bed blijf.'

Ze onderdrukte een glimlach. 'Sta gvd op.'

'Nog vijf minuten? Alsjeblieft?'

Wendy zuchtte. 'Goed dan, nog vijf minuten. Geen minuut langer.'

Anderhalf uur later, toen de les gezondheidsleer was afgelopen, bracht ze hem naar school. Wat maakte het uit? Zijn laatste jaar, en hij had zijn toelating op de universiteit al in zijn zak. Hij mocht best een beetje de kantjes eraf lopen, redeneerde ze.

Toen ze thuiskwam bekeek ze haar e-mail. Ze had een bericht van Lawrence Cherston, de beheerder van de website van Princeton. Het zou hem een 'buitengewoon genoegen' zijn haar 'eerdaags' te ontvangen, schreef hij. Zijn adres: Princeton University, New Jersey. Ze belde hem en vroeg of ze die middag om drie uur mocht komen. Lawrence Cherston zei weer dat het hem een 'buitengewoon genoegen' zou zijn.

Nadat Wendy het gesprek had beëindigd, besloot ze haar nepprofiel van Sharon Hait op Facebook te checken. Goed, wat Phil zo veel angst had aangejaagd, had niets te maken met Kirby Sennetts kant van de zaak. Aan de andere kant: hoe paste die dan wel in het geheel?

Maar het kon geen kwaad haar Facebook-account te checken. Ze logde in en zag tot haar verrassing dat Kirby Sennett haar als 'vriend' had geaccepteerd. Oké, mooi. Wat nu? Kirby had haar een uitnodiging voor een Red Bull-party gestuurd. Ze klikte de link aan. Ze zag een foto van een glimlachende Kirby met een groot blik Red Bull in de hand.

Er stonden een adres, een datum en een tijd bij, en een korte tekst van haar grote vriend Kirby: HALLO, SHARON, IK ZOU HET HEEL LEUK VINDEN ALS JE KOMT!

Tot zover de rouwverwerking, blijkbaar. Ze vroeg zich af wat een Red Bull-party was. Waarschijnlijk alleen dat wat de naam impliceerde – een feestje waar het energiedrankje Red Bull werd geschonken, hoewel misschien opgepept met iets sterkers – maar dat kon ze aan Charlie vragen.

Maar wat nu? Moest ze met Kirby aanpappen om te zien of ze meer informatie uit hem kon krijgen? Nee. Te riskant. Je voordoen als een jong meisje om een vermeende viespeuk te ontmaskeren was één ding. Als moeder van een tienerzoon doen alsof je een tiener bent om een van zijn schoolgenoten aan de praat te krijgen, was iets heel anders.

Hoe moest ze nu verder?

Geen idee.

Haar mobiele telefoon ging. Ze keek op het schermpje en zag dat ze werd gebeld door NTC Network.

'Hallo?'

'Mevrouw Wendy Tynes?' Een afgemeten vrouwenstem.

'Ja?'

'Ik bel namens personeels- en juridische zaken. We willen u graag spreken, om twaalf uur precies op kantoor.'

'Waar gaat het over?'

'We zitten op de zesde verdieping. Het kantoor van meneer Frederic Montague. Om twaalf uur precies. Wees op tijd, alstublieft, maak er geen potje van.'

Wendy fronste haar wenkbrauwen. 'Maak er geen potje van? Heb ik dat goed verstaan?'

Klik.

Wat moest dit nu weer voorstellen? 'Maak er geen potje van?' Hoe durfde ze? Wendy leunde achterover. Waarschijnlijk stelde het niets voor. Hoefde ze alleen wat papieren in te vullen omdat ze opnieuw in dienst was genomen. Maar toch, waarom moesten ze op personeelszaken altijd zo verdomde officieel doen?

Ze dacht na over haar volgende stap. De vorige avond had ze te horen gekregen dat Jenna Wheeler in een Marriott-hotel in de buurt logeerde. Tijd om haar reporterspet op te zetten en uit te zoeken waar. Ze zocht de website op. De drie meest nabijgelegen Marriott Courtyards waren in Secaucus, Paramus en Mahwah. Eerst belde ze die in Secaucus.

'Kunt u me doorverbinden met een van uw gasten, ene mevrouw Wheeler, alstublieft?'

Ze verwachtte niet dat ze zich onder een andere naam ingeschreven zouden hebben.

De telefoniste vroeg of ze de naam wilde spellen. Wendy deed het.

'We hebben geen gasten met die naam.'

Wendy bedankte en probeerde het Marriott in Paramus. Opnieuw vroeg ze naar een gast met de naam Wheeler. Na een paar seconden zei de telefoniste: 'Momentje. Ik verbind u door.'

Bingo.

De telefoon ging drie keer over en werd opgenomen. Jenna Wheeler zei: 'Hallo?'

Wendy verbrak de verbinding en liep naar haar auto. Het Marriott Courtyard in Paramus was maar tien minuten rijden. Ze kon haar beter opzoeken. Ze was halverwege toen ze opnieuw het Marriott belde.

Jenna's stem klonk deze keer onzekerder. 'Hallo?'

'Met Wendy Tynes.'

'Wat wil je?'

'Je onder vier ogen spreken.'

'Daar voel ik niks voor.'

'Ik ben er niet op uit jou of je gezin te benadelen, Jenna.'

'Laat ons dan met rust.'

Wendy reed het parkeerterrein van de Courtyard op. 'Kan ik niet doen.'

'Ik heb je niks te zeggen.'

Ze vond een plekje, parkeerde de auto en zette de motor uit. 'Jammer dan. Kom naar beneden. Ik ben in de lobby. Ik ga niet weg voordat ik je heb gesproken.'

Wendy verbrak de verbinding. Het Paramus Marriott Courtyard was gelegen tussen Route 17 en de Garden State Parkway. Wat uitzicht betreft kon men kiezen uit een P.C. Richard-elektronicawinkel en een raamloze loods met de naam Syms en het nogal brallerige onderschrift: EEN CONSUMENT MET KENNIS VAN ZAKEN IS ONZE BESTE KLANT.

Geen omgeving om je vakantie door te brengen.

Wendy ging het hotel binnen. Ze kwam terecht in een beige lobby... een zee van beige tinten, met als enige contrast de donkergroene vloerbedekking en nergens ook maar één vrolijke kleur, oersaaie halftinten die uitschreeuwden dat men hier netjes en competent was, en dat men absoluut geen frivoliteiten hoefde te verwachten. Op de salontafel lagen een paar nummers van USA *Today*. Wendy pakte er een op, bekeek de koppen en las een lezersenquête.

Na vijf minuten kwam Jenna aanlopen. Ze had een sweatshirt aan dat een paar maten te groot was. Haar haar zat in een heel strakke paardenstaart, waardoor haar toch al uitstekende jukbeenderen er scherp genoeg uitzagen om brood mee te snijden.

'Ben je gekomen om me verwijten te maken?' vroeg Jenna.

'Ja, Jenna, dat is precies waarvoor ik ben gekomen. Ik zat vanochtend thuis te denken aan dat arme meisje dat in het bos is gevonden, en toen dacht ik bij mezelf: weet je wat nu leuk zou zijn? Wat het écht zou afmaken? Jenna met verwijten om de oren te slaan. Dus daar ben ik voor gekomen. En hierna ga ik naar het park om jonge hondjes te schoppen.'

Jenna ging zitten. 'Het spijt me. Die opmerking was niet nodig.'

Wendy dacht aan de afgelopen avond, aan dat bespottelijke Begeleidingsproject Eindexamenfeest en dat Jenna en Noel Wheeler erbij hadden moeten zijn, aan hoe graag ze erbij hadden wíllen zijn. 'Het spijt mij ook. Het moet een moeilijke tijd voor je zijn.'

Jenna haalde haar schouders op. 'Elke keer als ik met mezelf te doen heb, moet ik aan Ted en Marcia denken. Begrijp je wat ik bedoel?'

'Ja.'

Stilte.

'Ik heb gehoord dat jullie gaan verhuizen,' zei Wendy.

'Van wie?'

'Het is een kleine stad.'

Jenna glimlachte, maar zonder een spoor van vrolijkheid. 'Is elke stad dat niet? Ja, we gaan verhuizen. Noel wordt afdelingshoofd Cardiologie in Cincinnati Memorial Hospital.'

'Dat heeft hij snel voor elkaar gekregen.'

'Hij heeft een heel goede naam. Maar eerlijk gezegd zijn we al maanden geleden begonnen met plannen maken.'

'Toen je voor het eerst in de bres sprong voor Dan?'

Ze forceerde weer een glimlach. 'Laten we zeggen dat het ons aanzien in de gemeenschap geen goed heeft gedaan,' zei ze. 'We hadden gehoopt dat we tot het eind van het schooljaar konden blijven... totdat Amanda haar diploma had. Maar het heeft niet zo mogen zijn, blijkbaar.'

'Dat spijt me voor je.'

'Nogmaals, bewaar je medeleven voor Ted en Marcia. Dit valt erbij in het niet.'

Daar kon Wendy weer slechts mee instemmen.

'Maar waarom ben je hiernaartoe gekomen, Wendy?'

'Jij hebt Dan verdedigd.'

'Ja.'

'Ik bedoel, van het begin tot het eind. Vanaf het moment dat het programma werd uitgezonden. Je leek zo zeker van zijn onschuld. En de laatste keer dat we elkaar spraken, zei je dat ik een onschuldig mens de dood in had gejaagd.'

'En wat wil je nu dat ik zeg? Sorry, ik had het mis, jij had gelijk?'

'Was dat zo?'

'Wat?'

'Had je het mis?'

Jenna bleef haar enige tijd aankijken. 'Waar heb je het over?'

'Denk jij dat Dan Haley heeft vermoord?'

Er viel een doodse stilte in de lobby. Jenna keek haar aan alsof ze iets wilde zeggen, maar toen schudde ze haar hoofd.

'Ik begrijp het niet,' zei ze. 'Denk jij dan dat hij onschuldig is?'

Wendy wist niet precies wat ze hierop moest antwoorden. 'Ik denk dat er nog steeds een paar puzzelstukjes ontbreken.'

'Zoals wat?'

'Daar probeer ik juist achter te komen. Daarom ben ik hier.'

Jenna keek haar aan alsof ze meer had verwacht. Nu was het Wendy die haar blik afwendde. Jenna had recht op een beter antwoord. Tot nu toe had Wendy de hele zaak als een tv-reporter benaderd. Maar nu ze hier was, was ze misschien meer dan alleen dat. Misschien was het tijd om schoon schip te maken, om de waarheid te vertellen, die hardop uit te spreken.

'Ik ga je iets in vertrouwen vertellen, oké?'

Jenna knikte, wachtte af.

'Ik werk op basis van feiten, niet intuïtief. Van intuïtie raak ik meestal alleen maar in de war. Begrijp je wat ik bedoel?'

'Beter dan je misschien denkt.'

Er stonden nu tranen in Jenna's ogen. Wendy vermoedde dat haar eigen ogen ook vochtig waren.

'Feitelijk wist ik dat ik Dan in de tang had. Hij had geprobeerd mijn denkbeeldige dertienjarige meisje op het net te verleiden. Hij kwam naar dat huis toe. Hij had al dat materiaal in huis en op zijn laptop. Zelfs zijn werk... je hebt geen idee hoeveel van dat soort viespeuken met tieners werken, dat ze die zogenaamd helpen. Het paste allemaal in het plaatje. En toch bleef mijn intuïtie schreeuwen dat er iets niet klopte.'

'Je leek heel zeker van je zaak toen wij elkaar spraken.'

'Een beetje té zeker, vond je ook niet?'

Jenna dacht erover na en er kwam een vage glimlach op haar gezicht. 'Net als ik, als ik eraan terugdenk... we waren allebei zo zeker van onze zaak. Natuurlijk moest een van ons het mis hebben. Maar nú denk ik dat je nooit helemaal zeker van iemand kunt zijn. Dat ligt voor de hand, maar ik denk dat ik daaraan herinnerd moest worden. Weet je nog dat ik tegen je zei dat Dan over bepaalde dingen geheimzinnig deed?'

'Ja.'

'Misschien had je gelijk over waarom hij dat deed. Hij hield iets voor me achter. Dat wist ik. Maar we houden allemaal wel iets voor anderen achter, waar of niet? Niemand kent ons door en door. Ik weet dat het als een cliché klinkt, maar uiteindelijk ken je iemand nooit door en door.'

'Dus je had het al die tijd mis?'

Jenna beet op haar onderlip. 'Ik heb er lang over nagedacht. Eerst dacht ik dat het te maken had met het feit dat hij wees was, weet je? Gebrek aan vertrouwen, dat soort dingen. Ik dacht dat dát ons uiteindelijk uit elkaar had gedreven. Maar nu vraag ik het me af.'

'Wat?'

Er rolde een traan over Jenna's wang. 'Ik vraag me af of er niet meer aan de hand was, of hem in het verleden iets ergs was overkomen. Ik vraag me af wat die duisternis was die hij in zich leek te hebben.'

Jenna stond op en liep de lobby door. Achterin stond een koffiekan. Ze pakte een plastic beker en vulde die met koffie. Wendy stond ook op en ging haar achterna. Ook zij nam een beker koffie. Toen ze terugkwamen bij het zitje, leek het alsof dit deel van het onderwerp was afgehandeld. Wendy vond dat niet erg. Ze was klaar met haar intuïtie. Het was tijd om naar de feiten terug te keren.

'Toen we elkaar de laatste keer spraken, zei je iets over Princeton. Dat hem mogelijk dáár iets was overkomen.'

'Ja. En?'

'Ik wil proberen daar meer over te weten te komen.'

Jenna keek verbaasd. 'Denk je dat Princeton iets met deze zaak te maken heeft?'

Wendy wilde niet meer prijsgeven dan nodig was. 'Ik wil alleen wat extra research doen.'

'Dat kan ik niet volgen. Wat kan zijn studietijd er nu mee te maken hebben?'

'Het is gewoon een aspect uit zijn verleden waar ik meer van wil weten.'

'Waarom?'

'Vertrouw me nu maar, Jenna. Jij was degene die erover begon toen we elkaar de vorige keer spraken. Je zei dat hem op de universiteit iets was overkomen. Ik wil weten wat dat was.'

Jenna bleef enige tijd zwijgen. Toen zei ze: 'Ik weet het niet. Het vormde een deel van zijn terughoudendheid... misschien wel het overgrote deel, nu ik erover nadenk. Daarom heb ik het toen tegen je gezegd.'

'Maar je hebt geen idee wat het was?'

'Nee, niet echt. Ik bedoel, het leek uiteindelijk niet van betekenis.'

'Kun je me dan ten minste iets over de aanleiding vertellen?'

'Ik zie het verband niet.'

'Doe het nou maar, oké?'

Jenna bracht de beker koffie naar haar mond, blies erin en nam een voorzichtig slokje. 'Goed dan. Toen we pas bij elkaar waren, ging hij om de zaterdag ergens naartoe. Ik wil het niet geheimzinniger maken dan het was, maar dan ging hij van huis en zei niet waar hij heen ging.'

'Ik neem aan dat je het hebt gevraagd?'

'Ja, natuurlijk. Hij zei dat we nog maar pas een relatie hadden, dat hij die zaterdag voor zichzelf wilde en dat ik hem maar moest vertrouwen. Ik hoefde me nergens zorgen over te maken, maar hij wilde dat ik begreep dat het iets was wat hij gewoon moest doen.'

Ze hield op met praten.

'Wat vond jij daarvan?'

'Ik was verliefd,' zei Jenna. 'Dus eerst rationaliseerde ik het. Sommige mannen gaan golfen, hield ik mezelf voor. Andere mannen gingen bowlen of doken met hun vrienden de kroeg in of wat ook. Dan had recht op zijn vrije zaterdag. Hij was verder zo zorgzaam en attent. Dus liet ik hem zijn gang gaan.'

De deur van de lobby ging open. Een echtpaar met drie kinderen kwam binnen en liep door naar de balie. De man noemde zijn naam en gaf zijn creditcard aan de receptioniste.

'Je zei "eerst",' zei Wendy.

'Ja. Nou, het heeft nog lang geduurd. Ik denk dat we al een jaar waren getrouwd toen ik er opnieuw over begon. Dan zei dat ik me geen zorgen hoefde te maken en dat het niks voorstelde. Maar dat deed het natuurlijk wel. Mijn nieuwsgierigheid knaagde aan me. Dus ben ik hem op een zaterdag achternagereden.'

Haar stem stierf weg en er kwam een vage glimlach om haar mond.

'Wat is er?'

'Ik heb dit nooit aan iemand verteld. Zelfs niet aan Dan.'

Wendy leunde achterover om haar meer op haar gemak te stellen. Ze nam een slokje van haar koffie en probeerde er zo onbedreigend mogelijk uit te zien.

'Maar goed, als verhaal stelt het weinig voor. Een uur, anderhalf uur ben ik achter hem aan gereden. Hij nam de afslag naar Princeton. Hij stopte in de stad en ging een café binnen. Ik voelde me zo belachelijk omdat ik hem bespioneerde. Hij zat daar alleen, een minuut of tien. Ik had verwacht dat hij een andere vrouw zou ontmoeten. Je weet wel, een of andere sexy universiteitsdocente met een bril en zwart haar. Maar er kwam niemand. Dan dronk zijn koffie op en kwam naar buiten. Hij liep verder de straat in. Het was zo absurd dat ik hem volgde. Ik bedoel, ik hield van die man. Je hebt geen idee hoeveel. En toch, zoals ik al eerder zei, had hij iets wat voor mij onbereikbaar was, dus ik loop achter hem aan, probeer uit het zicht te blijven en eindelijk begin ik het gevoel te krijgen dat ik op het punt sta de waarheid te weten te komen. En dat maakt me doodsbang.'

Jenna nam een slokje koffie.

'Waar ging hij naartoe?'

'Twee straten verderop stond een heel mooi, oud victoriaans huis. Te midden van alle studentenhuizen. Hij klopte op de deur en ging naar binnen. Na een uur kwam hij weer naar buiten. Hij liep terug naar de stad, stapte in zijn auto en reed naar huis.'

De receptioniste zei tegen het gezin dat ze pas om vier uur 's middags konden inchecken. De vader vroeg of het niet vroeger kon. De receptioniste gaf geen krimp.

'Nou, van wie was dat huis?'

'Dat was het rare. Het was van de decaan. Een man die Stephen Slotnick heette. Hij was gescheiden en woonde daar met zijn twee kinderen.'

'Maar waarom zou Dan steeds bij hem op bezoek gaan?'

'Geen idee. Ik heb het hem nooit gevraagd. Einde verhaal. Ik heb het nooit ter sprake gebracht. Hij had geen verhouding en het was zíjn geheim. Als hij het me had willen vertellen, had hij dat wel gedaan.'

'Maar hij heeft er nooit iets over gezegd?'

'Nee, nooit.'

Ze dronken hun koffie en gaven zich allebei over aan hun eigen gedachten.

'Je hoeft je niet schuldig te voelen,' zei Jenna.

'Dat doe ik ook niet.'

'Dan is dood. Eén ding hadden we gemeen: we geloofden geen van beiden in een hiernamaals. Dood is dood. Het maakt voor hem

niks meer uit als zijn naam nu nog wordt gezuiverd.'
'Daar ben ik ook niet op uit.'
'Maar waar ben je dan wel op uit?'
'Ik mag doodvallen als ik het weet. Antwoorden, neem ik aan.'
'Soms is het meest voor de hand liggende antwoord het juiste. Misschien was Dan wel alles waarvan hij werd beschuldigd.'
'Misschien wel, maar dat laat één belangrijke vraag onbeantwoord.'
'En die is?'
'Waarom ging hij steeds op bezoek bij die decaan?'
'Ik zou het niet weten.'
'Ben je dan niet nieuwsgierig?'
Jenna dacht erover na. 'Ga je het uitzoeken?'
'Ik wel.'
'Het had mij mijn huwelijk kunnen kosten.'
'Misschien.'
'Of het heeft niks met al het andere te maken.'
'Dat lijkt me waarschijnlijker,' gaf Wendy toe.
'Ik denk dat Dan dat meisje heeft vermoord.'
Wendy zei niets. Ze wachtte tot Jenna meer zou zeggen, maar dat deed ze niet. Het toegeven had haar blijkbaar al haar energie gekost. Ze leunde achterover, leek niet in staat zich te verroeren.
Na een tijdje zei Wendy: 'Waarschijnlijk heb je gelijk.'
'Maar je gaat het toch uitzoeken, van die decaan?'
'Ja.'
Jenna knikte. 'Als je te weten komt wat het was, laat je het me dan weten?'
'Natuurlijk.'

30

Wendy stapte uit de lift en ging op weg naar Vics kantoor. Onderweg passeerde ze Michele Feisler – de nieuwe, jonge reporter – die achter haar bureau aan het werk was. Op Micheles werkplek hingen foto's van Walter Cronkite, Edward R. Murrow en Peter Jennings. Toe maar, dacht Wendy.

'Hallo, Michele.'

Michele zat druk te typen. Ze maakte een kort, wuivend gebaar, meer niet. Wendy keek over haar schouder. Michele zat te twitteren. In dit geval reageerde ze op iemand die haar meldde: JE HAAR ZAT GEWELDIG IN HET NIEUWS VAN GISTERAVOND! Michele liet haar volgers weten: IK GEBRUIK EEN NIEUWE CONDITIONER. BINNENKORT MEER!

Wat zou Edward R. Murrow trots op haar zijn.

'Wat is dat met die kerel die door beide knieën is geschoten?' vroeg Wendy.

'Ja, meer een item voor jou,' zei Michele.

'Hoezo?'

'Het schijnt een nogal vies mannetje te zijn.' Ze keek op van haar beeldscherm, hoewel heel even maar. 'Dat is jouw specialiteit toch, vieze mannen?'

Leuk specialisme, dacht Wendy. 'Wat bedoel je met "vieze mannen"?'

'Nou, de seksueel gestoorden, dat is jouw terrein toch?'

'Wat wil je daarmee zeggen?'

'Oeps, nu geen tijd,' zei Michele, en ze ging door met typen. 'Ik ben bezig.'

Wendy stond daar, en ongewild moest ze denken aan wat Clark had gezegd over Micheles hoofd, dat echt heel groot was, zeker in verhouding tot dat kleine lichaampje eronder. Het leek wel een ballon aan een touwtje. Alsof haar nek het ieder moment kon begeven door het gewicht ervan.

Wendy keek op haar horloge. Drie minuten voor twaalf. Ze liep snel door naar Vics kantoor. Zijn secretaresse, Mavis, zat op haar plek.

'Hallo, Mavis.'

Ook deze vrouw gunde haar nauwelijks een blik. 'Wat kan ik voor u doen, mevrouw Tynes?'

Het was voor het eerst dat ze zo werd genoemd. Misschien had iemand van boven nieuwe omgangsregels ingevoerd tijdens haar afwezigheid. 'Ik wil Vic graag even spreken.'

'Meneer Garrett heeft nu geen tijd.' Haar stem, altijd heel vriendelijk, klonk zo koud als ijs.

'Wil je tegen hem zeggen dat ik naar de zesde ben? Ik kom straks wel terug.'

'Ik zal het doorgeven.'

Ze liep naar de lift. Misschien was het haar verbeelding, maar er leek een rare spanning in de lucht te hangen.

Wendy was al een miljoen keer in het kantoor van het tv-netwerk geweest, maar nog nooit op de zesde verdieping. Nu zat ze in een oogverblindend wit kantoor, een kubistisch mirakel, met een kleine waterval in de hoek. Eén muur werd gedomineerd door een schilderij met zwart-witte draaikolken. Aan de overige drie hing niets. De draaikolken bevonden zich recht tegenover haar en leidden erg af. Achter een glazen tafel, vóór de draaikolken, zaten drie mensen in pak. Twee mannen en een vrouw, die haar allemaal aankeken. De ene man was zwart. De vrouw was Aziatisch. Een leuke mix, al was degene die de leiding had – die in het midden zat en het woord deed – een blanke man.

'Bedankt voor uw komst,' zei de man. Hij had zich aan haar voorgesteld, sterker nog: hij had hen alle drie voorgesteld, maar ze was de namen meteen weer vergeten.

'Geen probleem,' zei ze.

Wendy merkte dat haar stoel minstens vijf centimeter lager was dan die van haar gesprekspartners. De klassieke, hoewel o zo doorzichtige methode om iemand te intimideren. Wendy sloeg haar armen over elkaar en liet zich verder onderuitzakken. Laat ze maar denken dat ze in het voordeel zijn.

'En,' zei Wendy, die graag ter zake wilde komen, 'wat kan ik voor jullie doen?'

De blanke man keek opzij naar de Aziatische vrouw. Ze pakte een stapeltje papieren en schoof het over het glazen tafelblad naar Wendy toe. 'Is dat uw handtekening?'

Wendy keek ernaar. Het was haar originele arbeidscontract. 'Zo te zien wel.'

'Is dat uw handtekening of niet?'

'Ja.'

'En u hebt het contract gelezen, uiteraard.'

'Ik neem aan van wel.'

'Ik vraag u niet wat u...'

Ze stak haar hand op om hem te onderbreken. 'Ja, ik heb het gelezen. Wat is het probleem?'

'Ik zou graag willen dat u bladzijde drie paragraaf zeventien lid vier opzoekt.'

'Oké.' Ze sloeg twee bladzijden om.

'Het verwijst naar ons strikte beleid aangaande romantische en/of seksuele relaties binnen het bedrijf.'

Daar keek ze van op. 'En wat is daarmee?'

'Hebt u deze regels gelezen?'

'Ja.'

'En hebt u ze begrepen?'

'Ja.'

'Want kijk,' zei de blanke man, 'ons is ter ore gekomen dat u die regel hebt overtreden, mevrouw Tynes.'

'Eh, nee, ik kan jullie verzekeren dat dat niet zo is.'

De blanke man leunde achterover, kruiste zijn armen en probeerde er als een rechter uit te zien. 'Kent u ene Victor Garrett?'

'Vic? Ja, natuurlijk. Vic is de baas van de nieuwsdienst.'
'Hebt u ooit een seksuele relatie met hem gehad?'
'Met Vic? Kom op, zeg!'
'Is dat een ja of een nee?'
'Een kolossale "nee". Waarom halen jullie hem er niet bij om het hem zelf te vragen?'
De drie overlegden zachtjes met elkaar. 'Dat zijn we ook van plan.'
'Ik begrijp het niet. Van wie hebben jullie gehoord dat Vic en ik...' Ze probeerde de walging van haar gezicht te houden.
'We hebben rapporten ontvangen.'
'Van wie?'
Ze antwoordden niet meteen... maar opeens wist Wendy het antwoord. Had Phil Turnball haar niet gewaarschuwd?
'We zijn niet in de positie om dat te zeggen,' zei de blanke man.
'Dat is dan jammer. Want dit is een heel serieuze aantijging. Dus u hebt bewijs dat u kunt overleggen, of die beschuldiging slaat nergens op.'
De zwarte man keek de Aziatische vrouw aan. De Aziatische vrouw keek de blanke man aan. De blanke man keek de zwarte man aan.
Wendy hield haar handen op. 'Hebben jullie dit gerepeteerd?'
Ze bogen zich naar elkaar toe en begonnen tegen elkaar te fluisteren als senators tijdens een hoorzitting. Wendy wachtte. Toen ze klaar waren, pakte de Aziatische vrouw een dossiermap en schoof die over het glazen tafelblad.
'Misschien zou u dit even willen lezen.'
Wendy sloeg de map open. Het was een print van een weblog. Wendy's bloed begon te koken toen ze de tekst las.

Ik werk bij NTC. Ik kan mijn echte naam niet noemen, want dan word ik ontslagen. Maar Wendy Tynes is een gruwel. Een talentloze primadonna die zich op de ouderwetse manier naar de top heeft gewerkt: door met iedereen in bed te duiken. Op dit moment neukt ze met haar baas Vic

Garrett. Daarom krijgt ze alles van hem gedaan. Ze was vorige week ontslagen wegens incompetentie, maar Vic heeft haar weer aangenomen omdat hij bang is aangeklaagd te worden wegens seksuele intimidatie. Wendy heeft massa's plastische chirurgie ondergaan, waaronder haar neus, haar oogleden en haar tieten...

En zo ging het nog een tijdje door. Wendy dacht weer aan Phils waarschuwing. Ze dacht aan wat die virale psychopaten Farley Parks hadden aangedaan, en Steve Miciano... en nu haar. En ze begon de gevolgen ervan in te zien: haar carrière, haar inkomen, het vermogen om voor haar zoon te zorgen. Geruchten waren net zo erg als keiharde feiten. In de ogen van de massa is een aantijging hetzelfde als een veroordeling. Je bent schuldig totdat je je onschuld hebt bewezen.

Had Dan Mercer niet zoiets tegen haar gezegd?

Uiteindelijk schraapte de blanke man zijn keel en zei: 'En?'

Met alle bravoure die Wendy kon opbrengen stak ze haar borsten vooruit. 'Ze zijn echt. U mag erin knijpen als u wilt.'

'Dit is niet grappig.'

'En ik lach ook niet. Ik presenteer het bewijs dat dit leugens zijn. Toe maar. Knijp er maar even in.'

De blanke man maakte een opgelaten geluid dat als *harrumff* klonk en wees naar de dossiermap. 'Misschien moet u de reacties eerst lezen. Ze staan op bladzijde twee.'

Wendy probeerde haar façade van zelfvertrouwen intact te houden, hoewel ze het gevoel had dat haar wereld aan het instorten was. Ze draaide het blaadje om en las de eerste reacties.

Reactie: Ik heb met haar samengewerkt tijdens haar vorige baan en ben het helemaal met je eens. Toen gebeurde hetzelfde. Onze getrouwde baas werd haar bed in gelokt en heeft moeten scheiden. Een slet, dat is ze.
Reactie: Ze is met minstens twee universiteitsdocenten het bed in gedoken, de ene toen ze zwanger was. Het heeft hem zijn huwelijk gekost.

Nu voelde Wendy dat haar gezicht begon te gloeien. Ze was nog met John getrouwd toen ze die baan had. Sterker nog, hij was omgekomen in de laatste week dat ze daar werkte. Vooral díé leugen maakte haar woedend, veel meer dan al die andere. Het was zo obsceen, zo oneerlijk.

'Nou?' vroeg de blanke man.

'Dit,' zei ze tandenknarsend, 'zijn stuk voor stuk smerige leugens.'

'Ze staan overal op internet. Er zijn blogs naar onze sponsoren gestuurd. Ze overwegen hun advertenties terug te trekken.'

'Het zijn leugens.'

'Bovendien willen we dat u een afstandsverklaring tekent.'

'Wat voor afstandsverklaring?'

'Meneer Garrett is uw meerdere. Hoewel ik niet denk dat u veel kans maakt, zou u hem kunnen aanklagen wegens seksuele intimidatie.'

'Dat meent u toch niet, hè?' zei Wendy.

Hij wees naar het dossier. 'Op een van die blogs wordt gezegd dat u al eens eerder een meerdere heeft aangeklaagd wegens seksuele intimidatie. Wie zegt dat u dat niet nog een keer zult doen?'

Het begon Wendy nu echt rood voor de ogen te worden. Ze balde haar handen tot vuisten en deed haar uiterste best beheerst te blijven praten. 'Meneer... sorry, ik ben uw naam vergeten...'

'Montague.'

'Meneer Montague.' Ze haalde diep adem. 'Ik wil dat u even heel goed naar me luistert. Let goed op, want ik wil er zeker van zijn dat u begrijpt wat ik zeg. Dit hier...' Wendy hield het dossier op, '... zijn allemaal leugens. Duidelijk? Verzinsels. Die reactie dat ik met een oude werkgever naar bed ben geweest? Gelogen. Dat ik het met een meerdere of een universiteitsdocent heb gedaan? Ook gelogen. De beschuldiging dat ik met iemand anders dan mijn eigen man naar bed ben geweest toen ik in verwachting was? Of dat ik van plastische chirurgie aan elkaar hang? Een en al leugens. Geen overdrijvingen, geen verdraaiingen, maar smerige leugens. Ben ik duidelijk?'

Montague schraapte zijn keel. 'Dat is úw standpunt, hebben we begrepen.'

'Iedereen kan op internet alles over wie dan ook beweren,' vervolgde Wendy. 'Begrijpen jullie dat dan niet? Iemand hangt cyberleugens over me op. Jezus, kijk naar de datum van die blog. Het is er gisteren op gezet en een dag later al zo veel reacties? Het is allemaal nep. Iemand probeert me opzettelijk zwart te maken.'

'Dat kan wel zo zijn,' begon Montague, een frase die absoluut niets te betekenen had maar die Wendy enorm irriteerde, 'maar het lijkt ons toch beter dat u tijdelijk met verlof gaat terwijl wij deze beschuldigingen onderzoeken.'

'Dat dacht ik niet,' zei Wendy.

'Pardon?'

'Want als jullie me daartoe dwingen, ga ik een heibel schoppen waar de honden geen brood van lusten. Dan sleep ik het tv-netwerk voor de rechter, ik sleep de studio voor de rechter en ik sleep jullie drieën ieder afzonderlijk voor de rechter. Vervolgens stuur ik jullie geliefde sponsoren blogs waarin staat dat jullie...' ze wees de twee mannen aan, '... elkaar van achteren nemen op het kantoormeubilair, terwijl zij...' ze wees naar de Aziatische vrouw, '... toekijkt en zichzelf billenkoek geeft. Of het waar is? Nou, het staat in een blog. Sterker nog, het komt in diverse blogs te staan. En daarna ga ik er met andere computers reacties op geven, bijvoorbeeld dat Montague hier graag hard aangepakt wordt, of dat hij van speeltjes houdt, en van honden en geiten en lammetjes... Dan krijg je de dierenbescherming achter je aan. En ten slotte mail ik al die blogs naar jullie familie. Ben ik duidelijk?'

Niemand zei iets.

Wendy stond op. 'En nu ga ik weer aan het werk.'

'Nee, mevrouw Tynes, dat gaat u niet.'

De deur ging open. Er kwamen twee beveiligingsmannen in uniform binnen.

'Deze heren zullen u naar buiten begeleiden. Neem alstublieft geen contact op met wie ook van het tv-netwerk totdat wij de kans hebben gehad ons over deze zaak te buigen. Elke poging tot communicatie met een van de betrokkenen zal worden gezien als belemmering van het onderzoek. O, en uw dreigement van zojuist, aan mijn adres en dat van mijn twee collega's, zal in het dossier worden opgenomen. Bedankt voor uw komst.'

31

Wendy belde Vic, maar Mavis weigerde haar door te verbinden. Dan niet. Ze kon er weinig aan veranderen. Princeton was ongeveer anderhalf uur rijden. Tijdens de rit zat ze zowel te koken van woede als zich af te vragen wat dit allemaal te betekenen had. Ze zou eigenlijk moeten lachen om deze bespottelijke, op niets gebaseerde aantijgingen, maar ze wist ook dat ze, wat er hierna ook gebeurde, een donkere en waarschijnlijk blijvende schaduw zouden werpen over haar carrière. Er waren eerder onwaarheden over haar gefluisterd – in een business als deze was dat min of meer vaste prik wanneer je als redelijk aantrekkelijke vrouw je weg naar de top vond – maar nu, omdat een of andere idioot ze op internet had gezet, leken ze opeens een stuk geloofwaardiger. Lang leve het computertijdperk.

Oké, genoeg vruchteloos gepieker.

Toen Wendy haar bestemming naderde, begon ze weer na te denken over de zaak, over de sporen die naar Princeton bleven leiden en over het feit dat vier mannen – Phil Turnball, Dan Mercer, Steve Miciano en Farley Parks – binnen een jaar tijd aan de schandpaal waren genageld.

Een eerste vraag luidde: hoe?

Maar de grote vraag was: door wie?

Wendy kwam tot de slotsom dat ze maar het best met Phil Turnball kon beginnen omdat ze over zijn geval enige informatie had. Ze deed het oordopje van haar handsfree telefoon in en belde Wins privénummer.

Zoals altijd antwoordde Win met twee woorden waarin veel te

veel hooghartigheid doorklonk: 'Duidelijk spreken.'
'Kan ik je nog een keer om een gunst vragen?'
'"Mág ik je nog een keer om een gunst vragen?" Ja, Wendy, dat mag je.'
'Bedankt voor de correctie. Daar had ik echt behoefte aan.'
'Graag gedaan.'
'Weet je nog dat ik je vroeg naar Phil Turnball, de man die werd ontslagen omdat hij twee miljoen zou hebben verduisterd?'
'Ja, dat weet ik nog.'
'Stel dat Phil in een val is gelokt en dat hij het geld niet echt heeft gestolen.'
'Oké, ik stel het me voor.'
'Hoe zou iemand dat aanpakken?'
'Ik heb geen idee. Waarom vraag je dat?'
'Omdat ik er redelijk zeker van ben dat hij dat geld niet heeft gestolen.'
'Juist. En hoe komt het dat je daar "redelijk zeker" van bent?'
'Hij heeft me verteld dat hij onschuldig is.'
'Ah! Nou, dat is dan opgelost.'
'Er is meer.'
'Ik luister.'
'Nou, als Phil die twee miljoen heeft gestolen, waarom zit hij dan niet in de gevangenis, of wordt hem zelfs niet gevraagd het geld terug te betalen? Ik zal nu niet op de details ingaan, maar er zijn nog een paar mannen – zijn flatgenoten van de universiteit, om precies te zijn – die in het afgelopen jaar in een bizar schandaal verwikkeld zijn geraakt. Het is zelfs zo dat ik nu ook de lul ben.'
Win zei niets.
'Win?'
'Ja, ik heb je gehoord. Ik ben dol op die term, "de lul", jij niet? Hoewel die haaks op jouw vrouw-zijn staat, geven die twee woorden een perfecte omschrijving van de onaangename situatie waarin je je bevindt, nietwaar?'
'Ja, heel interessant.'
Zelfs zijn zucht klonk hooghartig. 'Wat wil je dat ik voor je doe?'

'Zou jij er eens naar willen kijken? Ik wil weten wie Phil Turnball in de val heeft gelokt.'

'Oké.'

Klik.

Het abrupte ophangen verbaasde haar minder dan de vorige keer, hoewel ze graag een opmerking had gemaakt over snelle eindes als zijn specialiteit, maar helaas was er niemand meer aan de lijn. Ze bleef nog even naar het toestel in haar hand kijken, half in de verwachting dat hij meteen zou terugbellen. Maar dat deed hij deze keer niet.

Het huis van Lawrence Cherston was van gezandstraalde baksteen en het had witte raamluiken. Voor de deur stond een vlaggenmast met een ronde rozentuin eromheen. Aan de mast hing een zwarte vlag met een grote oranje P. Tjonge. Cherston deed open en nam haar hand in zijn beide eigen handen. Hij had zo'n vlezig, blozend gezicht dat je deed denken aan dikke katten en achterkamers die blauw van de rook stonden. Hij droeg een blauwe blazer met het Princeton-embleem op de borstzak en dezelfde Princeton-das die hij op zijn profielfoto om had gehad. Zijn kakibroek was keurig geperst, zijn instappers met kwastjes glansden je tegemoet, en natuurlijk droeg hij geen sokken. Hij zag eruit alsof hij vanochtend op weg was gegaan naar de universiteitskapel en onderweg twintig jaar ouder was geworden. Wendy volgde hem naar binnen en stelde zich voor dat hij een kledingkast had met nog tien van dat soort blazers en kakibroeken, en verder helemaal niets.

'Welkom in mijn nederige stulp,' zei Cherston. Hij bood haar iets te drinken aan. Ze bedankte. Er stond een bord met sandwiches op tafel. Uit beleefdheid nam Wendy er een. De sandwich smaakte zo smerig dat ze zich afvroeg of ze niet ook een verouderingsproces van twintig jaar hadden doorgemaakt. Cherston zat inmiddels al op te scheppen over zijn jaargenoten.

'We hebben twee Pulitzer Prize-winnaars,' zei hij. Vervolgens boog hij zich over de tafel en voegde eraan toe: 'En de ene is een vrouw.'

'Een vrouw.' Wendy dwong haar mond in een glimlach en knipperde met haar ogen. 'Wow.'

'En we hebben een wereldberoemde fotograaf, diverse captains of industry, uiteraard, en één genomineerde voor een Oscar. Nou, goed, die was voor het beste geluid en hij heeft hem niet gewonnen. Maar toch. Diverse van onze studiegenoten werken voor de huidige regering. En we hebben iemand die bij de Cleveland Browns heeft gespeeld.'

Wendy zat maar wezenloos te knikken en ze vroeg zich af hoe lang ze de glimlach nog op haar gezicht kon houden. Cherston haalde zijn plakboeken, fotoalbums, het doctoraalboek en het jaarboek van de eerstejaars tevoorschijn. Hij praatte inmiddels over zichzelf, over zijn totale toewijding aan zijn alma mater, alsof ze dat nog niet had begrepen.

Ze moest proberen ter zake te komen.

Wendy pakte een fotoalbum op en bladerde het door in de hoop een foto van de vijf van Princeton tegen te komen. Het was haar niet gegund. Ondertussen kletste Cherston maar door. Oké, tijd voor actie. Ze pakte het boek van de eerstejaars en bladerde meteen door naar de M.

'O, kijk,' onderbrak ze hem, en ze wees naar de foto van Steve Miciano. 'Dat is dokter Miciano, is het niet?'

'Eh, ja.'

'Mijn moeder is patiënt bij hem geweest.'

Het wás mogelijk dat Cherston daar even van schrok. 'O ja? Leuk.'

'Misschien moet ik ook eens met hem gaan praten.'

'Misschien wel, maar zijn huidige adres heb ik niet.'

Wendy richtte haar aandacht weer op het boek en deed opnieuw alsof ze bijzonder verrast was. 'Kijk eens aan, moet je dit zien. Dokter Miciano woonde in dezelfde studentenflat als Farley Parks. Is hij niet degene die zich verkiesbaar heeft gesteld voor het Congres?'

Lawrence Cherston keek haar glimlachend aan.

'Meneer Cherston?'

'Noem me maar Lawrence.'

'Oké, Lawrence heeft Farley Parks zich niet verkiesbaar gesteld voor het Congres?'

'Kan ik jou Wendy noemen?'
'Ja, dat mag je.' Ze moest aan Win denken.
'Dank je. Wendy, kunnen we misschien ophouden met spelletjes te spelen?'
'Wat voor spelletjes?'
Hij schudde zijn hoofd alsof hij werd teleurgesteld door zijn favoriete leerling. 'Zoekmachines werken twee kanten op. Denk je nu echt dat ik, al was het alleen maar uit nieuwsgierigheid, niet even op Google zou zoeken naar de tv-reporter die me wilde interviewen?'
Wendy zei niets.
'Daardoor weet ik ook dat je je hebt aangemeld voor de Facebook-pagina van Princeton. En, wat meer *to the point* is, dat jij dat tv-programma over Dan Mercer hebt gemaakt. Er zijn zelfs mensen die zeggen dat jij die verhalen de wereld in hebt geholpen.'
Hij keek haar aan.
'Deze sandwiches zijn werkelijk verrukkelijk,' zei ze.
'Mijn vrouw maakt ze en ze zijn niet te vreten. Maar goed, ik neem aan dat je hiernaartoe bent gekomen om achtergrondinformatie te verzamelen.'
'Als je dat wist, waarom ben je dan akkoord gegaan met dit gesprek?'
'Waarom niet?' zei hij. 'Je doet een item over een oud-student van Princeton. Ik wilde er zeker van zijn dat je informatie juist is, dat er geen valse geruchten worden verspreid als het niet nodig is.'
'Nou, bedankt dan voor je medewerking.'
'Graag gedaan. Dus, wat wilde je weten?'
'Kende je Dan Mercer?'
Hij pakte een sandwich en beet er een minuscuul hoekje van af. 'Ja, maar niet goed.'
'Wat was je indruk van hem?'
'Of hij op me overkwam als een pedofiel en een moordenaar, bedoel je dat?'
'Daarmee zouden we kunnen beginnen.'
'Nee, Wendy. Dat deed hij absoluut niet. Maar ik moet je bekennen dat ik nogal naïef ben. Ik zie het goede in iedereen.'

'Wat kun je me over hem vertellen?'

'Dan was een gedreven student... was intelligent, werkte hard. Hij was straatarm. Ik ben een kind van rijke ouders... vierde generatie Princeton, om precies te zijn. Dat plaatste ons in verschillende milieus. Ik hou met hart en ziel van deze universiteit. Daar maak ik geen geheim van. Maar Dan werd erdoor geïmponeerd.'

Wendy knikte alsof dit buitengewoon verhelderend was. Dat was het niet. 'Wie waren zijn beste vrienden?'

'Twee heb je er al genoemd, dus ik neem aan dat je het antwoord op deze vraag al weet.'

'Zijn flatgenoten?'

'Ja.'

'Kende je ze allemaal?'

'Van in het voorbijgaan. Phil Turnball en ik waren als eerstejaars lid van de zangvereniging. Dat vonden we toen interessant. Zoals je waarschijnlijk weet bepaalt de universiteit wie er met wie op een kamer of flat gaat wonen. Dat kan natuurlijk tot rampen leiden. Mijn kamergenoot in het eerste jaar was een waanzinnige wilde die de hele dag dope rookte. Binnen een maand was ik verhuisd. Maar deze vijf hebben het al die jaren goed met elkaar kunnen vinden.'

'Kun je me iets vertellen over hun tijd op Princeton?'

'Zoals?'

'Waren ze apart? Buitenstaanders? Hadden ze vijanden? Deden ze mee aan rare activiteiten?'

Lawrence Cherston legde zijn sandwich neer. 'Waarom zou je al die dingen willen weten?'

Wendy besloot het vaag te houden. 'Ze vormen een deel van het verhaal.'

'Ik zou niet weten op welke manier. Waarom je onderzoek doet naar Dan Mercer, dat begrijp ik. Maar als het je opzet is om zijn flatgenoten te betrekken bij de kwade geesten die hem plaagden, welke dat ook waren...'

'Dat is mijn opzet niet.'

'Wat dan wel?'

Eigenlijk wilde ze niet veel meer prijsgeven. Om tijd te winnen pakte ze het doctoraalboek en begon erin te bladeren. Ze voelde dat hij naar haar keek. Ze sloeg nog een paar bladzijden om en vond een foto van Dan met Kelvin en Farley. Dan stond in het midden. Alle drie hadden ze een brede glimlach op hun gezicht. Hun doctoraal. Ze hadden het gehaald.

Lawrence Cherston zat nog steeds naar haar te kijken. Ach, dacht Wendy, wat kan het voor kwaad?

'Ze... zijn flatgenoten... zijn niet zo lang geleden allemaal in de problemen geraakt.'

Cherston zei niets.

'Farley Parks moest zijn gooi naar het Congres staken,' zei ze.

'Dat heb ik vernomen.'

'Steve Miciano is gearresteerd voor drugsbezit. Phil Turnball is ontslagen. En je weet wat er met Dan is gebeurd.'

'Ja.'

'Vind je dat niet vreemd?'

'Niet echt.' Hij trok zijn das een stukje los alsof die hem plotseling hinderde. 'Dus dat is de invalshoek voor je verhaal? Dat zijn flatgenoten van Princeton allemaal in de problemen zijn geraakt?'

Daar wilde ze liever geen antwoord op geven, dus ze koos een andere route. 'Dan Mercer is hier vaak geweest. Naar Princeton teruggekomen, bedoel ik.'

'Dat weet ik. Ik heb hem wel eens in de stad gezien.'

'Weet je ook waarom hij terugkwam?'

'Nee.'

'Om een bezoek te brengen aan het huis van de decaan.'

'Daar wist ik niets van.'

Het was op dat moment, toen Wendy nog eens in het boek keek en de lijst van doctoraalstudenten zag, dat haar iets opviel. Ze was inmiddels gewend om naar de vijf namen te zoeken... of misschien had de foto die ze net had gezien haar aandacht verscherpt. De lijst was alfabetisch. En bij de T was de laatste naam die van Francis Tottendam.

'Waar is Phil Turnball?' vroeg ze.

'Pardon?'

'Phil Turnball staat niet op deze lijst.'
'Phil heeft in dat jaar zijn doctoraal niet gedaan.'
Wendy voelde meteen een vreemde tinteling in haar aderen. 'Heeft hij een semester vrij genomen?'
'Eh... nee. Hij was gedwongen de universiteit voortijdig te verlaten.'
'Wacht eens even. Wil je zeggen dat Phil niet is afgestudeerd?'
'Voor zover ik weet is dat... nou, ja, dat is precies wat ik wil zeggen.'
Wendy kreeg een droge mond. 'Waarom niet?'
'Dat weet ik niet precies. Er gingen natuurlijk wel geruchten. De hele zaak is in de doofpot gestopt.'
Ze verroerde zich niet, deed haar uiterste best om kalm te blijven. 'Kun je me vertellen wat er is gebeurd?'
'Dat lijkt me geen goed idee.'
'Het kan belangrijk zijn.'
'Ik zie niet in waarom. Het is al zo lang geleden, en bovendien vond ik de maatregelen nogal overdreven.'
'Ik zal er geen melding van maken. Het blijft off the record.'
'Ik weet niet of dat wel verstandig is.'
Ze had geen tijd voor dit gedoe. Ze had het op de subtiele manier geprobeerd. Nu was het tijd voor grof geschut. 'Hoor eens, ik heb al gezegd dat het off the record is, maar als je het niet wilt zeggen, kom ik daarop terug. Dan ga ik graven. Dan trek ik elk lijk uit de kast dat ik kan vinden om achter de waarheid te komen. En dan is alles ón the record.'
'Ik word niet graag bedreigd.'
'En ik word niet graag aan het lijntje gehouden.'
Hij zuchtte. 'Zoals ik al zei stelde het allemaal niet zo veel voor. Bovendien weet ik het niet echt zeker.'
'Maar?'
'Maar... goed dan, het klinkt erger dan het is, maar het gerucht ging dat Phil buiten studietijd was betrapt in een gebouw waar hij niets te zoeken had. Kortom, hij werd beschuldigd van inbraak.'
'Diefstal?'

'Mijn god, nee,' zei Cherston, alsof dat het meest bespottelijke was wat hij ooit had gehoord. 'Het was voor de grap.'

'Jullie braken voor de grap in?'

'Een vriend van me zat op Hampshire College. Ken je het? Hoe dan ook, hij verdiende vijftig punten door de campusbus te stelen. Er waren docenten die hem van de universiteit wilden sturen, maar net als met Phil was het een spel, niet meer dan dat. Hij werd twee weken geschorst. Ik moet bekennen dat ik er ook aan heb meegedaan. Mijn team heeft de auto van een docent met spuitbussen verf bewerkt. Dertig punten. Een andere vriend heeft een pen gestolen van het bureau van een gastdocent Poëzie. De hele campus deed eraan mee. Ik bedoel, we hielden een competitie met de andere studentenhuizen.'

'Wat voor competitie?' vroeg Wendy.

Lawrence Cherston glimlachte. 'De jacht, natuurlijk,' zei hij. 'De trofeeënjacht.'

32

'We hadden niet op jacht moeten gaan...'

Dat had Kelvin Tilfer tegen haar gezegd.

Nu werd duidelijk wat hij had bedoeld. Ze probeerde nog meer uit Lawrence Cherston los te krijgen, hierover, over Scarface en al het andere, maar hij had er niets meer aan toe te voegen. Phil Turnball was betrapt op een plek waar hij niet had mogen zijn toen hij op trofeeënjacht was. Hij was ervoor van de universiteit gestuurd. Einde verhaal.

Toen Wendy weer in haar auto zat, pakte ze haar telefoon om Phil te bellen.

Ze had zestien berichten.

Bij haar eerste gedachte schoot haar hart in haar keel: er was iets met Charlie gebeurd.

Ze drukte op het knopje om haar voicemail te beluisteren. Zodra ze het eerste bericht hoorde, nam haar paniekgevoel af. Het maakte plaats voor een ander onaangenaam gevoel. Het ging niet over Charlie. Maar goed was het evenmin.

'Hallo, Wendy, met Bill Giuliano van ABC News. We willen graag met je praten over de beschuldigingen van laakbaar gedrag van jouw kant...' *Piep.*

'We doen een item over je affaire met je baas en zouden graag jouw kant van het verhaal horen...' *Piep.*

'Een van de vermeende pedofielen die jij in je programma hebt ontmaskerd heeft het nieuws over jouw seksueel-agressieve gedrag gebruikt om een nieuw proces te eisen. Hij beweert nu dat jij een verbitterde minnares was en dat je hem als mannenhaatster in de val hebt gelokt...' *Piep.*

Ze wiste de berichten en staarde naar het toestel. Verdomme. Ze had erboven willen staan, had zich er niets van willen aantrekken.

Maar, man, wat vond ze dit erg.

Misschien had ze naar Phil moeten luisteren en zich erbuiten moeten houden. Nu was het uitgesloten – wat ze ook deed – dat ze ongeschonden uit de strijd zou komen. Dat kon ze verdomme wel vergeten. Ze kon de minkukel pakken die al deze vuiligheid op internet had gezet, hem – of haar – tijdens een live-uitzending van de Super Bowl laten bekennen dat het allemaal verzinsels waren, en nóg zou de smet niet van haar afgewassen zijn. Oneerlijk of niet, de stank zou blijven hangen, waarschijnlijk voor altijd.

Dus het had weinig zin om te zeggen: had ik het maar niet gedaan.

Hierdoor moest ze aan iets anders denken. Ging hetzelfde niet op voor de mannen die ze in haar tv-programma had ontmaskerd?

Want zelfs als uiteindelijk bleek dat ze onschuldig waren, was de smet van op tv als viespeuk te kijk te zijn gezet dan ook van hen afgewassen? Misschien was dit wel een of andere wraak uit de kosmos. Haar karma van meedogenloze bitch.

Ze had nu geen tijd om zich daar druk over te maken. Misschien maakte alles deel uit van één groot geheel. Op de een of andere manier leek alles verband met elkaar te houden: wat zij had gedaan, wat er met de mannen die ze had ontmaskerd was gebeurd en wat deze jongens van Princeton was overkomen. Als ze een van de drie oploste, zouden de andere stukjes misschien ook op hun plaats vallen.

Of ze het leuk vond of niet, ze was in deze puinhoop verzeild geraakt. Ze kon er niet meer voor weglopen.

Phil Turnball was van de universiteit gestuurd omdat hij had meegedaan aan een trofeeënjacht.

Dat betekende in het meest gunstige geval dat hij tegen haar had gelogen toen ze hem had verteld over Kelvins gebazel over 'de jacht'. En in het meest ongunstige geval... nou, dat wist ze nog niet. Ze belde Phils mobiele nummer. Geen antwoord. Ze belde hem thuis. Ook geen antwoord. Ze belde zijn mobiele nummer nog een keer en sprak een bericht in.

'Ik weet het van de trofeeënjacht. Bel me.'

Vijf minuten later klopte ze op de deur van het huis van de universiteitsdecaan. Geen reactie. Ze klopte nog een keer. Weer geen reactie. O, nee. Dit kon niet waar zijn. Ze liep om het huis heen en keek door de ramen naar binnen. Er brandde geen licht. Ze drukte haar neus tegen de ruit om beter te kunnen zien. Als de campuspolitie langskwam, zou ze zich waarschijnlijk wezenloos schrikken.

Binnen bewoog iets.

'Hé!'

Geen reactie. Ze keek weer. Niets te zien. Ze klopte op het raam. Niemand kwam ernaartoe. Ze liep terug naar de voordeur en bonsde erop. Achter haar vroeg een mannenstem: 'Kan ik iets voor je doen?'

Wendy draaide zich om. Toen ze de man zag dacht ze onmiddellijk: een dandy. Hij had golvend haar dat aan de lange kant was. Hij droeg een tweedjasje met suède elleboogstukken en hij had een vlinderdas om... kortom, het uiterlijk dat je alleen tegenkomt – of dat alleen voorkomt – in de bevreemdende wereld van exclusieve, dure opleidingsinstituten.

'Ik ben op zoek naar de decaan,' zei Wendy.

'Dat ben ik, decaan Lewis,' zei hij. 'Wat kan ik voor je doen?'

Geen tijd voor spelletjes of subtiliteiten, dacht ze. 'Kent u Dan Mercer?'

Hij aarzelde, dacht erover na. 'De naam komt me bekend voor,' zei de decaan. 'Maar...' Hij spreidde zijn armen en haalde zijn schouders op. 'Zou ik hem móéten kennen?'

'Dat zou ik wel denken,' zei Wendy. 'In de afgelopen twintig jaar is hij om de zaterdag bij u op bezoek geweest.'

'Ah.' Hij glimlachte. 'Ik woon hier pas vier jaar. Mijn voorganger, decaan Pashaian, woonde toen hier. Maar ik denk dat ik weet over wie je het hebt.'

'Waarom zocht hij u op?'

'Dat deed hij niet. Ik bedoel, ja, hij kwam in dit huis op bezoek. Maar hij kwam niet voor mij. En ook niet voor decaan Pashaian.'

'Voor wie dan?'

Hij liep langs haar heen en stak zijn sleutel in het slot. Hij duwde de deur open. De scharnieren piepten. Hij stak zijn hoofd naar binnen. 'Christa?'

Het was donker in huis. Hij gebaarde Wendy binnen te komen. Ze liep hem achterna en bleef in de hal staan.

Een vrouwenstem riep vanuit het huis: 'Meneer Lewis?'

Voetstappen naderden. Wendy keerde zich naar de decaan. Hij keek haar aan met iets wat een waarschuwende blik zou kunnen zijn.

Wat zullen we nou...?

'Ik ben in de hal,' zei hij.

De voetstappen kwamen dichterbij. De vrouwenstem – van Christa? – zei: 'Uw afspraak van vier uur is afgezegd. En u moet...'

Christa verscheen links van hen in de deuropening van de eetkamer. Ze bleef staan. 'O, ik wist niet dat u bezoek had.'

'Ze is hier niet voor mij,' zei decaan Lewis.

'O?'

'Ik denk dat ze voor jou komt.'

De vrouw draaide haar hoofd opzij, bijna zoals een hond dat doet wanneer die een onbekend geluid registreert. 'Ben jij Wendy Tynes?' vroeg ze.

'Ja.'

Christa knikte alsof ze Wendy al veel eerder had verwacht. Ze deed een stap naar voren. Er viel nu wat licht op haar gezicht. Niet veel. Maar genoeg. Toen Wendy haar gezicht zag, bleef haar adem steken in haar keel... niet vanwege de aanblik, hoewel die in normale omstandigheden reden genoeg zou zijn geweest. Nee, Wendy hapte bijna naar adem omdat er weer een stukje van de puzzel op zijn plaats was gevallen.

Christa had een zonnebril op, hoewel het halfdonker in huis was. Maar dat was niet het eerste wat opviel.

Wat je als eerste opviel aan Christa – ook al zou je willen doen alsof je ze niet zag – waren de dikke, rode littekens die kriskras over haar gezicht liepen.

Scarface.

Ze stelde zich voor als Christa Stockwell.

Ze leek een jaar of veertig, maar een precieze leeftijd was moeilijk te schatten. Ze was slank, ongeveer één meter zeventig, en had mooie handen en een krachtige uitstraling. Ze gingen aan de keukentafel zitten.

'Vind je het erg als we het licht gedempt houden?' vroeg Christa.

'Nee, helemaal niet.'

'Niet om de reden die je vermoedt. Ik weet dat mensen me aanstaren. Dat is een natuurlijke reactie. Ik vind het niet erg. Liever dat dan al die mensen die proberen te doen alsof ze de littekens niet zien. Dat mijn gezicht dan juist alle aandacht naar zich toe trekt, begrijp je wat ik bedoel?'

'Ik denk het wel.'

'Sinds het ongeluk zijn mijn ogen erg gevoelig voor licht. Ik voel me prettiger in het duister. Komt goed uit, vind je niet? De laatstejaars filosofie en psychologie van deze universiteit zouden er een hele kluif aan hebben als ze het moesten verklaren.' Ze stond op. 'Ik ga thee zetten. Drink je een kopje mee?'

'Graag. Zal ik helpen?'

'Nee, ik red me wel. Pepermunt of English Breakfast?'

'Pepermunt.'

Christa glimlachte. 'Goede keuze.'

Ze zette de elektrische waterkoker aan, pakte twee mokken en hing in beide een theezakje. Het viel Wendy op dat ze haar hoofd steeds naar rechts draaide terwijl ze bezig was. Voordat ze weer ging zitten, bleef ze even bij de tafel staan alsof ze Wendy de kans wilde geven de schade te bekijken. Haar gezicht zag er ronduit afschuwelijk uit. Het zat van haar voorhoofd tot haar hals vol littekens. De lelijke, grillige lijnen, rood en paars van kleur, hadden er een soort reliëfkaart van gemaakt. De weinige plekken die niet door littekens werden ontsierd, waren dieprood van kleur en gevlekt, alsof iemand ze met staalwol had afgeschuurd.

'Het is contractueel vastgelegd dat ik nooit zal praten over wat er is gebeurd,' zei Christa.

'Dan Mercer is dood.'

'Dat weet ik. Maar dat verandert niets aan het contract.'

'Alles wat je tegen me zegt, blijft tussen ons.'

'Je bent tv-reporter, toch?'

'Ja. Maar ik geef je mijn erewoord.'

Ze schudde haar hoofd. 'Ik zie niet in wat het er nu nog toe doet.'

'Dan is dood. Phil Turnball is ontslagen omdat hij van diefstal werd verdacht. Kelvin Tilfer zit in een psychiatrische inrichting. Farley Parks zit sinds kort ook in de problemen.'

'En van mij wordt verwacht dat ik medelijden met ze heb?'

'Wat hebben ze je aangedaan?'

'Is het bewijs niet overduidelijk? Of moet ik het licht wat opdraaien?'

Wendy boog zich over de tafel. Ze legde haar hand op die van Christa. 'Vertel me alsjeblieft wat er is gebeurd.'

'Daar zie ik het nut niet van in.'

De klok boven het aanrecht tikte. Wendy keek uit het raam en zag een groepje studenten langslopen, allemaal jong, vrolijk en onbezorgd, het bekende cliché van hun hele leven nog voor zich. Volgend jaar zou Charlie een van hen zijn. Je zou tegen hen willen zeggen dat het leven sneller aan je voorbijgaat dan je denkt, dat je maar met je ogen hoeft te knipperen en je studietijd is voorbij, en daarna de volgende tien jaar, en daarna nog eens tien, maar ze zouden niet naar je luisteren, zouden het niet kunnen begrijpen, en misschien was dat maar goed ook.

'Ik denk dat wat er nu allemaal aan de hand is, hier is begonnen, met wat die jongens jou hebben aangedaan.'

'Op welke manier?'

'Dat weet ik nog niet. Maar volgens mij leiden alle sporen hiernaartoe. Op de een of andere manier is het gebeuren van toen een nieuw leven gaan leiden. En het maakt nog steeds slachtoffers. Ik ben er nu ook bij betrokken. Ik ben degene die Dan Mercer heeft ontmaskerd, of dat terecht was of niet. Maar in ieder geval maak ik er nu deel van uit.'

Christa Stockwell blies in haar mok. Haar gezicht zag eruit alsof het binnenstebuiten was gekeerd, alsof de bloedvaten en het weefsel naar boven waren gehaald. 'Het was hun laatste jaar,' zei ze. 'Ik was het jaar daarvoor afgestudeerd en werkte aan mijn doctoraal hedendaagse literatuur. Ik was arm. Net als Dan. We hadden allebei een bijbaantje. Hij werkte in de wasserij van de afdeling Sport en lichamelijke opvoeding. Ik werkte hier, in dit huis, voor decaan Slotnick. Ik paste op de kinderen, deed het huishouden, hield de administratie bij, dat soort dingen. Hij was gescheiden en ik kon het uitstekend vinden met zijn kinderen. Dus terwijl ik voor mijn doctoraal studeerde, woonde ik hier, had ik een kamer achter in het huis. Sterker nog, daar woon ik nog steeds.'

Er liepen twee studenten langs het raam. De ene lachte. Het geluid, melodieus en oprecht en zo misplaatst, drong de keuken binnen.

'Hoe dan ook, het was maart. Decaan Slotnick was de stad uit voor een lezing. De kinderen waren naar hun moeder in New York. Ik was die avond uit eten geweest met mijn verloofde. Marc was tweedejaars medicijnen. Hij had de volgende dag een belangrijk scheikundetentamen, anders, tja... er zijn altijd zo veel factoren waardoor iets anders kan aflopen, nietwaar? Als hij dat tentamen niet had gehad, zouden we naar zijn kamer zijn gegaan, of, omdat iedereen weg was, zouden we hier zijn gebleven. Maar zo was het dus niet. Marc had een paar uur vrijgemaakt om samen te eten. Dus hij bracht me thuis en ging door naar de bibliotheek van de medische faculteit. Ik had zelf ook nog wat schoolwerk te doen. Ik had mijn aantekeningen meegebracht en ik zat hier, aan deze keukentafel.'

Ze keek naar het tafelblad alsof haar papieren er werkelijk lagen.

'Ik had een kop thee voor mezelf gemaakt. Net als nu. Ik zat hier en wilde aan mijn scriptie beginnen toen ik boven een geluid hoorde. Ik wist, zoals ik net al zei, dat er niemand thuis was. Dus ik had bang moeten zijn, waar of niet? Ik herinner me een docent Engels, die ons vroeg wat het meest beangstigende geluid is. Is het een man die kreunt van de pijn? Een vrouw die gilt van angst? Een pistoolschot? Een huilend kind? En de docent schudt zijn hoofd en zegt:

"Nee, het meest beangstigende geluid... je bent alleen in een donker huis, je weet dat je alleen bent, dat het uitgesloten is dat er iemand anders in huis is of in de directe omgeving... en dan, opeens, hoor je boven iemand het toilet doortrekken."'

Christa glimlachte. Wendy deed haar best om terug te glimlachen.

'Maar goed, ik was niet bang. Misschien had ik het beter wel kunnen zijn. Had ik maar dít, had ik maar dát. Stel dat ik de campuspolitie had gebeld. Ja, dan zou alles anders zijn gelopen, nietwaar? Dan zou ik een heel ander leven hebben gehad. Die avond was ik verloofd met een knappe, fantastische man. Nu is hij met iemand anders getrouwd. Ze hebben drie kinderen. Ze zijn heel gelukkig. Dat had ík kunnen zijn, neem ik aan.'

Ze nam een slokje thee, hield haar mok met twee handen vast en liet haar woorden indalen. 'Hoe dan ook, ik hoorde dat geluid en ging erop af. Toen ik dichterbij kwam, hoorde ik fluisterende stemmen en zacht gegrinnik. En toen wist ik het, nietwaar? Studenten. Als er al sprake van angst was geweest, was die nu helemaal weg. Het waren gewoon een paar kwajongens die een of andere grap met de decaan uithaalden. Zoiets moest het zijn. Dus liep ik de trap op. Het was stil geworden boven. Ik meende dat de stemmen die ik had gehoord uit de slaapkamer van de decaan afkomstig waren. Dus daar liep ik naartoe. Ik ging de kamer binnen en keek om me heen. Ik zag niemand. Ik wachtte tot mijn ogen aan het duister waren gewend. Toen dacht ik: waar is dat voor nodig? Doe gewoon het licht aan. Ik zocht met mijn hand naar de schakelaar.'

Haar stem had een andere klank gekregen. Christa Stockwell stopte met praten. De littekens op haar gezicht, de rode, leken donkerder van kleur te worden. Wendy wilde haar hand weer vastpakken, maar er zat iets in Christa's verkrampte houding waardoor ze ervan afzag.

'Ik heb geen idee wat er daarna gebeurde. Tenminste, toen niet. Nu wel. Maar toen, op dat moment, nou, om het simpel te houden, ik hoorde een harde klap en mijn gezicht explodeerde. Zo voelde het. Alsof er vlak bij mijn gezicht een bom ontplofte. Toen ik mijn handen naar mijn wangen bracht, voelde ik glasscherven. Ik sneed me er zelfs aan. Het bloed stroomde over mijn gezicht, kwam in mijn neus en mond en verstikte me. Ik kreeg geen adem meer. Heel even, misschien één of twee seconden, voelde ik geen pijn. Maar toen sloeg die met volle kracht toe en was het alsof alle huid van mijn gezicht werd getrokken. Ik slaakte weer een kreet en viel op de grond.'

Wendy voelde haar hartslag versnellen. Ze wilde vragen stellen, wilde er meer van weten, alle details, maar ze hield zich stil en liet Christa haar verhaal op haar eigen manier vertellen.

'Dus ik lig op de grond, gillend van de pijn, en hoor iemand langs me rennen. Zonder iets te zien grijp ik om me heen. Hij struikelt, komt hard op de vloer terecht en vloekt. Ik grijp zijn been vast. Ik weet niet waarom. Ik handelde puur instinctief. En dat was het moment dat hij om zich heen begon te trappen om zichzelf te bevrijden.' Ze was zachter gaan praten, fluisterde nu bijna. 'Want zie je, ik wist op dat moment niet dat mijn hele gezicht vol glasscherven zat, van een gebroken spiegel. Dus toen hij zich probeerde te bevrijden, trapte hij de scherven nog dieper in mijn gezicht, totdat ze het bot raakten.' Ze slikte. 'Maar de grootste glasscherf zat onder mijn rechteroog. Ik zou het oog waarschijnlijk toch zijn kwijtgeraakt, maar door die trap sneed de scherf als een mes dwars door...'

Gelukkig maakte ze de zin niet af.

'Dat is het laatste wat ik me herinner. Ik raakte buiten kennis. Pas na drie dagen kwam ik bij, en toen dat gebeurde, nou, toen ben ik een paar weken lang afwisselend bij en buiten kennis geweest. Ik werd doorlopend geopereerd. De pijn was onbeschrijflijk. Ik zat zwaar onder de pijnstillers. Maar ik loop op de zaak vooruit. We moeten een stukje terug. De campuspolitie had mijn gegil gehoord. Ze liepen Phil Turnball tegen het lijf toen hij het huis uit kwam. Mijn bloed zat op zijn schoenen. We wisten allebei dat er ook andere studenten bij betrokken waren. Want zie je, ze waren op trofeeënjacht geweest. De boxershort van de decaan was de hoofdprijs. Zestig punten. Daar was het Phil Turnball om te doen geweest... een onderbroek. Zoals ik al zei, het was een grap. Meer niet.'

'Je zei dat er anderen bij waren. Dat je gefluister en gegrinnik had gehoord.'

'Ja. Maar Phil hield vol dat hij het alleen had gedaan. De anderen hebben zijn versie van het verhaal natuurlijk niet tegengesproken. Ik was op dat moment niet bij machte om te weerspreken wat hij beweerde, en trouwens, hoeveel wist ik eigenlijk?'

'Nam Phil alle schuld op zich?' vroeg Wendy.

'Ja.'

'Waarom?'

'Dat weet ik niet.'

'Ik begrijp het nog steeds niet helemaal. Wat had hij precies gedaan? Ik bedoel, wat heeft al die sneden in je gezicht veroorzaakt?'

'Toen ik de kamer binnenkwam, had Phil zich achter het bed verstopt. Toen hij mijn hand naar de lichtschakelaar zag gaan, nou, ik denk dat hij wilde proberen mijn aandacht af te leiden. Er werd een zware glazen asbak door de kamer gegooid. Het was de bedoeling dat ik zou schrikken van het geluid en me zou omdraaien, zodat Phil de kamer uit kon glippen, neem ik aan. Maar er hing een antieke spiegel aan de muur. De asbak raakte die en ik kreeg de scherven in mijn gezicht. Stom ongeluk, vind je niet?'

Wendy zei niets.

'Ik heb drie maanden in het ziekenhuis gelegen. Ik ben mijn ene oog kwijtgeraakt. Het andere was ook ernstig beschadigd... het hoornvlies. Een tijd lang ben ik volledig blind geweest. Heel geleidelijk kreeg ik het zicht in mijn ene oog terug. Officieel ben ik nog steeds blind, maar ik kan genoeg onderscheiden. Alhoewel, alles is wazig en ik kan heel slecht tegen fel licht, vooral zonlicht. Nogmaals, komt goed uit, denk je ook niet? Volgens de artsen is mijn gezicht letterlijk van mijn schedel gesneden, laag voor laag. Ik heb de eerste foto's gezien. Als je denkt dat dit er erg uitziet... het leek wel een klomp rauw vlees. Anders kan ik het niet omschrijven. Alsof een leeuw mijn gezicht van de schedel had gekloven.'

'Wat afschuwelijk voor je,' zei Wendy, omdat ze niet wist wat ze anders moest zeggen.

'Marc, mijn verloofde, was geweldig. Hij bleef me trouw. Ik bedoel, een heldendaad, als je erover nadenkt. Ik was mooi. Nu kan ik dat zeggen. Nu klinkt het niet onbescheiden meer. Ik was gewoon mooi. En hij was zo'n knappe jongen. Dus Marc bleef bij me. Maar hij bleef ook zijn blik afwenden. Hij kon er niets aan doen. Dáár had hij niet voor getekend.'

Christa hield op met praten.

'Wat is er gebeurd?'

'Ik heb het uitgemaakt en heb hem weggestuurd. Je denkt dat je weet wat liefde is, nietwaar? Maar op die dag heb ik ontdekt wat echte liefde was. Ook al deed het meer pijn dan alle glasscherven bij elkaar, ik hield zo veel van Marc dat ik hem heb weggestuurd.'

Ze stopte weer met praten en nam een slokje thee.

'Wat er daarna gebeurde kun je wel raden, vermoed ik. Phils ouders boden me geld om het stil te houden. Een aanzienlijke som geld, zou je kunnen zeggen. Het zit in een trustfonds, dat me wekelijks uitbetaalt. Als ik praat over wat er is gebeurd, worden de betalingen stopgezet.'

'Ik zal er niks over zeggen.'

'Denk je dat het geld mijn grootste zorg is?'

'Dat weet ik niet.'

'Dat is niet zo. Ik heb heel simpele behoeften. Ik woon hier nog steeds. Ik ben voor decaan Slotnick blijven werken, alleen niet meer met de kinderen. Die waren doodsbang voor mijn gezicht. Dus ben ik zijn assistente geworden. Toen hij overleed, was decaan Pashaian zo vriendelijk me in dienst te houden. Nu werk ik voor decaan Lewis. Het merendeel van het geld schenk ik aan goede doelen.'

Stilte.

'Maar hoe past Dan in het geheel?' vroeg Wendy.

'Hoe denk je?'

'Hij was die avond ook in het huis, neem ik aan?'

'Ja. Ze waren er allemaal. Alle vijf. Dat heb ik later gehoord.'

'Van wie?'

'Dat heeft Dan me verteld.'

'En Phil heeft voor iedereen de schuld op zich genomen?'

'Ja.'

'Enig idee waarom?'

'Omdat hij er de moed voor had, denk ik. Maar het kan zijn dat er meer achter zat. Hij had rijke ouders. De anderen niet. Misschien dacht hij: wat doe ik mijn vrienden aan als ik ze erbij lap?'

Dat klonk redelijk, vond Wendy.

'Dus Dan kwam je opzoeken?'

'Ja.'

'Waarom?'

'Om me te troosten. We praatten. Hij voelde zich schuldig over wat er die avond was gebeurd. Dat ze ervandoor waren gegaan. Zo is het begonnen. Ik was woedend toen hij de eerste keer kwam. Maar we zijn bevriend geraakt. We hebben heel wat uren aan deze tafel zitten praten.'

'Je was woedend, zei je?'

'Vind je dat zo gek? Ik was die avond alles kwijtgeraakt.'

'Juist, dus je woede was gerechtvaardigd.'

Christa glimlachte. 'Ah, ik begin te begrijpen waar je naartoe wilt.'

'Wat bedoel je?'

'Laat me raden. Ik was boos. Ik was woedend. Ik haatte ze stuk voor stuk. Dus heb ik wraak gezworen en een plan bedacht. En toen heb ik – wat? – twintig jaar gewacht voordat ik toesloeg? Denk je dát?'

Wendy haalde haar schouders op. 'Het heeft er alle schijn van dat ze allemaal door iemand onder vuur worden genomen.'

'En ik ben de meest voor de hand liggende verdachte? Het verminkte meisje dat op wraak zint?'

'Zo vreemd zou dat toch niet zijn?'

'Het klinkt als een derderangs griezelfilm, maar ik geef toe dat...' Ze hield haar hoofd schuin. 'Denk je echt dat ik het heb gedaan, Wendy?'

Wendy schudde haar hoofd. 'Nee.'

'Trouwens, er is nog iets anders.'

'Wat?'

Christa hield haar handen op. Ze had de zonnebril nog steeds op, maar onder het linkerglas kwam een traantje vandaan. 'Ik heb het ze vergeven.'

Stilte.

'Het waren maar studentjes op trofeeënjacht. Ze wilden me geen kwaad doen.'

En daarmee was alles gezegd. Zo simpel en tegelijkertijd zo wijs... uitgesproken met een oprechtheid die onmogelijk te verwarren is met iets anders.

'In dit leven kom je in botsing met anderen. Zo is het nu eenmaal. En bij zo'n botsing raakt er wel eens iemand gewond. Het enige wat zij wilden, was een stomme onderbroek pikken. Dat is fout gegaan. Een tijdje heb ik ze met hart en ziel gehaat. Maar als je erover nadenkt, wat schiet je daarmee op? Het kost zo veel energie om die haat vol te houden... en ondertussen verlies je de grip op wat wel belangrijk is.'

Wendy kreeg een brok in haar keel. Ze pakte haar mok en nam een slok thee. De pepermuntsmaak voelde goed in haar mond en keel. Laat de haat los. Daar had ze geen antwoord op.

'Misschien is er die avond nog iemand gewond geraakt,' zei ze.

'Dat betwijfel ik.'

'Of misschien is iemand namens jou op wraak uit.'

'Mijn moeder is dood,' zei Christa. 'Marc is gelukkig getrouwd met een andere vrouw. Er ís verder niemand.'

Een dood spoor. 'Wat zei Dan tegen je toen hij je voor het eerst kwam opzoeken?'

Ze glimlachte. 'Dat blijft tussen Dan en mij.'

'Maar er moet toch een reden zijn dat ze allemaal onder vuur zijn genomen?'

'Is dat de voornaamste reden dat je hiernaartoe bent gekomen, Wendy? Om ze te helpen hun leven weer op te pakken?'

Wendy zei niets.

'Of,' vervolgde Christa, 'ben je hier omdat je bang bent dat je onbedoeld een onschuldig man de dood in hebt gejaagd?'

'Allebei, denk ik.'

'Waar hoop je op, gemoedsrust?'

'Ik hoop vooral op antwoorden.'

'Wil je het mijne horen?' vroeg Christa.

'Ja, graag.'

'Ik heb Dan in de loop der jaren goed leren kennen.'

'Dat geloof ik.'

'We praatten aan deze tafel over van alles en nog wat. Hij vertelde me over zijn werk, over hoe hij zijn eerste vrouw Jenna had ontmoet, over dat het aan hem lag dat hun huwelijk niet goed was, over dat ze vrienden waren gebleven, en over zijn eenzaamheid. Dat laatste was iets wat we met elkaar gemeen hadden.'

Wendy wachtte. Christa zette haar zonnebril recht. Even dacht Wendy dat ze hem zou afzetten, maar dat deed ze niet. Ze verschoof hem iets, waardoor het erop leek dat ze Wendy recht in de ogen wilde kijken.

'Ik geloof niet dat Dan pedofiel was. En ik geloof ook niet dat Dan iemand heeft vermoord. Dus ja, Wendy, ik denk dat je inderdaad een onschuldig man de dood in hebt gejaagd.'

33

Wendy knipperde met haar ogen toen ze vanuit de donkere keuken buiten kwam en even in de voortuin van het huis bleef staan. De zon scheen en overal liepen studenten. Ze liepen elke dag langs dit huis, zich waarschijnlijk onbewust van de dunne grens tussen henzelf en de verminkte vrouw die binnen in het duister zat. Wendy bleef nog even staan en keerde haar gezicht naar de zon. Ze hield haar ogen open totdat ze begonnen te tranen. Het voelde verdomde goed.

Christa Stockwell had degenen vergeven die haar leven hadden verwoest.

Het klonk zo eenvoudig zoals ze het had gezegd. Wendy gaf niet toe aan de filosofische onderlaag van het gezegde – en de duidelijke verwijzing naar haar eigen situatie met Ariana Nasbro – maar concentreerde zich op de vraag die zich nu aandiende: als degene die de meeste schade had opgelopen de anderen had vergeven en was doorgegaan met haar leven, wie had dat dan niet gekund?

Ze haalde haar telefoon tevoorschijn en keek op het schermpje. Nog meer berichten van reporters. Ze sloeg er geen acht op. En een sms van Pops. Ze belde hem terug. Pops nam meteen op. 'Er zijn reporters aan de deur geweest,' zei hij.

'Ja, ik weet het.'

'Nu weet je waarom ik tegen een wapenverbod ben.'

Voor het eerst in wat een eeuwigheid leek, moest Wendy lachen.

'Wat willen ze van je?' vroeg Pops.

'Iemand heeft kwalijke geruchten over me verspreid.'

'Zoals?'

'Dat ik met mijn baas naar bed ga. Dat soort dingen.'
'En die reporters hebben interesse in dat soort shit?'
'Blijkbaar.'
'Zijn ze waar, die geruchten?'
'Nee.'
'Verdomme.'
'Precies. Wil je iets voor me doen?'
'Retorische vraag,' zei Pops.
'Ik zit op het ogenblik flink in de problemen. Het is mogelijk dat er mensen zijn die me iets willen aandoen.'
'En ik heb zware wapens.'
'Daar heb ik nog geen behoefte aan,' zei ze, in de hoop dat dat waar was. 'Maar ik wil dat je Charlie de komende paar dagen ergens anders onderbrengt.'
'Denk je dat hij in gevaar is?'
'Dat weet ik niet. Maar in beide gevallen zullen die geruchten zich door de stad verspreiden. Ik wil niet dat de kinderen van school hem het leven zuur maken.'
'Nou en? Charlie kan wel een stootje hebben. Hij is sterk genoeg.'
'Ik wil nu niet dat hij sterk is.'
'Oké, oké, ik regel het. We gaan naar een motel, oké?'
'Een beetje fatsoenlijk motel, Pops. Niet zo een met kamers per uur en spiegels aan het plafond.'
'Komt voor elkaar, maak je geen zorgen. En als ik je ergens mee kan helpen...'
'Uiteraard,' zei Wendy.
'Goed dan. Pas goed op jezelf. Ik hou van je.'
'Ik ook van jou.'
Nadat ze hun gesprek hadden beëindigd, belde ze Vic nog een keer. Nog steeds geen antwoord. Die klootzak begon haar te irriteren. Wat nu? Want ze kende nu het geheim van de vijf van Princeton, maar ze had nog steeds geen idee waarom het twintig jaar na dato uit de kast was gehaald. Er was maar één persoon aan wie ze dat kon vragen.

Phil.

Ze belde hem op zijn mobiel. Tijdverspilling. Dus reed ze rechtstreeks naar zijn huis. Sherry deed open. 'Hij is er niet.'

'Wist je het?' vroeg Wendy.

Sherry zei niets.

'Van Princeton? Wist je wat er daar is gebeurd?'

'Lange tijd niet.'

Wendy wilde doorvragen, maar daar zag ze van af. Het maakte niet uit wat Sherry wist en wanneer ze het te weten was gekomen. Ze moest Phil spreken. 'Waar is hij?'

'Bij de Vadersclub.'

'Bel hem niet om te zeggen dat ik eraan kom, wil je?' Een vriendelijk verzoek. Of misschien toch maar meteen grof geschut? 'Want als je dat wel doet, bereik je daar alleen mee dat ik weer hiernaartoe moet komen. En dat ik dan flink pissig ben. Dan neem ik cameraploegen en collega-reporters mee en schoppen we zo veel heibel dat je kinderen en de hele buurt het te weten komen. Ben ik duidelijk?'

'Subtiel is anders,' zei Sherry.

Wendy vond het niet leuk om haar te bedreigen, maar ze had er genoeg van om voorgelogen en aan het lijntje gehouden te worden.

'Maak je geen zorgen,' zei Sherry. 'Ik zal hem niet bellen.'

Wendy wilde weglopen.

'Nog één ding,' zei Sherry.

'Wat?'

'Phil is kwetsbaar. Pak hem niet te hard aan, alsjeblieft?'

Wendy wilde iets zeggen over de kwetsbaarheid van Christa Stockwells gezicht, maar ze vond dat dit niet aan haar was. Ze reed naar Starbucks en zette de auto bij een meter die alleen munten accepteerde. Die had ze niet bij zich. Jammer dan. Opnieuw besloot ze de gok te wagen.

Ze was weer bijna in tranen, merkte ze. Bij de deur van Starbucks bleef ze staan tot ze zichzelf weer in de hand had.

Ze waren er allemaal. Norm, ook bekend als Ten-A-Fly, in zijn complete pseudo-rappersoutfit. Doug in zijn witte tenniskleding. Owen met zijn kind. Phil in zijn pak met das. Zelfs nu, op dit uur.

Ze zaten aan een ronde tafel, dicht naar elkaar toe gebogen, druk met elkaar te fluisteren. Die aanblik beviel Wendy helemaal niet.

Zodra Phil haar zag, betrok zijn gezicht. Hij deed zijn ogen dicht. Ze liet zich er niet door weerhouden. Ze liep naar de tafel en keek op hem neer. Hij leek voor haar ogen ineen te schrompelen.

'Ik heb Christa Stockwell zonet gesproken,' zei ze.

De andere drie keken zwijgend toe. Wendy's blik ontmoette die van Norm. Hij schudde net zichtbaar zijn hoofd, vroeg haar op te houden. Ze negeerde zijn verzoek.

'Ze hebben het nu ook op mij gemunt,' zei Wendy tegen hem.

'We weten ervan,' zei Norm. 'We hebben de geruchten op internet gevolgd. Het is ons gelukt er een heel stel te wissen, maar niet allemaal.'

'Dus het is nu ook *míjn* oorlog.'

'Dat had niet gehoeven.' Phil staarde met gebogen hoofd naar het tafelblad. 'Ik heb je gewaarschuwd. Ik heb je gesmeekt je erbuiten te houden.'

'En ik heb niet naar je geluisterd. Eigen schuld, dikke bult. Nou, vertel me wat er echt aan de hand is.'

'Nee.'

'Nee?'

Phil stond op. Hij wilde weglopen. Wendy ging voor hem staan.

'Ga opzij,' zei hij.

'Nee.'

'Zei je dat je Christa Stockwell bent gaan opzoeken?'

'Ja.'

'Wat heeft ze je verteld?'

Wendy aarzelde. Had ze Christa niet beloofd er niets over te zeggen? Phil maakte van haar aarzeling gebruik door langs haar heen te schieten. Hij liep naar de deur. Wendy wilde hem achternagaan, maar Norm legde zijn hand op haar schouder om haar tegen te houden. Boos draaide ze zich naar hem om.

'Wat was je van plan, Wendy? Hem op straat te tackelen?'

'Jullie hebben geen idee wat ik vandaag allemaal te weten ben gekomen.'

'Hij is weggestuurd van Princeton,' zei Norm. 'Hij is nooit afgestudeerd. We weten het. Hij heeft het ons verteld.'

'Heeft hij jullie verteld waaróm hij is weggestuurd?'

'Maakt dat iets uit?'

Dat bracht haar tot zwijgen. Ze dacht aan wat Christa had gezegd over dat ze hen had vergeven, dat ze maar studentjes op trofeeënjacht waren geweest.

'Heeft hij jullie verteld wie het op hem gemunt heeft?' vroeg ze.

'Nee. Maar hij heeft ons gevraagd ons erbuiten te houden. We zijn Phils vrienden, Wendy. Onze loyaliteit geldt hem, niet jou. En ik denk dat hij genoeg heeft geleden, denk je ook niet?'

'Dat weet ik niet, Norm. Ik weet niet wie hem en zijn studievrienden – en nu ook mij – wil laten boeten. En wat nog belangrijker is, ik weet niet eens of Dan Mercer Haley McWaid heeft vermoord. Misschien loopt haar moordenaar nog steeds vrij rond. Begrijp je wat ik bedoel?'

'Ja.'

'En?'

'En onze vriend heeft ons verzocht ons erbuiten te houden. Het is onze strijd niet meer.'

'Jij je zin.'

Kokend van woede draaide ze zich om en liep weg.

'Wendy?'

Ze bleef staan en keek Norm aan. Hij zag er zo bespottelijk uit in die rare outfit van hem, met die stomme zwarte pet over zijn rode bandana, die witte broekriem en dat polshorloge met een wijzerplaat zo groot als een satellietschotel. Ten-A-Fly. Godallemachtig. 'Wat is er, Norm?'

'We hebben die foto.'

'Welke foto?'

'Die van het meisje in de video. Het hoertje dat Farley Parks van aanranding heeft beschuldigd. Owen heeft het beeld stilgezet en de schaduwpartijen opgepept. Het heeft een hoop tijd gekost, maar hij heeft er een redelijk duidelijke foto van kunnen printen. We hebben die voor je, als je hem wilt hebben.'

Ze wachtte. Owen gaf Norm een foto van achttien bij vierentwintig centimeter. Norm bracht hem naar haar toe. Ze keek naar het meisje op de foto.

Norm zei: 'Ze ziet er jong uit, vind je niet?'

Wendy's wereld, die al wankelde, werd verder op zijn kop gezet.

Ja, het meisje op de foto zag er jong uit. Heel jong zelfs.

En ze leek sprekend op de compositietekening die was gemaakt van Chynna, het meisje van wie Dan beweerde dat hij haar zou ontmoeten in het huis waar Wendy hem met een cameraploeg opwachtte.

Dus nu wist ze het. De foto was de doorbraak. Iemand had ze allebei in de val gelokt.

Maar wie of waarom wist ze nog steeds niet.

Toen Wendy thuiskwam, stond er nog maar één nieuwsbusje voor de deur. Ze kon haar ogen niet geloven toen ze zag van welke nieuwszender het was. De absolute onbeschaamdheid... het was verdomme van haar eigen tv-netwerk. NTC. Sam, haar cameraman, stond ernaast met – even diep ademhalen – ballonkop Michele Feisler.

Michele stond haar haar te doen. De microfoon met het NTC-embleem lag in de knik van haar arm. Wendy had de neiging scherp naar rechts te sturen en haar te overrijden, om dat grote hoofd als een rijpe meloen op de stoep uiteen te zien spatten. Maar in plaats daarvan opende ze de automatische deur van de garage en reed naar binnen. De deur zakte achter haar dicht en ze stapte uit de auto.

'Wendy?'

Het was Michele. Ze bonsde op de garagedeur.

'Ga mijn tuin uit, Michele.'

'Ik moet je spreken, zonder camera, zonder microfoon. Alleen ik.'

'Mijn vriend is binnen en hij heeft een pistool dat hij zielsgraag wil uitproberen.'

'Luister nou even naar me, wil je?'

'Nee.'

'Je moet dit echt horen. Het gaat over Vic.'

Dat bracht haar tot staan. 'Wat is er met Vic?'

'Doe de deur open, Wendy.'

'Wat is er met Vic?'

'Hij heeft je verkwanseld.'

Ze kreeg een hol gevoel in haar maag. 'Hoe bedoel je?'

'Doe open, Wendy. Geen camera's, geen microfoons, alles off the record. Ik zweer het.'

Verdomme. Ze vroeg zich af wat ze moest doen en dacht: wat kan het voor kwaad? Ze wilde weten wat Michele te zeggen had. Als dat inhield dat ze Blokhoofd moest binnenlaten, nou, dan moest het maar. Ze stapte over Charlies fiets, zoals altijd neergegooid op een plek waar zij er niet langs kon, en pakte de knop van de tussendeur. Die was open. Charlie vergat hem altijd op slot te doen.

'Wendy?'

'Loop maar achterom.'

Ze kwam in de keuken. Pops was weg. Er lag een briefje met de boodschap dat hij Charlie was gaan ophalen. Mooi. Ze deed de achterdeur open voor Michele.

'Bedankt voor het binnenlaten.'

'Wat was er nou met Vic?'

'De hoge heren willen bloed zien. Ze hebben hem hard aangepakt.'

'Ja, en?'

'Dus Vic is zwaar onder druk gezet om te zeggen dat jij hem hebt verleid... dat je je obsessief tot hem aangetrokken voelt.'

Wendy verroerde zich niet.

'Het netwerk heeft deze verklaring uitgegeven.'

Michele gaf haar een blaadje papier.

Wij van NTC hebben geen commentaar op de kwestie Wendy Tynes, maar we willen wel met nadruk stellen dat het hoofd van onze nieuwsdienst, Victor Garrett, niets heeft gedaan wat illegaal of onethisch is, en dat hij alle avances in zijn richting, door wie ook van zijn ondergeschikten, steevast heeft afgewezen. Stalken is een ernstig probleem waar al veel onschuldige slachtoffers onder hebben moeten lijden.

'Stalken?' Wendy keek op. 'Is dit echt?'

'Slim gedaan, vind je niet? Zo vaag dat niemand ze voor de rechter kan slepen.'

'Maar wat wil je van me, Michele? Je denkt toch niet dat ik me publiekelijk, voor de camera, ga verdedigen?'

Michele schudde haar hoofd. 'Nee. Zo dom ben je niet.'

'Maar waarom ben je hier dan?'

Michele pakte de verklaring terug en hield die omhoog. 'Omdat dit niet kán. Ik weet dat we geen vrienden zijn. Ik weet hoe je over me denkt...' Michele kneep haar hoogglanslippen op elkaar en deed haar ogen dicht, alsof ze diep moest nadenken over haar volgende zin.

'Geloof jij deze verklaring?' vroeg Wendy.

De ogen vlogen open. 'Nee! Ik bedoel, kom op, zeg. Jij? Vic stalken? Mag ik even een teiltje?'

Op dat moment, als Wendy niet zo aangeslagen en emotioneel in de war was geweest, had ze Michele wel kunnen omhelzen.

'Ik weet dat het klef klinkt, maar ik ben in de journalistiek gegaan om de waarheid te achterhalen. En dit is lulkoek. Je bent er ingeluisd. Dus ik wilde je laten weten hoe ik erover denk.'

Wendy zei: 'Wow.'

'Wat?'

'Niks. Ik ben verbaasd, geloof ik.'

'Ik heb je altijd bewonderd... zoals je je staande weet te houden, zoals je verslag doet van je items. Ik weet hoe het klinkt, maar het is gewoon zo.'

Wendy verroerde zich niet. 'Ik weet niet wat ik moet zeggen.'

'Je hóéft niks te zeggen. Als ik je ergens mee kan helpen, zal ik dat graag doen. Dat is alles. En nu moet ik weg. We doen dat item waarover ik je heb verteld... die viespeuk, Arthur Lemaine, die door beide knieën is geschoten.'

'Nieuwe ontwikkelingen?'

'Nee, niet echt. Hopelijk heeft die knaap zijn verdiende loon gekregen, maar het blijft een rare zaak... iemand die is veroordeeld voor het maken van kinderporno en die de ijshockeyjunioren coacht.'

Wendy voelde de haartjes achter in haar nek overeind komen.

IJshockey?

Ze herinnerde zich dat ze het nieuws op tv had gezien toen Charlies vrienden er waren. 'Wacht eens, stond hij niet voor de South Mountain Arena toen hij werd neergeschoten?'

'Ja.'

'Maar ik begrijp het niet. Ik herinner me dat ik heb gelezen dat er altijd een antecedentenonderzoek wordt gedaan voordat ze een coach aannemen.'

Michele knikte. 'Dat is ook zo. Maar in Lemaines geval kwam zijn veroordeling niet aan het licht.'

'Waarom niet?'

'Omdat het antecedentenonderzoek zich alleen richt op misdaden die op Amerikaanse bodem zijn gepleegd,' zei Michele. 'Maar, zie je, Lemaine is een Canadees. Uit Québec, geloof ik.'

34

Het kostte Wendy niet veel tijd om het in elkaar te passen.

Michele Feisler hielp haar ermee. Ze had de achtergrond van seksdelinquent Arthur Lemaine al gecheckt en had ook zijn stamboom gevonden. Wendy was onder de indruk van de hoeveelheid werk die Michele had verzet. Goed, misschien was Micheles hoofd wat aan de grote kant, maar waarschijnlijk was dat te wijten aan het feit dat ze heel smalle schouders had.

'En nu?' vroeg Michele aan haar.

'Ik vind dat we met sheriff Walker moeten gaan praten. Hij houdt zich bezig met de moord op Dan Mercer.'

'Oké. Waarom bel je hem niet op? Jij kent hem.'

Wendy zocht Walkers mobiele nummer op en belde het. Michele zat naast haar. Zoals het een reporter betaamt had ze haar notitieboekje en pen in de aanslag. Walkers telefoon ging vier keer over voordat hij antwoordde. Wendy hoorde hem zijn keel schrapen en zeggen: 'Met sheriff Mickey Walker.'

'Met Wendy.'

'O, eh... hallo. Hoe gaat het?'

O, eh... hallo? Zijn stem klonk afstandelijk. En had hij niet, bedacht Wendy, al op zijn schermpje gezien dat zij hem belde?

'Ik merk dat je de recente geruchten over mij hebt gelezen,' zei Wendy.

'Yep.'

'Heel fijn.' Maar ze had nu geen tijd om daarop in te gaan. Het maakte trouwens niet uit – hij kon de pot op – hoewel ze toch iets van teleurstelling voelde. 'Weet je van die zaak van Arthur Lemaine? De coach die door beide knieschijven is geschoten?'

'Ja,' zei hij. 'Maar dat is mijn jurisdictie niet.'

'En weet je dat Arthur Lemaine ooit is veroordeeld voor het maken van kinderporno?'

'Ook dat heb ik gehoord, ja.'

'Dan weet je zeker ook dat Arthur Lemaine de zwager van Ed Grayson is?'

Het bleef even stil. Toen zei Walker: 'Wow.'

'Inderdaad, wow. Wil je nog meer "wow"? Lemaine was coach van het ijshockeyteam van zijn neefje. En mocht je niet goed zijn in stambomen, dan heb ik het over E.J., de zoon van Ed Grayson, die het slachtoffer is geweest van een kinderpornograaf.'

'Nogmaals, wow,' beaamde Walker.

'En – een mogelijke "wow" – degene die Lemaine door zijn knieën heeft geschoten, heeft dat van een afstand gedaan.'

'Het werk van een uitzonderlijk goed schutter,' zei Walker.

'En had de eigenaar van de Gun-O-Rama zoiets niet over Ed Grayson gezegd?'

'Dat heeft hij inderdaad gezegd. Mijn god. Maar ik begrijp het niet. Ik dacht dat jij had gezien dat Grayson Dan Mercer doodschoot omdat Mercer foto's van zijn zoon had gemaakt.'

'Dat is ook zo.'

'Dus hij heeft op allebei geschoten?'

'Nou, ja, dat denk ik. Weet je nog dat Ed Grayson in Ringwood State Park kwam opduiken om te helpen met het zoeken naar Haley McWaids lijk?'

'Ja.'

'Hij zei toen tegen me dat ik er niks van begreep. Maar ik denk dat ik het nu wel begrijp. Hij werd verteerd door schuldgevoel omdat hij een onschuldig man had doodgeschoten.'

Michele zat continu aantekeningen te maken, hoewel Wendy zich niet kon voorstellen waarvan.

'Ik denk dat het als volgt is gegaan,' vervolgde Wendy. 'Dan Mercer gaat vrijuit. Ed Grayson wordt gek. Hij vermoordt Mercer en werkt al het bewijs weg. Als hij thuiskomt, hoort zijn vrouw Maggie wat hij heeft gedaan. Wat er dan gebeurt, weet ik niet precies. Misschien slaat Maggie door. Misschien zegt ze: "Wat heb je gedaan? Het was Dan niet, het was mijn broer." Of misschien vertelt E.J. hem de waarheid over zijn oom. Maar probeer je voor te stellen wat er in Graysons hoofd omgaat. Maandenlang is hij bij alle rechtszittingen aanwezig geweest, heeft hij met de pers gepraat, heeft hij gezien dat er nog meer slachtoffers waren en heeft hij geëist dat Dan Mercer werd veroordeeld.'

'En dan komt hij tot de ontdekking dat hij de verkeerde heeft vermoord.'

'Precies. Bovendien weet hij nu dat Arthur Lemaine, zijn zwager, nooit voor de rechter kan worden gebracht. Want als hij dan moet getuigen, nou, dan betekent dat het einde voor zijn gezin en de hele familie.'

'Een reusachtig schandaal,' zei Walker. 'Dan moet zijn gezin alles nog een keer doormaken en hij moet publiekelijk toegeven dat hij het al die tijd mis heeft gehad. Dus – wat? – in plaats daarvan schiet Grayson hem kreupel?'

'Ja. Ik denk dat hij de kracht niet had om nog een moord te plegen. Niet na wat er na de eerste is gebeurd.'

'En het blijft de broer van zijn vrouw, of hij het leuk vindt of niet.'

'Precies.'

Wendy keek naar Michele aan de andere kant van de keukentafel. Ze zat nu zachtjes in haar mobiele telefoon te praten.

Walker zei: 'Ik hoorde dat Graysons vrouw bij hem weg is. Dat ze het kind heeft meegenomen.'

'Mogelijk omdat hij Dan Mercer heeft vermoord.'

'Of omdat hij haar broer heeft verminkt.'

'Ja, dat kan ook.'

Walker zuchtte. 'Maar hoe gaan we dit bewijzen?'

'Dat weet ik niet. Lemaine zal waarschijnlijk niet willen praten, tenzij jullie hem flink onder druk zetten.'

'En dan nog. Het was donker toen er op hem werd geschoten. Er waren geen ooggetuigen. En we weten inmiddels dat Grayson verdomd goed is in het wegwerken van bewijzen.'

Ze zwegen enige tijd. Michele beëindigde haar gesprek. Ze maakte nog een paar aantekeningen en trok lijnen met pijlen over de bladzijden. Ze stopte, keek op en fronste haar wenkbrauwen.

Wendy vroeg: 'Wat is er?'

Michele schreef weer iets op. 'Dat weet ik nog niet precies. Maar er klopt iets niet aan deze theorie.'

'Wat dan?'

'Misschien is het niet belangrijk, maar de chronologie klopt niet. Lemaine werd door zijn knieën geschoten een dag vóórdat Dan Mercer werd vermoord.'

Wendy's telefoon piepte. Een wisselgesprek. Ze keek naar het nummer. Het was Win. 'Ik moet ophangen,' zei ze tegen Walker. 'Ik heb nog een gesprek.'

'Sorry van mijn toon toen ik opnam.'

'Zit er maar niet over in.'

'Ik wil je nog steeds bellen als dit achter de rug is.'

Ze onderdrukte een glimlach. 'Als dit achter de rug is,' herhaalde ze. Daarna schakelde ze door naar het andere gesprek. 'Hallo?'

'Op jouw verzoek,' zei Win, 'heb ik de kwestie van Phil Turnballs arbeidsbeëindiging bekeken.'

'Weet je wie hem erin heeft geluisd?'

'Waar ben je?'

'Thuis.'

'Kom naar mijn kantoor. Ik denk dat je dit moet zien.'

Win was rijk. Extreem rijk.

Een voorbeeld: 'Win' stond voor Windsor Horne Lockwood III. Zijn kantoor was op de hoek van Forty-sixth Street en Park Avenue, in het tot aan de hemel reikende Lock-Horne-gebouw.

Reken maar uit.

Wendy zette haar auto op het parkeerterrein van het MetLife-gebouw. Haar vader had niet ver van hier gewerkt. Ze moest aan hem denken, aan de mouwen van zijn overhemd, die hij altijd oprolde tot aan de ellebogen, aan de dubbele symboliek ervan... altijd klaar om zijn handen uit de mouwen te steken, en hij wilde niet worden gezien als een 'man in pak'. Haar vader had indrukwekkende onderarmen. Hij gaf haar een veilig gevoel. Ook nu, zelfs al was hij al jaren dood, zou ze zich in haar vaders sterke armen willen werpen en hem willen horen zeggen dat alles goed zou komen. Raken we die behoefte ooit ontgroeid? John had dat ook gehad, dat hij haar een veilig gevoel gaf. Het klonk weinig feministisch dat dit warme gevoel van zekerheid van een man afkomstig moest zijn, maar het was gewoon zo. Pops was geweldig, maar het was niet zijn taak om haar een veilig gevoel te geven. En Charlie, nou, hij zou altijd haar kind blijven en het zou altijd haar taak zijn om voor hém te zorgen, niet andersom. De twee mannen die haar een veilig gevoel hadden gegeven, waren allebei dood. Ze hadden haar nooit teleurgesteld, maar nu, door alle problemen waarmee ze werd geconfronteerd, meende ze af en toe een fluisterend stemmetje te horen dat zei dat ze hén misschien een beetje teleurstelde.

Win was naar een kantoor een verdieping lager verhuisd. De liftdeur ging open en ze zag een groot logo met de korte tekst MB REPS. De receptioniste zei met een hoge, schelle stem: 'Welkom, mevrouw Tynes.'

Wendy was bijna de lift weer in gevlucht. De receptioniste was enorm en had het postuur van een verdediger in het American Football. Haar lichaam was geperst in een pikzwarte, strakke jumpsuit, waardoor ze op een nachtmerrieversie van Adrienne Barbeau in *Cannonball Run* leek. Haar make-up zag eruit alsof die was aangebracht met een sneeuwschuiver.

'Eh... hallo.'

Een Aziatische vrouw in een wit mantelpakje kwam de receptie in lopen. Ze was lang en slank en zo mooi als een fotomodel. Toen de twee vrouwen naast elkaar stonden, moest Wendy onwillekeurig denken aan een bowlingbal die op de laatste kegel af stoof.

De Aziatische vrouw zei: 'Meneer Lockwood verwacht u.'

Wendy liep achter haar aan de gang in. De vrouw opende een deur en zei: 'Mevrouw Tynes is er.'

Win stond op vanachter zijn bureau. Hij was een opvallend aantrekkelijke man. Hoewel hij niet echt haar type was, met dat sluike blonde haar, zijn edele gelaatstrekken en dat hele mooie jongensvoorkomen, straalde hij een stille kracht uit, zat er ijs in zijn lichtblauwe ogen en leek elke spier in zijn ogenschijnlijk roerloze lichaam gespannen alsof hij elk moment dodelijk kon toeslaan.

Win zei tegen de Aziatische vrouw: 'Dank je, Mei. Zou je tegen meneer Barry willen zeggen dat we er klaar voor zijn?'

'Maar natuurlijk.'

Mei vertrok. Win kwam naar Wendy toe en kuste haar op de wang. Even was er dat opgelaten moment van onzekerheid. Een half jaar geleden hadden ze elkaar alle hoeken van de slaapkamer laten zien, wat meer dan geweldig was geweest, en mooie jongen of niet, zoiets blijft altijd hangen.

'Je ziet er oogverblindend uit.'

'Dank je. Zo voel ik me anders niet.'

'Ik neem aan dat je een veelbewogen tijd doormaakt?'

'Dat kun je wel zeggen.'

Win ging achter zijn bureau zitten en spreidde zijn armen. 'Ik ben te allen tijde bereid je troost en steun te bieden.'

'En met "troost en steun" bedoel je...?'

Wins wenkbrauwen wipten op en neer. 'Coïtus zonder interruptus.'

Ze schudde haar hoofd van ongeloof. 'Je kiest wel het slechtst mogelijke moment om me te versieren.'

'Slechte momenten bestaan niet. Maar ik begrijp het. Wil je een glaasje brandy?'

'Nee, dank je.'

'Vind je het erg als ik er een neem?'

'Ga je gang.'

Naast Wins bureau stond een antieke globe die je kon openklappen en waarin een kristallen karaf stond. Zijn bureau was van massief kersenhout. Aan de wanden hingen schilderijen van mannen op vossenjacht en op de vloer lag een fraai Perzisch tapijt. In de verre hoek van het kantoor was een met kunstgras beklede golfput en aan de wand tegenover het bureau hing een groot flatscreen. 'Nou, vertel me eens waar dit allemaal over gaat,' zei Win.

'Vind je het erg als ik dat niet doe? Het enige wat ik wil weten is wie Phil Turnball erin heeft geluisd.'

'Oké.'

De deur van het kantoor ging open. Mei kwam binnen met een oude man met een vlinderdas.

'Ah,' zei Win. 'Ridley, bedankt voor je komst. Wendy Tynes, maak kennis met Ridley Barry. Meneer Barry is medeoprichter van Barry Brothers Trust, de voormalige werkgever van jouw meneer Turnball.'

'Aangenaam kennis met je te maken, Wendy.'

Ze gingen zitten. Op een stapel dossiers na lag er niets op Wins bureau. 'Voordat we beginnen,' zei Win, 'willen meneer Barry en ik de garantie dat niets wat hier wordt besproken dit kantoor verlaat.'

'Ik ben reporter, Win.'

'Dan ben je ongetwijfeld bekend met de term "off the record".'

'Oké, het is off the record.'

'En als vriend,' zei Win, 'wil ik je erewoord dat geen mens te horen krijgt wat we hier gaan bespreken.'

Haar blik ging naar Ridley Barry, en daarna weer langzaam naar Win. 'Je hebt mijn erewoord.'

'Mooi.' Win keek naar Ridley Barry. Meneer Barry knikte. Win legde zijn hand op de stapel mappen. 'Dit zijn de dossiers van meneer Phil Turnball. Zoals je weet was hij financieel adviseur bij Barry Brothers Trust.'

'Ja, dat weet ik.'

'Ik heb de afgelopen uren besteed aan het doornemen van de dossiers. Ik heb er de tijd voor genomen. En ik heb meneer Turnballs handelsactiviteiten per computer bekeken. Ik heb zijn handelspatronen bestudeerd, zijn aan- en verkopen... zijn ins en outs, zo je wilt. Omdat ik jou hoog aansla, Wendy, en omdat ik je intelligentie respecteer, heb ik zijn werkverleden nageplozen en daarbij rekening gehouden met de mogelijkheid dat iemand Phil Turnball een loer heeft gedraaid.'

'En?'

Win keek haar recht aan en Wendy voelde een kille tochtvlaag. 'Phil Turnball heeft geen twee miljoen dollar achterovergedrukt. Mijn schatting is dat het bedrag eerder in de buurt van de drie miljoen komt. Kortom, er bestaat geen twijfel over. Jij wilde weten hoe Turnball erin was geluisd. Hij ís er niet ingeluisd. Phil Turnball heeft zich schuldig gemaakt aan een systematische fraude over een periode van ten minste vijf jaar.'

Wendy schudde haar hoofd. 'Misschien was hij het niet. Hij werkte toch niet in een vacuüm? Hij had collega's en een assistent. Misschien heeft een van hen...'

Zonder zijn blik van haar af te wenden pakte Win de afstandsbediening en drukte op een knop. De tv aan de muur ging aan.

'Meneer Barry was zo vriendelijk me de surveillancevideo's te laten doornemen.'

Op het tv-scherm verscheen het interieur van een kantoor. De camera hing aan het plafond en was schuin omlaag gericht. Phil Turnball stond bij een papierversnipperaar en schoof er documenten in.

'Hier hebben we jouw meneer Turnball die de rekeningoverzichten van zijn cliënten vernietigt.'

Win richtte de afstandsbediening. Het beeld versprong. Phil zat nu achter zijn bureau. Hij stond op en liep naar de printer. 'Hier is meneer Turnball bezig met het printen van valse rekeningoverzichten die hij naar zijn cliënten zal opsturen. En zo kunnen we een hele tijd doorgaan, Wendy. Maar er bestaat geen twijfel over. Phil Turnball heeft zijn cliënten en meneer Barry opgelicht.'

Wendy leunde achterover. Ze keek Ridley Barry aan. 'Maar als Phil zo'n grote boef is, waarom is hij dan niet gearresteerd?'

Even zei niemand iets. Ridley Barry keek Win aan. Win knikte. 'Toe maar. Ze vertelt het niet door.'

Barry schraapte zijn keel en frunnikte aan zijn vlinderdas. Hij was een kleine man met een gerimpeld gezicht, zo'n oude baas die door sommigen als lief of vertederend zou worden omschreven. 'Mijn broer Stanley en ik hebben Barry Brothers Trust meer dan veertig jaar geleden opgericht,' begon hij. 'We hebben zevenendertig jaar zij aan zij gewerkt. In hetzelfde kantoor. Met onze bureaus tegen elkaar aan. Elke werkdag van de week. We zijn erin geslaagd een bedrijf op te bouwen met een bruto-omzet van meer dan een miljard dollar. We hebben meer dan tweehonderd mensen in dienst. Onze naam staat in het briefhoofd. Ik neem die verantwoordelijkheid heel serieus... zeker nu mijn broer er niet meer is.'

Hij stopte met praten en keek op zijn horloge.

'Meneer Barry?'

'Ja?'

'Dat is allemaal leuk en aardig, maar waarom is Phil Turnball niet voor de rechter gedaagd als hij geld van u heeft gestolen?'

'Hij heeft het niet van mij gestolen. Hij heeft het van zijn cliënten gestolen. En van mijn cliënten.'

'Dat is hetzelfde.'

'Nee, dat is het niet. Er is een belangrijk nuanceverschil. Maar ik zal je vraag op twee manieren beantwoorden. Ik zal hem eerst beantwoorden als de kille, nuchtere zakenman en daarna als de oude man die zich verantwoordelijk voelt voor het welzijn van zijn cliënten. De kille zakenman: wat denk je, na wat Madoff heeft uitgehaald, wat er met Barry Brothers Trust zal gebeuren als bekend wordt dat een van onze topadviseurs een oplichter is?'

Het antwoord lag voor de hand en Wendy vroeg zich af waarom ze daar zelf niet aan had gedacht. Grappig. Phil had min of meer dezelfde benadering gebruikt om zichzelf vrij te pleiten. Hij had haar vraag gebruikt als het bewijs dat hij erin was geluisd. *Waarom hebben ze me dan niet gearresteerd?*

'En vervolgens,' zei Barry, 'voelt de oude man zich verantwoordelijk voor degenen die hun vertrouwen aan hem en zijn bedrijf hebben geschonken. Ik handel al deze dossiers persoonlijk af. Ik betaal deze cliënten uit eigen zak terug. Kortom, ik vang de klap op. De cliënten die zijn benadeeld zullen volledig worden gecompenseerd.'

'En ze krijgen er geen woord over te horen,' zei Wendy.

'Precies.'

Daarom had Win gewild dat ze geheimhouding had beloofd. Ze

leunde achterover en besefte dat er weer een paar puzzelstukjes op hun plaats waren gevallen. Een heleboel stukjes.

Ze wist het nu. Ze wist het merendeel... misschien wel alles.

'Verder nog iets?' vroeg Win.

'Hoe hebt u hem betrapt?' vroeg ze.

Ridley Barry schoof heen en weer op zijn stoel. 'Je kunt je baas maar een beperkte tijd oplichten.'

'Ja, dat begrijp ik. Maar wanneer bent u hem voor het eerst gaan wantrouwen?'

'Twee jaar geleden had ik een firma in de arm genomen om de achtergrond van al onze medewerkers na te gaan. Een routinekwestie, meer niet, maar daardoor werden we geattendeerd op een discrepantie in Phil Turnballs persoonlijke gegevens.'

'Wat was die discrepantie?'

'Phil had gelogen in zijn cv.'

'Waarover?'

'Over zijn schoolopleiding. Hij had vermeld dat hij was afgestudeerd aan Princeton University. Dat was niet waar.'

35

Weer een stap verder.

Wendy belde Phils mobiele nummer. Weer geen antwoord. Ze belde hem thuis. Ook geen reactie. Nadat ze Wins kantoor had verlaten, reed ze langs Phils huis in Englewood. Niemand thuis. Ze reed naar Starbucks. Geen Vadersclub.

Ze overwoog sheriff Walker te bellen, of, wat misschien beter was, Frank Tremont. Hij was degene die de zaak van Haley McWaid had behandeld. Er was een goede kans dat Haley niet door Dan Mercer was vermoord. Ze meende nu te weten door wie ze wel was vermoord, hoewel het nog steeds speculatie was.

Nadat Ridley Barry was vertrokken, had Wendy alles aan Win verteld. Om twee redenen. Ten eerste had ze behoefte aan een intelligent klankbord. Win was dat. Maar ze wilde ook dat iemand anders wist wat zij wist, als back-up... om zowel de informatie als zichzelf te beschermen.

Toen ze uitgepraat was, had Win de onderste la van zijn bureau opengetrokken. Hij had er diverse handwapens uit gehaald en had haar er een aangeboden. Ze had bedankt.

Charlie en Pops waren nog niet terug. Het was stil in huis. Ze dacht aan volgend jaar, als Charlie op de universiteit zat en het in huis altijd zo stil zou zijn. Het beviel haar helemaal niet... het idee dat ze altijd alleen in huis zou zijn. Misschien moest ze kleiner gaan wonen.

Ze had een droge keel. Ze dronk een vol glas water en hield het glas weer onder de kraan. Ze liep naar boven, ging aan haar bureau zitten en zette de computer aan. Ze kon maar beter meteen beginnen met het staven van haar theorie. Ze opende Google en deed haar onderzoek naar het Princeton-schandaal in omgekeerde volgorde: Steve Miciano, Farley Parks, Dan Mercer, Phil Turnball.

Ze begon het nu te begrijpen.

Ze googelde haar eigen naam, las de reacties op haar 'seksueel ontoelaatbare' gedrag en schudde haar hoofd. Ze had willen huilen, niet voor zichzelf maar voor allemaal.

Was dit echt allemaal begonnen met een trofeeënjacht op een universiteit?

'Wendy?'

Ze had moeten schrikken, doodsbang moeten zijn, maar dat was ze niet. Het bevestigde alleen wat ze al wist. Ze draaide zich om. Phil Turnball stond in de deuropening.

'Er zijn meer mensen die het weten,' zei ze.

Phil glimlachte. Zijn gezicht glom als dat van iemand die te veel had gedronken. 'Denk je dat ik je kwaad kom doen?'

'Heb je me al niet genoeg kwaad gedaan?'

'Ja, dat is waar. Maar daarom ben ik hier niet.'

'Hoe ben je binnengekomen?'

'De zijdeur van de garage was open.'

Charlie en zijn verdomde fiets. Ze vroeg zich af hoe ze deze situatie moest aanpakken. Ze kon met hem meepraten, stiekem haar mobiele telefoon pakken en het alarmnummer bellen. Of een ander nummer. Ze kon proberen snel een e-mail te versturen, een of andere elektronische kreet om hulp.

'Je hoeft niet bang te zijn,' zei hij.

'Dan vind je het vast niet erg als ik een vriendin bel?'

'Ik heb liever dat je dat niet doet.'

'En als ik erop sta?'

Phil haalde een pistool uit zijn zak. Als iemand dat doet, wordt het pistool het enige wat je nog ziet. Ze slikte, probeerde kalm te blijven. 'Hé, Phil?'

'Wat is er?'

'Is dat jouw manier om iemand ervan te overtuigen dat je geen kwade bedoelingen hebt, zwaaien met een pistool?'

'We moeten praten,' zei Phil. 'Ik weet alleen niet waar ik moet beginnen.'

'Bij het moment dat je de scherven van die spiegel in Christa Stockwells oog trapte, misschien?'

'Je hebt je huiswerk goed gedaan, hè, Wendy?'

Ze zei niets.

'En je hebt gelijk. Daarmee is het allemaal begonnen.' Hij zuchtte. Het pistool hing langs zijn dijbeen, met de loop omlaag. 'Je weet wat er daar heeft plaatsgevonden, hè? Ik had me verstopt en Christa Stockwell begon te schreeuwen. Ik rende naar de deur, maar ze liet me struikelen en greep mijn been vast. Ik heb natuurlijk nooit de bedoeling gehad haar pijn te doen. Ik wilde alleen die kamer uit en raakte in paniek.'

'Was je op trofeeënjacht in het huis van de decaan?'

'We waren er allemaal.'

'Maar jij hebt de schuld op je genomen.'

Phil leek even van de wijs gebracht. Wendy overwoog het op een lopen te zetten. Hij richtte het pistool niet op haar. Het zou wel eens haar enige kans kunnen zijn. Maar Wendy verroerde zich niet. Ze bleef achter haar bureau zitten, totdat Phil ten slotte zei: 'Ja, dat is waar.'

'Waarom?'

'Op dat moment leek het me de juiste beslissing. Want zie je, ik was met zo veel privileges naar de universiteit gekomen. Een rijke, voorname familie, een opleiding op een dure kostschool. De anderen hadden moeten knokken voor hun plekje. Daar had ik bewondering voor. Het waren mijn vrienden. Trouwens, ik zat toch al in de problemen, dus wat had het voor zin de anderen met me mee te slepen?'

'Edelmoedig van je,' zei Wendy.

'Natuurlijk wist ik op dat moment nog niet hoe groot mijn problemen zouden worden. Het was donker in huis. Ik dacht dat Christa alleen een kreet van schrik had geslaakt. Toen ik bekende, had ik er geen idee van hoe ernstig ik haar had verwond.' Hij hield zijn hoofd schuin. 'Toch denk ik dat ik nu hetzelfde zou hebben gedaan. De schuld voor de anderen op me nemen, bedoel ik. Alhoewel, helemaal zeker weet ik dat natuurlijk niet.'

Wendy wierp een snelle blik op haar beeldscherm, zocht naar iets waar ze op kon klikken om hulp te vragen. 'Wat gebeurde er toen?'

'Dat weet je al, toch?'

'Je werd van de universiteit gestuurd.'

'Ja.'

'En je ouders betaalden Christa Stockwell om haar mond te houden.'

'Mijn ouders waren er kapot van. Maar dat had ik kunnen weten. Ze betaalden mijn schuld en stuurden me het huis uit. Het familiebedrijf hebben ze aan mijn broer nagelaten. Ik lag eruit. Maar misschien had dat ook een positieve kant.'

'Je voelde je bevrijd,' zei Wendy.

'Ja.'

'Nu was je net als je vrienden. De jongens die je bewonderde.'

Hij glimlachte. 'Precies. En nu moest ik er ook voor knokken, net als zij. Ik wílde ook niet meer geholpen worden. Ik vond een baan bij Barry Brothers. Ik knokte een cliëntenlijst bij elkaar en werkte keihard om iedereen tevreden te houden. Ik trouwde met Sherry, een bijzondere vrouw op alle fronten. We stichtten een gezin. Leuke kinderen, een mooi huis. Alles op eigen kracht. Geen kruiwagentjes, niks...'

Zijn stem stierf weg. Hij glimlachte.

'Waarom lach je?'

'Om jou, Wendy.'

'Wat is er met mij?'

'Hier zijn we dan, wij tweeën. Ik ben degene met het pistool. Ik beken je al mijn wandaden en jij blijft me maar vragen stellen. Je probeert gewoon tijd te rekken in de hoop dat de politie op tijd arriveert.'

Ze zei niets.

'Maar ik ben hier niet voor mezelf, Wendy. Ik ben hier voor jou.'

Ze keek hem aan en opeens, ondanks het pistool en de ernst van de situatie, voelde ze geen angst meer. 'Wat bedoel je daarmee?' vroeg ze.

'Dat zul je wel zien.'

'Ik zou toch liever...'

'Je wilt antwoorden, waar of niet?'

'Ja, ik denk het wel.'

'Dus... waar was ik gebleven?'

'Getrouwd, baan, geen kruiwagentjes.'

'Juist, dank je. Je had Ridley Barry ontmoet, zei je?'

'Ja.'

'Vriendelijke oude baas, niet? Heel charmant. Komt over als goudeerlijk. Dat is hij ook. Ik was ook goudeerlijk.' Hij keek omlaag naar het pistool alsof iemand het net in zijn hand had gelegd. 'Je begint niet als dief. Ik durf te wedden dat Bernie Madoff niet eens als dief is begonnen. Je doet je uiterste best voor je cliënten. Maar het is een tricky wereld. Je sluit een slechte deal. Je raakt wat geld kwijt. Maar je weet dat je het wel weer terugverdient. Dus schuif je het geld van een ander naar die rekening. Voor een dag, hooguit een week. Wanneer je volgende deal geld oplevert, trek je alles weer recht en blijft er misschien zelfs iets over. Het is geen stelen. Uiteindelijk zijn je cliënten beter af. Zo begint het, heel klein, af en toe een stapje over de grens... maar wat moet je anders? Als je bekent wat je hebt gedaan, is het gebeurd met je. Dan word je ontslagen of ga je naar de gevangenis. Dus welke andere keus heb je? Je moet geld blijven lenen van Peter om Paul te betalen in de hoop dat op een dag Mary langskomt om als een soort Heilige Maria alles op te lossen.'

'Ja of nee,' zei Wendy. 'Heb je geld van je cliënten gestolen?'

'Ja.'

'Om jezelf flinke bonussen toe te kennen?'

'Ja. Deels om de schijn van de geslaagde zakenman op te houden.'

'Juist,' zei Wendy. 'Ik begrijp het.'

Phil glimlachte. 'Je hebt natuurlijk gelijk. Ik vertel je gewoon hoe ik er toen over dacht, niet om het goed te praten. Heeft Ridley je verteld waarom ze mijn gangen begonnen na te gaan?'

Ze knikte. 'Je had gelogen in je cv.'

'Precies. Die avond in het huis van de decaan... voor de zoveelste keer werd ik erdoor achtervolgd. Opeens, door iets wat al die jaren geleden was gebeurd, begon mijn hele wereld in te storten. Kun je je voorstellen hoe ik me voelde? Ik had me voor die jongens opgeofferd, ook al was het gebeuren niet echt mijn schuld, en nu, al die jaren later, kreeg ik het opnieuw op mijn brood.'

'Hoe bedoel je, "ook al was het niet echt mijn schuld"?'

'Zoals ik het zei.'

'Je was erbij. Jij hebt Christa Stockwell die glasscherven in haar gezicht getrapt.'

'Maar daar is het niet mee begonnen. Heeft ze je over die asbak verteld?'

'Ja. Dat jij die hebt gegooid.'

'Heeft ze dat gezegd?'

Wendy dacht erover na. Ze had het aangenomen, maar had Christa Stockwell ook echt gezegd dat Phil de asbak had gegooid?

'Ik was het niet,' zei hij. 'Iemand anders heeft die asbak gegooid. Daardoor is die spiegel uiteengespat.'

'En je weet niet wie?'

Hij schudde zijn hoofd. 'De jongens die er die avond bij waren hebben allemaal ontkend dat zij het hadden gedaan. Dat bedoelde ik met dat het niet echt mijn schuld was. En nu had ik weer niks. Toen mijn ouders hoorden dat ik ontslagen was, nou, dat was de druppel. Ze hebben me onterfd. Sherry en mijn kinderen... vanaf toen bekeken ze me met andere ogen. Ik was niet meer te redden. Ik had het definitief verknald... en dat allemaal alleen dankzij die verdomde trofeeënjacht. Dus toen ben ik mijn oude vrienden om hulp gaan vragen. Farley en Steve waren me nog steeds dankbaar dat ik toen de schuld op me had genomen, zeiden ze, maar wat konden ze er nu nog aan doen? Ik begon te beseffen dat het niet eerlijk was dat ik als enige schuld droeg. Als we ons alle vijf hadden gemeld, hadden we de last kunnen delen. Dan had ik die niet alleen hoeven dragen. Dan had de universiteit me minder hard aangepakt. En ik zie hoe het ze vergaat, mijn oude vrienden die me niet willen helpen, dat ze het allemaal fantastisch doen, een prima baan hebben en succesvol zijn...'

'Dus,' zei Wendy, 'toen besloot je ze een toontje lager te laten zingen.'

'Kun je het me kwalijk nemen? Ik ben de enige die de prijs heeft betaald voor wat er toen is gebeurd, en nu was het alsof zij me ook hadden opgegeven. Ik was niet meer te redden. Ze vonden het de moeite niet waard. Jij hebt rijke ouders, zeiden ze. Ga die maar om hulp vragen.'

Het was Phil nooit gelukt zich los te maken van zijn familie, van hun geld en hun status. Hij had willen zijn zoals zijn arme vrienden, maar die hadden hem nooit echt zo gezien... want als puntje bij paaltje kwam, behoorde hij net zomin bij de arme mensen als zij bij de rijke.

'Je hoorde in de Vadersclub over virale marketing,' zei ze.

'Ja.'

'Dat had een aanwijzing voor me moeten zijn. Ik heb er zonet nog naar gezocht. Farley werd zwartgemaakt. Steve werd zwartgemaakt. Ik werd zwartgemaakt. En over Dan stond er al meer dan genoeg op internet. Maar jij, Phil... over al jouw wandaden is geen woord te vinden. Waarom niet? Als iemand eropuit was jullie allemaal te grazen te nemen, waarom besteedde geen enkele blog dan aandacht aan het feit dat jij geld had gestolen van je bedrijf? Sterker nog, niemand wist ervan. Je had de Vadersclub verteld dat je was wegbezuinigd. Pas toen mijn vriend Win voor me had uitgezocht dat je was ontslagen omdat je twee miljoen dollar had verduisterd, kwam je opeens met het verhaal dat iemand je erin had geluisd. En toen je hoorde dat ik naar Princeton was gegaan, was je me ook weer net voor en heb je je vrienden verteld dat je daar was weggestuurd.'

'Allemaal waar,' zei Phil.

'Laten we nu eens kijken hoe je het hebt aangepakt. Ten eerste heb je een of ander meisje zich laten voordoen als Chynna, Dans tienermeisje en Farleys hoertje.'

'Dat klopt.'

'Waar had je haar vandaan?'

'Het was gewoon een hoertje dat ik heb betaald om twee rollen te spelen. Zo moeilijk was dat niet. Wat Steve Miciano aangaat... nou, hoe moeilijk is het om drugs in een kofferbak van een auto te verstoppen en de politie te tippen? En Dan...'

'Voor Dan heb je mij gebruikt,' zei Wendy.

'Het was niet persoonlijk bedoeld. Op een avond zag ik jouw programma op tv en ik dacht: wow, bestaat er een betere manier om me te wreken?'

'Hoe heb je het gedaan?'

'Zo ingewikkeld is dat toch niet, Wendy? Eerst heb ik je die e-mail gestuurd van Ashlee, dat dertienjarige meisje in de Social-Teen-chatroom. Vervolgens heb ik me in die chatroom voorgedaan als Dan. De foto's en de laptop heb ik in zijn huis verstopt toen ik bij hem op bezoek was. Mijn hoertje deed of ze Chynna was, een tienermeisje dat in de problemen zat. Toen jij me in mijn rol van pedofiel Dan...' hij vormde aanhalingstekens met zijn vingers, '... uitnodigde om naar dat huis te komen, heb ik Chynna naar Dan laten bellen om hem te vragen haar om dezelfde tijd op dezelfde plek te komen opzoeken. Dan kwam opdraven en jij stond klaar met je camera's...' Hij haalde zijn schouders op.

'Wow.'

'Het spijt me dat ik je erbij heb betrokken. En het spijt me nog meer dat ik die geruchten over je heb verspreid. Ik ben te ver gegaan. Dat was fout van me. Dat zit me heel erg dwars. Daarom ben ik hier. Om het met je goed te maken.'

Dat zei hij steeds, over dat hij hier voor haar was. Gek werd ze ervan. 'Dus je hebt al die dingen gedaan om wraak te nemen op je vrienden?'

Hij boog zijn hoofd. Zijn antwoord verbaasde haar. 'Nee.'

'Krabbel nou niet terug, Phil. Je was alles kwijt, dus je besloot een stel onschuldige mensen mee te nemen in je val.'

'Onschuldige mensen?' Voor het eerst klonk er iets van boosheid door in zijn stem. 'Ze waren niet onschuldig.'

'Omdat ze op die avond in het huis van de decaan waren geweest, bedoel je dat?'

'Nee, dat bedoel ik niet. Omdat ze schuldig waren, dát bedoel ik.'

Wendy trok een gezicht. 'Waaraan?'

'Begrijp je het dan niet? Farley dééd het met hoertjes. Hij was een vreselijke vrouwengek. Dat was alom bekend. En Steve gebruikte zijn positie van arts om illegaal drugs en medicijnen op recept te verkopen. Vraag het maar na bij de politie. Ze hadden geen bewijs, maar ze wisten ervan. Kijk, ik heb ze er niet ingeluisd, ik heb ze alleen in de schijnwerper gezet.'

Er viel een stilte, een geladen, zoemende stilte, en Wendy merkte dat ze beefde over haar hele lichaam. Nu kwam het. Phil wachtte, wist dat ze het zou vragen.

'En Dan?' vroeg Wendy.

Zijn ademhaling begon een eigen leven te leiden. Hij probeerde zich te beheersen, maar hij was te veel in de ban van het verleden. 'Daarom ben ik hier, Wendy.'

'Ik begrijp het niet. Je zegt net dat Farley een vrouwengek was en Steve een soort drugsdealer.'

'Ja.'

'Dus stel ik de voor de hand liggende vraag: was Dan Mercer echt pedofiel?'

'Wil je de waarheid horen?'

'Nee, Phil, ik wil graag dat je tegen me liegt. Heb je hem in de val gelokt zodat hij voor de rechter kon worden gebracht?'

'Met Dan,' zei hij langzaam, 'ging niks zoals ik het had gepland.'

'Alsjeblieft, ik hoef alle details niet te horen. Was Dan pedofiel, ja of nee?'

Hij keek weg en leek een beslissing te nemen. 'Ik weet het niet.'

Dat was niet het antwoord dat ze had verwacht. 'Hoe is dat mogelijk?'

'Toen ik de val voor hem zette, geloofde ik niet dat hij er een was. Maar nu ben ik daar niet zo zeker meer van.'

Het antwoord bracht haar ernstig in de war. 'En wat mag dat dan wel betekenen?'

'Ik vertelde je dat ik naar Farley en Steve was gestapt,' zei hij. 'En dat ze niet van plan waren me te helpen.'

'Ja.'

'Daarna ben ik naar Dan gegaan.' Phil bracht het pistool omhoog, nam het in zijn andere hand.

'Hoe reageerde hij?'

'Hij ontving me in dat armoedige huis van hem. Ik bedoel, ik wist dat het geen enkele zin had. Wat kon hij voor me doen? Dan had geen cent. Hij werkte met arme straatkinderen. Maar Dan liet me binnen en vroeg of ik een biertje wilde. Ik zei ja en vertelde hem wat me was overkomen. Hij hoorde geduldig mijn verhaal aan. Toen ik uitgepraat was, keek Dan me recht aan en zei blij te zijn dat ik was gekomen. Ik vroeg hem: waarom? Hij vertelde me dat hij al die jaren twee keer per maand bij Christa Stockwell op bezoek was geweest. Daar schrok ik van. En toen vertelde hij me uiteindelijk de waarheid.'

Wendy begreep het nu... wist wat Christa Stockwell haar niet had willen vertellen.

Wat zei Dan tegen je toen hij je voor het eerst kwam opzoeken?

Dat blijft tussen Dan en mij.

Wendy keek hem aan. 'Dan was degene die de asbak had gegooid.'

Phil knikte. 'Hij zag me achter het bed duiken. De anderen – Farley, Steve en Kelvin – waren al op weg naar de deur. Dan zei dat ze de kamer al uit waren tegen de tijd dat Christa Stockwells hand naar de lichtschakelaar ging. Hij had haar alleen willen afleiden. Om mij de kans te geven te ontsnappen. Daarom had hij die asbak gegooid.'

'Waardoor zij de scherven van de spiegel in haar gezicht kreeg.'

'Ja.'

Wendy probeerde zich het moment voor te stellen. Dan bekent haar de waarheid en Christa accepteert die. Ze waren tenslotte maar studentjes op trofeeënjacht, nietwaar? Was het zo gemakkelijk om iemand te vergeven? Christa was het wel gelukt.

'En al die jaren,' zei Wendy, 'heb je dat niet geweten.'

'Nee. Dan had erover gelogen. Hij probeerde uit te leggen waarom. Hij was straatarm, zei hij. Hij zat met een beurs op de universiteit en was doodsbang dat hij zou worden weggestuurd. Het zou voor mij trouwens niks veranderen, zei hij. Het zou alleen de rest van zíjn leven ruïneren... en waarvoor?'

'Dus hield hij zijn mond dicht.'

'Net als de anderen ging hij ervan uit dat ik geld had. Ik had rijke ouders en connecties. Ik kon Christa Stockwell afkopen. Dus heeft hij er nooit een woord over gezegd. Hij heeft mij laten opdraaien voor wat hij had gedaan. Dus zie je, Wendy, Dan was helemaal niet zo onschuldig. In feite was hij de meest schuldige van allemaal.'

Ze dacht erover na, over de woede die Phil moest hebben gevoeld toen hij te weten kwam dat hij de prijs had betaald voor iets wat Dan had gedaan.

'Maar hij was geen kinderverkrachter, hè?'

Phil dacht even na voordat hij antwoord gaf. 'Nee, dat denk ik niet. Tenminste, toen dacht ik dat niet.'

Ze deed haar best het te begrijpen, probeerde de stukjes in elkaar te passen. En op dat moment dacht ze weer aan Haley McWaid.

'Mijn god, Phil. Wat heb je gedaan?'

'Die jongens hadden gelijk. Het is gebeurd met me. Wat ik had, het goede wat nog was overgebleven – wat dat ook was – ben ik nu ook kwijt. Dat is wat wraakgevoelens met je doen. Ze knagen zich een weg naar je ziel. Ik had die deur nooit moeten openen.'

Wendy vroeg zich af welke deur hij bedoelde... die van het huis van de decaan, al die jaren geleden, of die van de haat die hem tot zijn wraakacties had gebracht. Ze dacht aan wat Christa Stockwell over haat had gezegd, over alles wat je miste als je je eraan bleef vastklampen.

Maar ze waren nog niet klaar. De kwestie-Haley was er nog.

'Dus toen Dan vrijuit ging,' begon Wendy, 'ik bedoel, toen de rechter besloot hem niet te vervolgen...'

De glimlach op zijn gezicht bezorgde haar de rillingen. 'Ga door, Wendy.'

Maar dat kon ze niet. Ze probeerde de lijnen door te trekken, maar opeens wist ze niet meer hoe.

'Je vraagt je af hoe het met Haley McWaid zit, hè? Hoe zij in het geheel past.'

Wendy wilde doorgaan, maar ze kon geen woord uitbrengen.

'Toe maar, Wendy. Zeg wat je wilde zeggen.'

Ze zag het nu. Maar het sloeg nergens op.

Zijn gezichtsuitdrukking werd meer ontspannen, bijna sereen. 'Ik heb ze laten boeten, ja. Maar heb ik de wet overtreden? Dat is nog maar de vraag. Ik heb een meisje betaald om te liegen over Farley en om zich tegenover Dan als iemand anders voor te doen. Is dat een misdaad? Een licht vergrijp, hooguit. Ik heb in die chatroom gedaan alsof ik iemand anders was, maar heb jij niet hetzelfde gedaan? Je zei dat de rechter Dan heeft vrijgesproken. Dat is waar, maar wat dan nog? Ik was er niet per se op uit om ze de gevangenis in te krijgen. Ik wilde ze alleen laten lijden. En dat hebben ze gedaan, waar of niet?'

Hij wachtte op antwoord. Wendy kon alleen knikken.

'Dus waarom zou ik Dan een moord in de schoenen schuiven?'

'Dat weet ik niet,' bracht ze met moeite uit.

Phil boog zich voorover en fluisterde: 'Ik heb het ook niet gedaan.'

Wendy kreeg bijna geen adem. Ze probeerde kalm te blijven en na te denken, op de een of andere manier een stap terug te doen. Haley McWaid was vermoord en pas drie maanden later gevonden. Waarom? Dacht ze soms dat Phil haar alleen voor de zekerheid had vermoord, voor het geval Dan vrijuit ging en Phil hem alsnog iets kon aansmeren?

Was dat geloofwaardig?

'Wendy, ik heb zelf kinderen. Ik zou geen tienermeisje kunnen vermoorden. Ik zou helemaal niemand kunnen vermoorden.'

Het was, besefte ze, een reusachtige stap van virale marketing naar moord, van wraak nemen op een paar oude studievrienden en een tienermeisje vermoorden.

De waarheid begon tot haar door te dringen en verdoofde haar.

'Jij kunt die iPhone niet in zijn motelkamer hebben gelegd,' zei Wendy ten slotte. 'Je wist niet eens waar hij was.' Haar hoofd tolde en wilde daar niet mee ophouden. Ze probeerde zich te concentreren, alle mogelijkheden te overwegen, maar er bleef maar één antwoord over. 'Jij kúnt het niet geweest zijn.'

'Dat klopt, Wendy.' Hij glimlachte en de vredige uitdrukking kwam weer op zijn gezicht. 'Daarom ben ik hier. Weet je nog? Ik zei tegen je dat ik voor jou ben gekomen, niet voor mezelf. Dit is mijn laatste cadeau voor jou.'

'Wat voor cadeau? Ik begrijp het niet. Hoe is die iPhone in Dans kamer terechtgekomen?'

'Je weet het antwoord op die vraag. Jij was bang dat je een onschuldig man de dood in had gejaagd. Maar dat héb je niet gedaan. Voor die telefoon in zijn motelkamer bestaat maar één verklaring: Dan heeft die al die tijd in zijn bezit gehad.'

Ze staarde hem aan. 'Dan heeft Haley vermoord?'

'Natuurlijk,' zei hij.

Ze kon zich niet bewegen, kreeg geen adem.

'En nu weet je alles, Wendy. Jij gaat vrijuit. Het spijt me dat ik je erbij heb betrokken. Ik weet niet of het iets goedmaakt van wat ik je heb aangedaan, maar je zult het ermee moeten doen. Zoals ik eerder al zei: daarom ben ik hiernaartoe gekomen... om je te helpen.'

Phil Turnball bracht het pistool omhoog. Hij deed zijn ogen dicht en leek in vrede met zichzelf. 'Zeg tegen Sherry dat het me spijt,' zei hij. Wendy stak haar handen op, riep dat hij het niet moest doen, wilde naar hem toe lopen.

Maar ze was te ver bij hem vandaan.

Hij zette de loop van het pistool onder zijn kin, richtte omhoog en haalde de trekker over.

36

Vijf dagen later

De politie had het huis laten schoonmaken.

Zowel Walker als Tremont kwam langs om te vragen hoe het met haar ging en om het hele verhaal te horen. Ze had haar best gedaan het zo gedetailleerd mogelijk te vertellen. Ook de pers toonde veel belangstelling. Farley Parks gaf een verklaring uit waarin hij het publiek een 'overhaast oordeel' verweet, maar hij stelde zich niet meer verkiesbaar voor het Congres. Dokter Steve Miciano weigerde elk commentaar en liet alleen weten dat hij zich terugtrok uit de geneeskunde om 'nieuwe wegen te gaan verkennen'.

Over die twee had Phil Turnball gelijk gehad.

Al snel werd het leven weer redelijk normaal. Wendy werd door NTC gezuiverd van alle blaam, maar het werken was er vrijwel onmogelijk geworden. Vic Garrett durfde haar niet meer onder ogen te komen. Ze kreeg haar opdrachten via Mavis, zijn assistente. Tot nu toe waren het allemaal waardeloze opdrachten geweest. Als daar geen verandering in kwam, was ze van plan voor een meer agressieve benadering te kiezen.

Maar nu nog niet.

Pops liet haar weten dat hij het komende weekend zou vertrekken. Hij was gebleven om zich ervan te overtuigen dat alles in orde was met haar en Charlie, maar, zoals hij het zelf zei, hij was nu eenmaal een zwerver, een 'rolling stone'. Te lang op één plek blijven was niet goed voor hem. Wendy begreep het, maar god, wat zou ze hem missen.

Opvallend was dat hoewel haar werkgever accepteerde dat de geruchten over haar op internet uit de lucht waren gegrepen, veel inwoners van Kasselton daar meer moeite mee hadden. Ze werd genegeerd in de supermarkt. De moeders bleven uit haar buurt als ze Charlie van school haalde. En op dag vijf, twee uur voordat Wendy de vergadering van het pr-comité van het schoolproject zou voorzitten, werd ze gebeld door Millie Hanover. 'In het belang van de kinderen stel ik voor dat je je terugtrekt uit alle comités.'

'In het belang van de kinderen,' antwoordde Wendy, 'stel ik voor dat jij alleen nog rauwe eieren eet.'

Ze smeet de hoorn op de haak. Achter haar werd geapplaudisseerd. Het was Charlie. 'Bravo, ma.'

'Dat mens is echt vreselijk bekrompen.'

Charlie lachte. 'Weet je nog dat ik niet naar Gezondheidsleer wilde omdat er alleen over seks wordt gepraat?'

'Ja.'

'Cassie Hanover heeft er vrijstelling van omdat haar moeder bang is dat het haar dochter misschien op verkeerde ideeën brengt. Maar het leuke is dat Cassie op school "Handjob Hanover" wordt genoemd. Ik bedoel, die griet is de grootste slet van de hele school.'

Wendy draaide zich om en zag haar slungel van een zoon naar zijn kamer lopen. Ze liep hem achterna. Hij ging achter zijn computer zitten, typte iets en keek naar het scherm.

'Over sletten gesproken...' begon Wendy.

Hij keek naar haar op. 'Huh?'

'Er zijn de afgelopen weken nogal wat geruchten over mij geweest. In de blogs op internet.'

'Mam?'

'Ja.'

'Denk je dat ik in een grot woon of zo?'

'Heb je ze gezien?'

'Natuurlijk.'

'Waarom heb je er niks over gezegd?'

Charlie haalde zijn schouders op en ging door met typen.

'Ik wil alleen zeggen dat ze niet waar zijn.'

'Bedoel je dat je níét met iedereen het bed in bent gedoken om hogerop te komen?'

'Doe niet zo bijdehand.'

Hij zuchtte. 'Ik wéét dat ze niet waar zijn, mam. Oké? Dat hoef je me niet te vertellen.'

Ze moest erg haar best doen haar tranen binnen te houden. 'Hebben je vrienden je ermee gepest?'

'Nee,' zei hij. En toen: 'Nou, goed dan, Clark en James wilden weten of je ook op jonge jongens valt.'

Ze fronste haar wenkbrauwen.

'Grapje,' zei hij.

'Een goeie.'

'Kom op, maak je geen zorgen.' Hij ging door met typen.

Ze wilde de kamer uit lopen, hem zijn privacy geven. Als ze dat had gedaan, zou het allemaal voorbij zijn geweest. Ze had alle antwoorden. Phil had zijn vrienden teruggepakt. Dan was geknakt en had Haley vermoord. Het feit dat ze geen motief konden vinden was irritant, maar zo gaat het soms in het leven.

Maar ze ging de kamer niet uit. Ze voelde zich huilerig en eenzaam, dus vroeg ze aan haar zoon: 'Wat ben je aan het doen?'

'Ik zit op mijn Facebook-pagina.'

Dat herinnerde haar aan haar eigen account, het valse profiel van Sharon Hait, dat ze had gebruikt om 'vrienden' te worden met Kirby Sennett.

'Wat is een Red Bull-party?' vroeg ze.

Charlie stopte met typen. 'Waar heb je dat woord gehoord?'

Wendy herinnerde hem aan het nepprofiel dat ze had gemaakt om in contact te komen met Kirby Sennett. 'Kirby heeft "Sharon" uitgenodigd voor een Red Bull-party.'

'Laat zien,' zei hij.

Charlie logde uit en stond op. Wendy ging zitten en logde in als Sharon Hait. Ze moest even nadenken over haar wachtwoord – 'Charlie' – en toen was ze op haar Facebook-pagina. Ze zocht de uitnodiging op en liet die aan hem zien.

'De stomme hufter,' zei Charlie.

'Wat is er?'

'Oké, je weet dat de school een zerotolerancebeleid hanteert als het om drank gaat, ja?'

'Ja.'

'En dat rector Zecher een echte nazi is als het gaat om de naleving. Ik bedoel, als een leerling wordt betrapt op drinken, wordt hij in geen enkel sportteam meer opgenomen, dan mag hij niet meer meedoen aan het schooltoneel, het wordt gemeld aan het schoolbestuur, en nog veel meer.'

'Ja, daar ben ik van op de hoogte.'

'En je weet ook dat tieners niet goed bij hun hoofd zijn als ze zich laten fotograferen terwijl ze aan het drinken zijn en ze die foto's op internet zetten, bijvoorbeeld op Facebook.'

'Ja.'

'Nou, waar het op neerkomt is dat iemand op het idee is gekomen die foto's te "Red Bullen".'

'Te Red Bullen?'

'Ja. Stel, je gaat naar een feestje en je drinkt een blikje Budweiser, en omdat je een loser met een totaal gebrek aan zelfrespect bent, denk je: wow, ik ben zo cool, iedereen moet zien hoe cool ik ben. Je vraagt iemand een foto van je te maken terwijl je je biertje drinkt, zodat je die op internet kunt zetten om aan je halfzachte loservriendjes te laten zien. Maar stel dat rector Zecher of een van zijn Derde Rijk-ondergeschikten die foto ziet? Dan ben je de lul. Dus wat doe je? Je zet met Photoshop een Red Bull-etiket over dat van je biertje.'

'Dat meen je niet.'

'Dat meen ik wel. Kijk maar, dan zie je wat ik bedoel.'

Hij boog zich over haar heen en klikte met de muis. Er verscheen een reeks foto's van Kirby Sennett op het scherm. Hij begon ze aan te klikken. 'Zie je hoe vaak hij, zijn vrienden en hun respectievelijke viswijven Red Bull drinken?'

'Noem ze geen "viswijven".'

'Oké, oké...'

Wendy pakte de muis en klikte de rest van de foto's aan.

'Charlie?'

'Ja?'
'Ben jij wel eens naar een Red Bull-party geweest?'
'Ik heb niks met losers.'
'Betekent dat "nee"?'
'Ja, dat betekent "nee".'
Ze keek hem aan. 'En naar andere feestjes waar alcohol werd gedronken?'
Charlie wreef over zijn kin. 'Ja.'
'Heb jij toen ook gedronken?'
'Eén keer.'
Ze richtte haar aandacht weer op het beeldscherm, klikte meer foto's aan en bleef kijken naar Kirby Sennett en zijn vrienden met hun verhitte gezichten en hun blikjes Red Bull. Aan sommige foto's kon je zien dat ze waren gefotoshopt. De blikjes Red Bull waren te groot of te klein, ze bedekten de vingers of stonden een beetje scheef.
'Wanneer was dat?' vroeg ze.
'Mam, relax. Het was maar één keer. In het tweede jaar.'
Ze vroeg zich af hoe ver ze kon gaan met haar verhoor toen ze de foto zag die alles veranderde. Kirby Sennett van voren, in het midden van de foto. Achter hem stonden twee meisjes, allebei met hun rug naar de camera. Kirby had een glimlach van oor tot oor. Hij droeg een T-shirt van de New York Knicks en had een zwarte honkbalpet op zijn hoofd. Maar wat haar aandacht had getrokken, waardoor ze naar de foto bleef staren, was de bank waarop hij zat.
Die was geel, met blauwe bloemen.
Wendy had die bank eerder gezien.
Dat alleen – het feit dat ze dit op de foto zag – zou voor haar niets hebben betekend. Maar ze moest nu denken aan Phil Turnballs laatste woorden, die over 'het cadeau' dat hij voor haar had, dat ze zichzelf niet hoefde te verwijten dat ze een onschuldig man de dood in had gejaagd. Phil Turnball had dat geloofd... en Wendy had het ook willen geloven. Dáár ging het om. Het had haar bevrijd van haar schuldgevoel. Dan was een moordenaar geweest. Ze hád geen onschuldig man in de val gelokt. Nee, ze had een moordenaar ontmaskerd.

Hoe kon het dan dat ze dat nog steeds niet helemaal geloofde?

Het eerdere gevoel, de intuïtie die haar zei dat ze Dan Mercer oneerlijk had behandeld, het gevoel dat aan haar onderbewustzijn had geknaagd vanaf het moment dat hij die rode deur had geopend en het huis was binnengekomen, had ze de afgelopen paar dagen laten rusten.

Maar het was nooit helemaal weggegaan.

37

Er stond een verhuiswagen voor het huis van de Wheelers.

De voordeur stond open en er was een houten plankier neergelegd. Twee mannen met zwarte handschoenen en leren steungordels reden een lage kast naar buiten, waarbij de ene alsmaar 'rustig aan, rustig aan' zei, alsof dat zo hoorde. Het bord met TE KOOP stond nog steeds in de tuin. Er was nog niets op geplakt waaruit bleek dat zich een koper had gemeld.

Wendy liet de verhuizers met de kast passeren, liep het plankier op, bleef in de deuropening staan en riep: 'Iemand thuis?'

'Hallo.'

Jenna kwam de woonkamer uit. Ook zij droeg handschoenen. Ze had een spijkerbroek en een wit T-shirt aan. Over het T-shirt droeg ze een geruit flanellen hemd dat haar veel te groot was, met opgerolde mouwen. Van haar man, dacht Wendy. Als kind trok je de overhemden van je vader aan om je te verkleden. Als volwassene trok je het shirt van je man aan, voor klusjes in huis, of soms om je dicht bij hem te voelen. Wendy had het zelf ook gedaan, had het heerlijk gevonden om de geur van haar man te ruiken.

'Hebben jullie al een koper gevonden?' vroeg Wendy.

'Nee, nog niet.' Jenna's haar zat in een paardenstaart, maar er waren een paar lokken losgeraakt. Ze streek ze achter haar oor. 'Maar Noel begint volgende week al in Cincinnati.'

'Dat is snel.'

'Ja.'

'Dan moet Noel vrijwel meteen aan het solliciteren zijn geslagen.'

Nu aarzelde Jenna voordat ze antwoord gaf. 'Ja, ik denk het.'
'Alleen vanwege de boze blikken omdat jij een pedofiel verdedigde?'
'Dat klopt.' Jenna zette haar handen in haar zij. 'Wat kom je doen, Wendy?'
'Ben je wel eens in Freddy's Deluxe Luxury Suites in Newark geweest?'
'Freddy's wat?'
'Een louche motel in het centrum van Newark. Ben je daar wel eens geweest?'
'Nee, natuurlijk niet.'
'Vreemd. Ik heb je foto aan de receptionist laten zien. Hij zei dat hij je had gezien op de dag dat Dan werd vermoord. Sterker nog, hij zei dat je hem om de sleutel van Dans kamer hebt gevraagd.'
Dit was, wist Wendy, voor de helft pure bluf. De receptionist had Jenna Wheeler van de foto herkend en gezegd dat hij haar de afgelopen tijd had gezien, maar hij wist niet meer op welke dag. Hij herinnerde zich ook dat hij haar Dans sleutel had gegeven zonder vragen te stellen – wanneer een aantrekkelijke, stijlvolle vrouw zich bij Freddy's balie meldde, vroeg je niet om een legitimatie – maar hij wist niet meer van welke kamer.
'Hij vergist zich,' zei Jenna.
'Dat denk ik niet. En wat belangrijker is, als ik dit aan de politie vertel, zullen zij dat ook niet denken.'
De twee vrouwen stonden recht tegenover elkaar, keken elkaar aan en weigerden allebei hun blik af te wenden.
'Zie je, dát was wat Phil Turnball over het hoofd had gezien,' zei Wendy. 'Je weet dat hij zelfmoord heeft gepleegd, neem ik aan?'
'Ja.'
'Híj dacht dat Haley door Dan was vermoord, omdat er, voor zover hij wist, geen andere verdachten waren. Dan was ondergedoken in dat motel. Niemand wist waar hij was, kortom, niemand anders kon Haleys iPhone daar hebben achtergelaten. Maar Phil heeft jou over het hoofd gezien, Jenna. Ik ook.'
Jenna trok de leren handschoenen uit. 'Het zegt niks.'

'En dit dan?'

Wendy gaf haar de foto van Kirby Sennett. De gele bank met de blauwe bloemen stond achter hen, met plasticfolie eromheen, klaar om naar Cincinnati te worden gebracht. Jenna bleef te lang naar de foto kijken.

'Heeft je dochter je verteld wat Red Bullen is?'

Jenna gaf haar de foto terug. 'Het bewijst nog steeds niks.'

'Dat doet het wel. Want nu weten we wat de waarheid is, of niet soms? Als ik met deze informatie naar de politie stap, zullen ze de kinderen harder aanpakken. Ze zullen de onbewerkte foto's te pakken krijgen. Ik weet dat Kirby hier is geweest. Hij en Haley hadden een flinke ruzie gehad en hadden het uitgemaakt. Toen ik hem alleen sprak, heeft hij me verteld dat er hier een feestje met drank was, hier, in jouw huis, op de avond dat Haley is verdwenen. Hij zei dat ze maar met vier meisjes waren. De politie zal die meisjes onder druk zetten. Die zullen zeker praten.'

Ook dit was niet helemaal waar. Walker en Tremont hadden Kirby opnieuw verhoord. Ze hadden met hel en verdoemenis gedreigd om hem aan het praten te krijgen. Pas toen zijn advocaat hen een akte van vertrouwelijkheid had laten tekenen, plus een verklaring dat de informatie niet tijdens het proces zou worden gebruikt, had Kirby hun over het feestje verteld.

Jenna sloeg haar armen over elkaar. 'Ik weet niet waar je het over hebt.'

'Weet je wat me het meest verbaast? Dat geen van de meisjes iets heeft gezegd toen Haley opeens spoorloos was. Ook al waren ze maar met z'n vieren. Kirby zei dat hij Amanda, je stiefdochter, ernaar had gevraagd. Amanda heeft tegen hem gezegd dat met Haley alles in orde was toen ze kort na hem naar huis was gegaan. Want met het zerotolerancebeleid van schoolhoofd Zecher zal niemand zeggen dat hij gedronken heeft als het niet nodig is. Kirby was zelf bang dat hij uit het honkbalteam zou worden gezet. Hij zei dat een van de andere meisjes op de wachtlijst van Boston College stond en dat ze nooit aangenomen zou worden als Zecher te weten kwam dat ze had gedronken. Dus zeiden ze er niets over, hielden ze het strikt geheim. En zo opzienbarend was het ook weer niet toen Amanda vertelde dat er niks met Haley aan de hand was toen ze naar huis ging. Ik bedoel, waarom zou iemand daaraan twijfelen?'

'Ik denk dat je beter kunt gaan.'

'Dat was ik ook van plan. En dan stap ik rechtstreeks naar de politie. Je weet dat ze in staat zijn die avond te reconstrueren. Vervolgens zullen ze te weten komen dat jij naar dat motel bent gegaan, misschien door de videobeelden van de bewakingscamera's in de omgeving te bekijken. Ze zullen tot de conclusie komen dat jij die telefoon daar hebt neergelegd. De lijkschouwer kan een nieuwe autopsie op Haleys lijk doen. Het zal niet lang duren voordat je web van leugens het begeeft.'

Wendy draaide zich om, wilde weggaan.

'Wacht.' Jenna slikte. 'Wat wil je?'

'De waarheid.'

'Draag je een microfoontje en een zendertje op je lijf?'

'Een microfoontje? Je kijkt te veel tv.'

'Nou, draag je een microfoontje?' vroeg ze weer.

'Nee.' Wendy spreidde haar armen. 'Wil je me – om in tv-jargon te blijven – fouilleren?'

De twee verhuizers kwamen het huis binnen. De ene zei: 'We wilden aan de kamer van uw oudste dochter beginnen, mevrouw Wheeler. Is dat goed?'

'Prima,' zei Jenna. Ze keek Wendy aan. Er stonden tranen in haar ogen. 'Kom. We kunnen achter praten.'

Jenna Wheeler ging haar voor. Ze deed de glazen schuifdeur open. Er was een zwembad achter het huis. Op het water dreef een blauwe luchtmatras. Jenna staarde er enige tijd naar. Daarna liet ze haar blik door de tuin gaan alsof ze een potentiële koper was.

'Het was een ongeluk,' zei Jenna. 'Als je hebt gehoord hoe het is gebeurd, hoop ik dat je het begrijpt. Jij bent ook moeder.'

Wendy kreeg een hol gevoel in haar maag.

'Amanda is geen populair meisje. Soms is dat niet zo erg. Je vindt andere interesses of je sluit vriendschap met andere impopulaire meisjes. Je weet hoe het gaat. Maar met Amanda was het anders. Ze werd veel gepest en nooit op feestjes gevraagd. Het werd nog erger voor haar toen bekend werd dat ik het openlijk opnam voor Dan, hoewel ik niet denk dat dit de doorslag gaf. Amanda is iemand die daar heel erg onder lijdt. Ze zat voortdurend boven op haar kamer te huilen. Noel en ik wisten niet wat we moesten doen.'

Ze stopte met praten.

'Dus besloten jullie zelf een feestje te geven,' zei Wendy.

'Ja. Ik zal je alle details besparen, maar het leek ons voor alle betrokkenen de beste oplossing. Want wist je dat er in het weekend daarvoor diverse laatstejaars naar de Bronx waren gereden, naar een club die drank schenkt aan minderjarigen? Vraag het maar aan Charlie. Hij weet het ook.'

'Laat mijn zoon erbuiten, alsjeblieft.'

Jenna stak haar handen op in een overdreven gebaar van overgave. 'Oké, oké, wat je wilt. Maar het is waar. Ze gaan met een heel stel naar die club, gieten zich vol en stappen 's avonds laat weer in de auto. Dus leek het Noel en mij beter om het hier in huis te doen. Wij zouden boven blijven, ons nergens mee bemoeien, en, nou ja, alleen voor het bier zorgen. Niet dat we ze aan de drank wilden hebben, maar kom op, jij hebt ook op de middelbare school gezeten. Tieners drinken nu eenmaal. Wij vonden dat ze dat het beste in een zo veilig mogelijke omgeving konden doen.'

Wendy's gedachten schoten terug naar het Begeleidingsproject Eindexamenfeest en de stand van de 'Niet in óns huis'-campagne, die er juist tegen was dat ouders dit soort feestjes organiseerden. 'Overdreven beschermend' had een van de vaders het genoemd, en tot op zekere hoogte was ze het met hem eens geweest.

'Ik neem aan dat Haley McWaid erbij was?' vroeg Wendy.

Jenna knikte. 'Volgens mij mocht ze Amanda niet eens. Ze was nog maar één keer hier geweest. Ze gebruikte haar alleen voor de drank, neem ik aan. Maar goed, veel waren er niet komen opdraven. En Haley was van streek. Ze was ontroostbaar omdat ze niet naar de universiteit van Virginia ging. En ze had net een fikse ruzie met Kirby gehad. Daarom was hij vroeg weggegaan.'

Haar stem stierf weg. Ze staarde naar het zwembad.

'Maar wat is er toen gebeurd?' vroeg Wendy.

'Haley overleed.'

Het was er in één keer uit.

De verhuizers kwamen de trap af klossen. De ene vloekte. Wendy stond in de tuin met Jenna Wheeler. De zon scheen fel op hen neer. Het was stil in de tuin, alsof die zijn adem inhield.

'Ze had veel te veel gedronken,' zei Jenna. 'Alcoholvergiftiging. Haley was vrij tenger. Ze had een volle fles whisky in de kast gevonden en die helemaal leeggedronken. Amanda dacht dat ze alleen buiten westen was geraakt.'

'Hebben jullie geen ziekenwagen gebeld?'

Ze schudde haar hoofd. 'Noel is arts. Hij heeft alles geprobeerd om haar te reanimeren. Maar het was te laat.' Eindelijk wendde Jenna zich af van het zwembad. Ze keek Wendy met een onderzoekende blik aan. 'Plaats jezelf even in onze positie, wil je? Het meisje was dood. Niets kon haar nog tot leven wekken.'

'Dood is dood,' zei Wendy, wat een herhaling was van wat Jenna in hun vorige gesprek over haar ex-man had gezegd.

'Ik vind je erg cynisch, maar inderdaad, dood is dood. Haley was overleden. Het was een afschuwelijk ongeluk, maar we konden haar niet meer tot leven wekken. We stonden bij haar roerloze lichaam. Noel bleef maar proberen haar te reanimeren, maar het had geen enkele zin. Denk erover na. Jij bent tv-reporter. Jij hebt verslag gedaan van dit soort feestjes, nietwaar?'

'Ja.'

'Dus je weet dat er ouders de gevangenis in zijn gegaan, hè?'

'Dat klopt. Het heet doodslag.'

'Maar het was een ongeluk. Begrijp je dat dan niet? Ze had te veel gedronken. Zoiets gebeurt.'

'Vierduizend keer per jaar,' zei Wendy, terugdenkend aan de cijfers die voorlichtingsagent Pecora had genoemd.

'Dus Haley ligt daar. Ze is dood. En wij weten niet wat we moeten doen. Als we de politie bellen, gaan we de gevangenis in. Dat is zo klaar als een klontje. Dan is ons leven geruïneerd.'

'Beter dan dood zijn,' zei Wendy.

'Maar wat zou het voor zin hebben? Zeg nu zelf. Haley was al dood. Als wij ons leven ruïneerden, kregen we haar daar niet mee terug. We waren doodsbang. Begrijp me niet verkeerd. We vonden het afschuwelijk wat er met Haley was gebeurd. Maar voor iemand die dood is, kun je niks meer doen. We waren zo bang... dat begrijp je toch?'

Wendy knikte. 'Ja.'

'Ik bedoel, stel jezelf in onze plaats. Je hele gezin staat op het spel. Wat zou jíj doen?'

'Ik? Ik zou haar waarschijnlijk in een staatspark begraven.'

Stilte.

'Dat is niet grappig,' zei Jenna.

'Maar het is wel wat jullie hebben gedaan, waar of niet?'

'Stel dat het bij jou thuis gebeurt. Je bent op je slaapkamer, Charlie komt boven, neemt je mee naar beneden en daar ligt een van zijn vrienden, dood. Jij hebt die jongen niet gedwongen te drinken. Jij hebt die drank niet in zijn keel gegoten. En nu moet jij er misschien voor naar de gevangenis. En Charlie misschien ook. Wat zou jij hebben gedaan om je gezin te beschermen?'

Nu zei Wendy niets.

'We wisten niet wat we moesten doen, dus ja, we raakten in paniek. Noel en ik legden haar lichaam in de kofferbak van onze auto. Ik weet hoe dat klinkt, maar nogmaals, we zagen geen andere uitweg. Als we de politie belden, was het gebeurd met ons... en dan zou dat meisje nog steeds dood zijn. Dat was wat ik mezelf bleef voorhouden. Ik zou mijn leven hebben gegeven als we haar daarmee hadden teruggekregen... maar dat kon gewoon niet.'

'En toen hebben jullie haar in het bos begraven.'

'Aanvankelijk waren we dat niet van plan. We wilden naar Irvington of een of ander stadje in de buurt rijden en haar ergens achterlaten waar ze meteen zou worden gevonden, maar toen bedachten we dat de autopsie de alcoholvergiftiging zou aantonen. En dan zou de politie uiteindelijk bij ons terechtkomen. Dus we moesten haar wel begraven. Ik vond het vreselijk om Ted en Marcia in onwetendheid te laten, maar ik wist echt niet hoe we het anders konden doen. En toen de mensen begonnen te suggereren dat Haley misschien van huis was weggelopen, nou, was dat niet beter dan zeker te weten dat je kind dood is?'

Wendy gaf geen antwoord.

'Wendy?'

'Je zei dat ik mezelf in jouw plaats moest stellen.'

'Ja.'

'Ik stel mezelf nu in de plaats van Ted en Marcia. Hoopte je dat ze de waarheid nooit te weten zouden komen? Dat hun dochter er de ene dag nog was en dat ze de volgende van de aardbodem was verdwenen zodat zij de rest van hun leven zich dood zouden schrikken elke keer als er aan de deur werd gebeld of de telefoon ging?'

'Is dat erger dan te weten dat je dochter dood is?'

Wendy nam niet eens de moeite die vraag te beantwoorden.

'En je moet begrijpen,' vervolgde Jenna, 'dat ook wij in een hel op aarde leefden. Elke keer als er aan de deur werd gebeld of de telefoon ging, dachten we dat het de politie was.'

'Jeetje,' zei Wendy. 'Ik heb erg met je te doen.'

'Ik ben niet uit op je medeleven. Ik probeer uit te leggen wat er daarna is gebeurd.'

'Ik denk dat ik dat al weet,' zei Wendy. 'Jij was Dans enige nabestaande. Toen de politie je kwam vertellen dat hij dood was, nou, dat kwam je wel goed uit, waar of niet?'

Jenna keek naar de grond. Ze trok het grote flanellen hemd strakker om zich heen, alsof het haar bescherming kon bieden. Ze leek er nog kleiner door. 'Ik had van die man gehouden. Ik was er kapot van.'

'Maar zoals je zei: dood is dood. Dan was al als pedofiel gebrandmerkt, en zoals je me vertelde maakte het hem niet meer uit of zijn naam werd gezuiverd of niet. Dan geloofde niet in een hiernamaals.'

'Allemaal waar.'

'De telefoonstaten toonden aan dat Dan maar twee mensen had gebeld: jou en zijn advocaat, Flair Hickory. Jij was de enige die hij vertrouwde. Jij wist waar hij was. En je had Haleys iPhone nog steeds. Dus waarom niet? Breng dat ding in verband met iemand die dood is.'

'Het kon Dan niet meer deren. Begrijp je dat dan niet?'

Op een bizarre, afschuwelijke manier zat hier wel iets in. Een dode kon je niet meer deren.

'Jij hebt Ringwood State Park in Google Earth van Haleys iPhone gezet. Als aanwijzing. Want waarom zou Haley, als Dan haar daar heeft vermoord en begraven, dat park opzoeken? Daar had ze geen reden voor. De enige conclusie die ik kon trekken, was dat Haleys moordenaar wilde dat haar lijk werd gevonden.'

'Niet haar moordenaar,' zei Jenna. 'Haar dood was een ongeluk.'

'Ik heb nu echt geen zin in een cursus semantiek, Jenna. Waarom heb jij Ringwood State Park in Haleys telefoon gezet?'

'Omdat ik, hoe je ook over me denkt, geen harteloos monster ben. Ik zag Ted en Marcia... hun lijden. Ze wisten niet wat er met hun dochter was gebeurd en ik zag wat dat met ze deed.'

'Je hebt het voor Ted en Marcia gedaan?'

Jenna draaide zich naar haar om. 'Ik wilde hun iets van gemoedsrust geven. En ik wilde dat hun dochter een waardige begrafenis zou krijgen.'

'Edelmoedig van je.'

'Je sarcasme,' zei Jenna.

'Wat is daarmee?'

'Het is een façade. Wat we hebben gedaan was slecht. Het was fout. Maar je moet er tot op zekere hoogte ook begrip voor kunnen opbrengen. Jij bent zelf ook moeder. We doen alles wat nodig is om onze kinderen te beschermen.'

'Wij begraven geen dode meisjes in het bos.'

'O nee? Zou je dat niet doen, in geen enkel geval? Stel dat Charlies leven op het spel staat. Ik weet dat je je man hebt verloren. Stel dat hij er nog was en dat hij misschien de gevangenis in moest voor een ongeluk. Wat zou jij dan hebben gedaan?'

'Ik zou geen meisje in het bos hebben begraven.'

'Wat zou je dan wel hebben gedaan? Dat wil ik graag weten.'

Wendy gaf geen antwoord. Even gaf ze eraan toe en stelde ze het zich voor. John nog in leven. Charlie komt de trap op. Een dood meisje op de vloer. Maar ze hóéfde zich niet af te vragen wat ze zou hebben gedaan. Ze had geen reden om zo ver te gaan.

'Haar dood was een ongeluk,' zei Jenna weer, met zachte stem.

Wendy knikte. 'Ik weet het.'

'Begrijp je waaróm we het zo hebben gedaan? Ik zeg niet dat je het ermee eens moet zijn. Maar begrijp je het?'

'Ik denk het wel, tot op zekere hoogte.'

Jenna keek haar met een betraand gezicht aan. 'Wat ga je nu doen?'

'Wat zou jij doen als je mij was?'

'Ik zou het laten rusten.' Jenna kwam bij haar staan en pakte haar hand vast. 'Alsjeblieft. Ik smeek het je. Laat het rusten.'

Wendy dacht erover na. Ze was met een bepaald gevoel hiernaartoe gekomen. Was ze van mening veranderd? Opnieuw zag ze John voor zich, in leven. Ze zag Charlie de trap op komen. Ze zag het dode meisje op de grond liggen.

'Wendy?'

'Het is niet aan mij om voor rechter en jury te spelen,' zei ze, denkend aan Ed Grayson, aan wat hij had gedaan. 'Het is niet aan mij om jou te straffen. Maar het is ook niet aan mij om je de absolutie te schenken.'

'Wat bedoel je daarmee?'

'Het spijt me, Jenna.'

Jenna deed een stap achteruit. 'Je kunt niks bewijzen. Ik zal glashard ontkennen dat dit gesprek heeft plaatsgevonden.'

'Dat kun je proberen, maar ik denk niet dat het je veel zal helpen.'

'Het zal jouw woord tegen het mijne zijn.'

'Nee, dat denk ik niet,' zei Wendy. Ze gebaarde naar de straat. Frank Tremont en twee rechercheurs kwamen het tuinpad op lopen.

'Ik heb tegen je gejokt,' zei Wendy, en ze deed een knoopje van haar blouse los. 'Ik draag wel een microfoontje.'

38

Die avond, toen alles achter de rug was, zat Wendy alleen op de veranda van haar huis. Charlie was boven met zijn computer bezig. Pops kwam naar buiten en ging naast haar stoel staan. Ze keken allebei naar de sterren aan de hemel. Wendy dronk witte wijn. Pops had een flesje bier in zijn hand.

'Ik ga er straks vandoor,' zei hij.

'Niet als je hebt gedronken.'

'Alleen deze ene.'

'Maar toch.'

Hij ging in de andere stoel zitten. 'Maar we moeten eerst even praten.'

Ze nam nog een slokje wijn. Vreemd. Drank had haar man het leven gekost. Drank had Haley McWaid het leven gekost. En toch, op deze koele, heldere avond, zaten ze hier allebei te drinken. Ze zou een andere keer, bij voorkeur als ze nuchter was, wel eens nadenken over de diepere betekenis ervan.

'Wat is er?' vroeg ze.

'Ik ben niet alleen naar New Jersey gekomen om jou en Charlie op te zoeken.'

Ze keek hem aan. 'Waarom dan nog meer?'

'Ik ben gekomen,' zei hij, 'omdat ik een brief had ontvangen van Ariana Nasbro.'

Wendy keek hem aan en zei niets.

'Ik heb haar deze week gesproken. Meer dan eens zelfs.'

'En?'

'En ik heb het haar vergeven, Wendy. Ik heb geen zin om haar nog langer te blijven haten. Ik denk dat John dat ook niet zou hebben gewild. Als we niet kunnen vergeven, wat zíjn we dan nog?'

Wendy zei niets. Ze dacht aan Christa Stockwell, aan hoe zij de studenten had vergeven die haar leven hadden geruïneerd. Ze had gezegd dat wanneer je vasthoudt aan je haat, je de grip op zo veel andere dingen verliest. Phil Turnball had die les ook geleerd, al was dat op de harde manier. Wraak en haat... als je eraan bleef vasthouden, gingen de belangrijke dingen van het leven langs je heen.

Aan de andere kant was Ariana Nasbro geen studentje dat een onschuldige grap had uitgehaald. Ze had dronken achter het stuur gezeten, voor de zoveelste keer, en daarbij haar man doodgereden. Toch kon Wendy het niet helpen dat ze zich afvroeg of Dan Mercer, als hij nog in leven zou zijn, haar zou vergeven wat ze had gedaan. Waren die twee zaken vergelijkbaar? En maakte het iets uit of ze dat waren?

'Het spijt me, Pops,' zei ze. 'Maar ik kan het haar niet vergeven.'

'Dat vraag ik ook niet van je. Dat respecteer ik. Maar ik zou graag willen dat jij respecteert wat ík heb gedaan. Kun je dat?'

Ze dacht erover na. 'Ja, ik denk wel dat ik dat kan.'

In een vertrouwd stilzwijgen zaten ze naast elkaar.

'Ik wacht,' zei Wendy.

'Waarop?'

'Op wat je over Charlie gaat zeggen.'

'Wat zou ik over hem moeten zeggen?'

'Heb je hém verteld waarom je bent gekomen?'

'Dat is mijn taak niet,' zei Pops. Hij stond op en pakte zijn laatste spullen in. Een uur later reed Pops weg op zijn Harley. Wendy en Charlie zetten de tv aan. Wendy staarde enige tijd naar de bewegende beelden. Toen stond ze op en ging naar de keuken. Toen ze terugkwam, had ze een envelop in haar hand. Ze gaf hem aan Charlie.

'Wat is dit?' vroeg hij.

'Een brief van Ariana Nasbro aan jou. Lees hem. Als je erover wilt praten, ben ik boven.'

Wendy maakte zich op om naar bed te gaan en liet haar deur openstaan. Ze wachtte. Uiteindelijk hoorde ze Charlie de trap op komen. Ze zette zich schrap. Hij stak zijn hoofd om de deurpost en zei: 'Ik ga naar bed.'

'Alles goed met je?'

'Ja. Ik heb nu alleen geen zin om erover te praten, oké? Ik wil er eerst een tijdje over nadenken.'

'Oké.'

'Welterusten, mam.'

'Welterusten, Charlie.'

Twee dagen later, voordat de meisjes van Kasselton High de finalewedstrijd lacrosse tegen Ridgewood zouden spelen, werd er op het veld een kort moment van herdenking gehouden. Tijdens de minuut stilte werd er een groot bord met de tekst HALEY MCWAID'S PARK boven op het scorebord gehesen.

Wendy was erbij. Ze keek van een afstand toe. Ted en Marcia waren er natuurlijk ook. Hun andere twee kinderen, Patricia en Ryan, stonden naast hen. Wendy's hart brak weer toen ze het viertal zag. Onder Haleys naam werd nog een bord bevestigd. Hierop stond de slogan NIET IN ÓNS HUIS, om ouders eraan te herinneren geen drankfeestjes in hun huis toe te staan. Marcia McWaid keek de andere kant op toen het bord werd onthuld. Ze liet haar blik over de andere aanwezigen gaan, tot ze Wendy zag. Ze knikte naar Wendy, kort en maar net zichtbaar. Wendy knikte terug. Dat was alles.

Toen de wedstrijd begon, draaide Wendy zich om en liep weg. Frank Tremont, nu echt met pensioen, was er ook, helemaal achteraan, in hetzelfde gekreukelde pak dat hij op de begrafenis aan had gehad. De wetenschap dat Haley McWaid al dood was geweest voordat hij met de zaak was belast, had hem van een deel van zijn schuldgevoel moeten verlossen. Maar hij zag er niet uit alsof hij zich veel beter voelde.

Sheriff Walker was in zijn uniform voor de plechtigheid, compleet met holster en dienstwapen. Hij stond op het parkeerterrein met Michele Feisler te praten. Michele deed verslag van de plechtigheid voor NTC. Toen ze Wendy zag aankomen, trok ze zich terug, gaf ze hun de ruimte om te praten. Walker draaide nerveus met zijn voeten.

'Alles goed met je?' vroeg Walker.

'Ja. We weten nu dat Dan Mercer onschuldig was.'

'Ja, dat weet ik.'

'Dat houdt in dat Ed Grayson een onschuldig man heeft vermoord.'

'Ik weet het.'

'Dat kun je niet laten passeren. Ook hij moet voor de rechter worden gebracht.'

'Zelfs als hij ervan overtuigd was dat Dan pedofiel was?'

'Zelfs dan.'

Walker zei niets.

'Heb je gehoord wat ik zei?'

'Ja,' zei Walker. 'En ik zal mijn best doen.'

Hij voegde er geen 'maar' aan toe. Dat was niet nodig. Wendy deed al het mogelijke om Dans naam te zuiveren, maar het leek niemand bijzonder te interesseren. Dood was dood, tenslotte. Wendy liep door naar Michele Feisler. Michele had haar notitieboekje in de hand, observeerde de massa en maakte druk aantekeningen, net als de laatste keer dat ze elkaar hadden gesproken.

Dat herinnerde Wendy aan iets.

'Hallo,' zei Wendy tegen haar. 'Hoe zat het ook alweer met de chronologie?'

'Je had de volgorde fout,' zei Michele.

'Ah, juist, dat was het. Ed Grayson had zijn zwager Lemaine door de knieën geschoten voordat hij Mercer vermoordde.'

'Ja. Maar dat verandert nu niks meer aan de zaak, toch?'

Wendy dacht erover na, zette de feiten op een rij nu ze er de tijd voor had.

In werkelijkheid veranderde het alles.

Ze draaide zich om naar Walker en zag het pistool in zijn holster. Ze bleef ernaar staren.

Walker zag wat ze deed. 'Wat is er?'

'Hoeveel kogels hebben jullie in dat trailerpark gevonden?'
'Sorry?'
'Jouw technische mensen hebben toch forensisch onderzoek gedaan in het trailerpark waar Dan Mercer is doodgeschoten?'
'Ja, natuurlijk.'
'Hoeveel kogels hebben ze gevonden?'
'Alleen die ene in dat betonblok.'
'Dezelfde die het gat in de wand van de trailer heeft gemaakt?'
'Ja. Hoezo?'
Wendy liep van hem weg.
'Wacht,' zei Walker. 'Wat is er mis?'
Ze gaf geen antwoord. Ze ging naar haar auto en liep eromheen. Niets te zien. Geen kogelgaten, geen krasje. Haar hand ging naar haar mond. Ze onderdrukte een kreet.
Wendy stapte in de auto en reed naar het huis van Ed Grayson. Ze vond hem in de achtertuin, waar hij onkruid aan het wieden was. Het verbaasde hem dat ze ineens voor zijn neus stond.
'Wendy?'
'Degene die Dan heeft vermoord,' zei ze, 'heeft op mijn auto geschoten.'
'Wat?'
'Jij bent een uitstekend schutter. Iedereen zegt dat. Ik heb je op mijn auto zien richten en diverse schoten zien lossen. Toch is er geen krasje op te vinden. Sterker nog, de enige kogel die in het hele trailerpark is gevonden, is de kogel die door de wand van de trailer is gegaan… die van je allereerste schot. Op een goed zichtbare plek.'
Ed Grayson keek op van zijn werk. 'Waar heb je het over?'
'Hoe is het mogelijk dat een uitstekend schutter Dan op die korte afstand miste? Hoe is het mogelijk dat hij mijn auto miste? Hoe is het mogelijk dat hij de hele verdomde vloer van de trailer miste? Antwoord: dat ís niet mogelijk. Het was allemaal nep.'
'Wendy?'
'Ja?'
'Laat het rusten.'

Zonder iets te zeggen keken ze elkaar enige tijd aan.
'Weinig kans. Ik heb nog steeds Dans dood op mijn geweten.'
Grayson zei niets.
'En het is best ironisch als je erover nadenkt. Toen ik bij de trailer aankwam, zat Dan onder de blauwe plekken. Iemand had hem in elkaar geslagen. De politie dacht dat Hester Crimstein weer eens een slimme truc had uitgehaald. Dat ze mijn verklaring had gebruikt om te stellen dat jij hem in elkaar had geslagen... dat op die manier zijn bloed in jouw auto terecht was gekomen. Wat de politie niet besefte, was dat Hester de waarheid sprak. Jij had Dan opgespoord. Je hebt hem in elkaar geslagen om hem tot een bekentenis te dwingen. Maar hij heeft niet bekend, hè?'
'Nee,' zei Ed Grayson. 'Hij heeft niet bekend.'
'Sterker nog, je begon hem te geloven. Je besefte dat hij mogelijk onschuldig was.'
'Ja, misschien.'
'Nu moet je me even helpen. Je kwam thuis. Wat gebeurde er toen... heb je de waarheid uit E.J. getrokken?'
'Laat het rusten, Wendy.'
'Kom op. Je weet dat ik dat niet kan doen. Heeft E.J. zijn hart gelucht en je verteld dat het zijn oom was die de foto's had gemaakt?'
'Nee.'
'Wie dan?'
'Mijn vrouw, oké? Ze zag me onder het bloed thuiskomen. Ze zei dat het afgelopen moest zijn. Toen heeft ze me verteld wat er gebeurd was, dat het haar broer was die de foto's had gemaakt. Ze heeft me gesmeekt het te laten rusten. E.J. begon er al overheen te komen, zei ze. Haar broer zou hulp zoeken.'
'Maar jij kon het niet laten rusten, hè?'
'Nee, dat klopt. En ik was ook niet van plan om E.J. tegen zijn oom te laten getuigen.'
'Dus heb je hem door zijn knieën geschoten.'
'Ik ben niet zo stom dat ik die vraag beantwoord.'
'Het maakt niet uit. We weten allebei dat je dat hebt gedaan. En toen? Heb je Dan gebeld om je excuses aan te bieden? Zoiets?'

Grayson zei niets.

'Het maakte geen verschil dat de rechter de zaak seponeerde,' vervolgde Wendy. 'Mijn programma had Dans leven al verwoest. Zelfs nu – nadat ik in het openbaar mijn fout heb erkend en heb geprobeerd zijn naam te zuiveren – denkt men nog steeds dat hij pedofiel was. Waar rook is, is vuur, nietwaar? Hij had geen schijn van kans. Zijn leven was voorbij. Jij hebt het jezelf waarschijnlijk ook verweten, in ieder geval voor een deel, zoals je hem op zijn nek hebt gezeten. Dus wilde je iets doen om het goed te maken.'

'Laat het rusten, Wendy.'

'En wat nog beter uitkwam: jij was federale marshal geweest. Dat zijn de mensen die met getuigenbeschermingsprogramma's werken, is het niet? Jullie weten hoe je mensen moet laten verdwijnen.'

Hij zei niets.

'Dus de oplossing was redelijk simpel. Je moest Dans dood ensceneren. Je kon niet ergens een ander lijk vandaan halen, of een vals politierapport overleggen, alsof het lijk in een andere staat was gevonden. En zonder lijk had je een betrouwbare getuige nodig... iemand die nooit de kant van Dan Mercer zou kiezen. Mij. Je liet precies zo veel bewijs achter dat de politie mijn verhaal zou geloven – die ene kogel, zijn bloed, de ooggetuige die je met die rol tapijt naar je auto zag lopen, je auto op de plaats delict, het feit dat je een GPS-zendertje onder mijn auto hebt geplakt, en dat je zelfs naar de schietbaan bent geweest – maar niet genoeg bewijs om veroordeeld te worden. Je had maar één echte kogel in je pistool. Dat was de kogel die je door de wand van de trailer hebt geschoten. Alle andere waren losse flodders. Dan had jou waarschijnlijk een bloedmonster gegeven, of hij had zichzelf met opzet verwond toen hij viel... als verklaring voor het bloed dat op de vloer is gevonden. O, en wat nóg slimmer was... je had een locatie uitgezocht waar geen mobiel telefoonbereik was. Je getuige – ik – moest eerst een heel eind rijden voordat ze de politie kon bellen. Dat gaf jou de kans om er met Dan vandoor te gaan. Maar toen ze die iPhone in Dans motelkamer vonden, kreeg je het wel even benauwd, hè? Daarom ben je naar Ringwood Park gekomen. Daarom was je op informatie uit. Heel even was je bang dat je misschien de echte moordenaar had laten verdwijnen.'

Ze wachtte tot hij iets zou zeggen. Even bleef hij haar alleen maar aankijken.

'Het is een prachtig verhaal, Wendy.'

'Ja, ik kan er alleen niks van bewijzen...'

'Dat weet ik,' zei hij. 'Omdat het klinkklare onzin is.' Er kwam een heel vage glimlach om zijn mond. 'Of had je gehoopt dat ik ook in je microfoontje zou bekennen?'

'Ik draag geen microfoontje.'

Hij schudde zijn hoofd en liep naar de achterdeur van het huis. Wendy ging hem achterna.

'Begrijp je het dan niet? Ik wíl het helemaal niet bewijzen.'

'Waarom ben je dan naar me toe gekomen?'

De tranen sprongen in haar ogen. 'Omdat ik verantwoordelijk ben voor wat er met hem is gebeurd. Ik ben degene die hem in mijn tv-programma in de val heeft gelokt. Het is míjn schuld dat de hele wereld denkt dat hij pedofiel was.'

'Ja, dat is waar, neem ik aan.'

'En als jij hem hebt vermoord, ben ik daarvoor verantwoordelijk. Voor altijd. Ik krijg niet de kans om het over te doen. Het is mijn schuld. Maar als je hem hebt geholpen te verdwijnen, dan... misschien, heel misschien, gaat het dan wel goed met hem. Misschien zou hij het begrijpen en...'

Ze stopte met praten. Ze waren in het huis.

'En wat?'

Ze kon de woorden bijna niet uit haar mond krijgen. De tranen rolden over haar wangen.

'En wat, Wendy?'

'En misschien,' zei ze, 'is hij zelfs bereid het me te vergeven.'

Ed Grayson pakte de telefoon van tafel. Hij toetste een lang nummer in. Hij zei een of ander wachtwoord in het toestel. Hij wachtte tot hij een klik hoorde. Toen gaf hij de telefoon aan haar.

Epiloog

'Meneer Dan?'

Ik sta in een tent die ook dienstdoet als het schoollokaal waar ik de kinderen leer lezen met behulp van de LitWorld-methode. 'Ja?'

'De radio. Het is voor u.'

Er is geen telefoon in het dorp. Je kunt dit deel van de provincie Cabina in Angola alleen met een radio bereiken. In mijn diensttijd was ik niet ver hiervandaan gelegerd, jaren geleden, nadat ik van Princeton was gekomen en me had aangemeld voor het Vredeskorps. Je hoort wel eens zeggen dat wanneer God een deur dichtdoet, Hij een andere voor je opent. Of zoiets was het. Dus toen ik die rode deur achter me dichtdeed, had ik geen idee dat er een andere voor me zou opengaan.

Ed Grayson is de man die me het leven heeft gered. Hij heeft een vriendin, een vrouw die Terese Collins heet, die in een dorpje zoals dit aan de andere kant van de berg werkt. Zij en Ed zijn de enige twee mensen die de waarheid kennen. Voor alle anderen is Dan Mercer inderdaad dood.

En het is niet eens gelogen.

Ik heb u eerder verteld dat het leven van Dan Mercer voorbij was. Maar het leven van Dan Mayer – een kleine naamsverandering, maar groot genoeg – is nog maar net begonnen. Grappig. Ik mis mijn oude leven niet. Op een zeker moment is er iets gebeurd – misschien was het dat akelige pleeggezin, of het was wat ik Christa Stockwell heb aangedaan, of het feit dat ik Phil Turnball er alleen voor heb laten opdraaien – waardoor het werk dat ik nu doe mijn roeping is geworden. Je zou het ook een soort boetedoening kunnen noemen, neem ik aan. Misschien is het dat wel. Toch geloof ik liever dat het op de een of andere manier genetisch is bepaald, zoals sommige mensen worden geboren om arts te worden, of een fervent sportvisser, of om met grote behendigheid een bal in een basket te schieten.

Lange tijd heb ik me hiertegen verzet. Ik ben met Jenna getrouwd. Maar zoals ik in het begin al zei, ben ik voorbestemd om alleen te blijven. Nu ben ik daar blij mee. Want – en ik weet dat het klef klinkt – wanneer je de lachende gezichtjes van deze kinderen ziet, ben je nooit echt alleen.

Ik kijk niet terug. Als de wereld wil denken dat Dan Mercer een of andere pedofiel was, dan moet dat maar. We hebben hier geen internet, dus ik kan niet checken wat er in het thuisland allemaal over me wordt gezegd. Ik denk ook niet dat ik het wil weten. Ik mis Jenna en Noel en de kinderen, maar ja... Soms ben ik geneigd haar de waarheid te vertellen. Jenna is de enige persoon die echt, oprecht om me zal rouwen.

Ik weet het niet. Misschien doe ik het op een dag wel.

Ik pak de microfoon en de koptelefoon. In de korte tijd dat ik hier ben, ben ik nog nooit gebeld. Alleen Terese Collins en Ed Grayson hebben dit nummer, dus ik ben verbaasd als ik een bekende stem hoor zeggen: 'Het spijt me zo.'

Ik zou het geluid van haar stem eigenlijk moeten haten. Ik zou boos op haar moeten zijn, maar ik ben het niet. Er komt een glimlach om mijn mond. Want uiteindelijk, in zekere zin, is zij het die me gelukkiger heeft gemaakt dan ik ooit ben geweest.

Ze begint nu snel te praten, huilt erbij en legt van alles uit. Ik luister met een half oor. Ik hoef dit allemaal niet te weten. Wendy heeft me gebeld om vier woorden te horen. Ik wacht. En als ze eindelijk is uitgepraat, doet het me een groot plezier ze tegen haar te zeggen.

'Ik vergeef het je.'